D0727006

Айрис
МЁРДОК

Сон Бруно

Роман

Санкт-Петербург
Издательство «Азбука»
1999

УДК 82/89
ББК 84.4 Вл
    М 52

Текст печатается по изданию:
Мёрдок А. Сон Бруно. Черный принц. М., 1992

Перевод с английского
О. Татариновой, И. Шварц

ISBN 5-267-00050-7

ГЛАВА I

Бруно проснулся. Казалось, в комнате совершенно темно. Затаив дыхание, он осмотрелся в потемках, пытаясь определить, что же сейчас — день или ночь, утро или вечер. Скверно, когда просыпаешься ночью, порой даже невыносимо. Невыносимо и после обеда просыпаться раньше времени. Возвращаться от сна к реальности было все труднее, и это особенно пугало Бруно теперь, когда сознание само по себе стало в тягость. Приходилось пускаться на хитрости. Он никогда не позволял себе дремать по утрам, боясь, что не уснёт после обеда. Телевизора с его фальшивыми страстями и военными фильмами Бруно не признавал. Кажется, он задремал над книгой. Снилось все то же — Джейни, Морин, шляпная заколка. Бруно пошарил возле себя и начал понемногу приподниматься на подушках, задевая ногами в чулках металлический каркас, который удерживал над ним одеяла. От тяжелых одеял в основном и заболевают ноги. Впрочем, для Бруно это вряд ли теперь имело значение.

Слава Богу, не ночь. Скованные рассудок и тело смятенно пытались найти себя во времени

Бруно вспомнил, а может быть, просто ощутил, что скоро вечер. Окна были плотно зашторены, но холодный красноватый свет пробивался по бокам. Вероятно, снаружи сияет солнце, студеное весеннее солнце, заливающее своим беспощадным светом грешный Лондон, грозящую наводнением Темзу, закопченные кольчатые башни электростанции Лотс-роуд, которые станут видны из окна в пять часов, когда придет Аделаида и раздвинет шторы. Бруно протянул руку, достал очки и, поднеся часы к тусклому просвету у края, разглядел время — пятнадцать минут пятого. Не позвать ли Аделаиду, подумал он, но отказался от этой мысли. Можно кое-как продержаться до пяти, гоня от себя кошмары. Аделаида, раздражительная горничная, не любит, когда ее вызывают в неурочный час. А может, она сделалась такой раздражительной только в последний год? Неужели она нарочно бьет самую дорогую посуду? На подносе вечно осколки, а он слишком стар и изнуряюще долго болен.

Писем сегодня нет. И едва ли будут с вечерней почтой. Зато в пять часов наступит самое приятное, самое лучшее время — принесут чай, булочки, бутерброд с анчоусами, какой-нибудь новый джем и газету «Ивнинг стандард», а потом вернется из типографии Денби. Зимой здесь, конечно, уютнее, когда в комнате топится камин, а на улице темно. Яркое весеннее солнце — враг Бруно, а нескончаемые летние вечера для него мучительны. Вот если бы и сейчас разожгли камин, но это стоит таких трудов, что не придет в голову даже Найджелу, который обо всем

умеет позаботиться. Бруно по возможности растянет чаепитие, затем просмотрит, начиная с карикатур, «Ивнинг стандард», после чего в шесть часов послушает новости по радио и потолкует полчасика с Денби — не о деле, разумеется, а о забавных происшествиях в типографии. Там каждый день приключается что-нибудь забавное. Еще Бруно развлечения ради позвонит по телефону или станет разглядывать марки, в семь можно выпить шампанского, почитать книги о пауках или детектив, потом Найджел принесет ужин, они побеседуют, и Найджел уложит Бруно спать. Нежный, словоохотливый Найджел с его ангельскими пальцами. Денби сказал однажды, что Найджел ненадежен, и пригрозил его уволить. Как бы не обнаружилось, что Найджел разбил индийскую чашку. Надо будет обязательно сказать, что чашку разбил он, Бруно.

Конечно, если Бруно не захочет, Денби не выгонит Найджела. Впрочем, Найджел — неопытная сиделка, раньше он был всего лишь санитаром или кем-то в этом роде, зато как он хорошо взбивает подушки и как заботливо помогает выбраться из постели. Денби — хороший зять. Он не из тех, кто отправляет стариков в богадельню. Бруно знает это. Несколько лет назад Денби решительно настоял на том, чтобы Бруно, который нуждался в присмотре, переехал к нему. Денби добр, но, в сущности, только в силу характера и отменного здоровья — он всегда голоден и не прочь выпить. Такой уж он человек — пусть гибнет у него на глазах цивилизация, но стоит предложить ему отбивную со

7

стаканчиком джина, и он приободрится. Одному Богу известно, что нашла его дочь в Денби; Гвен — серьезная девушка с сильным характером, а Денби — завсегдатай пивных. Женщины непостижимы. Тем не менее Денби и Гвен, видимо, любили друг друга. Бруно помнит это, хотя бедняжка Гвен давно умерла.

Он различал уже в сумраке комнаты возвышение каркаса в изножье кровати, большую деревянную шкатулку на столе, в которой хранилась коллекция марок, бутылку шампанского на книжном шкафу с мраморной столешницей и рядом, на стене, в квадратной рамке, фотографию своей жены Джейни. Джейни умерла на двадцать лет раньше Гвен, но Бруно казалось, что обе они одинаково далеки от него. Фотография Гвен по-прежнему стоит в нижнем этаже на пианино. У него не хватало мужества попросить, чтобы ее принесли. Недели три назад Бруно случайно услышал, как Аделаида сказала Найджелу: «Он никогда уже не спустится по лестнице». Потрясенного несправедливостью Бруно охватил страх. Что значит «никогда»? Он не сходил по лестнице больше месяца. Но это вовсе не означает «никогда». До туалета он добирается пока довольно легко. Почему же Найджел твердит о каких-то суднах, о том, что обращаться с ними несложно, а порой и внушает: дескать, сегодня Бруно, конечно, слишком устал, чтобы выходить самостоятельно? Не подготавливает ли его Найджел к худшему? Ну, нет. Он был уверен в этом и не желал больше знать, о чем шепчутся на лестнице Денби с олухом доктором. Олух доктор сказал, что Бруно проживет еще много лет. «Да вы нас всех переживете», — убеждал он, заливаясь здоровым смехом и поглядывая на часы. Много лет — это что-то неопределенное. А он должен прожить три года, несмотря ни на что, ему просто необходимо перехитрить закон о подоходном налоге и прожить еще три года.

Сейчас, когда пришло время размышлять о смерти, думал Бруно, меня заботят обязательства, с нею связанные. Это не альтруизм. Это скорее жалкая неспособность даже теперь отрешиться от чувства собственности. Слишком все запутано. Сегодня у него особенно неладно с головой. А все из-за таблеток, хотя они и снимают боль. Или дело в бромистом снотворном, которым он постепенно отравляется. Временами сознание Бруно помрачалось — какое-то странное ощущение, нечто совсем иное, чем эйфория, вызываемая шампанским, — он слышал, что разговаривает вслух, однако не понимал о чем. Начиная с двадцати пяти лет, у человека ежедневно разрушается миллион мозговых клеток, сообщил ему однажды Денби, прочитав об этом в воскресной газете. Может ли при такой скорости разрушения остаться хоть сколько-нибудь мозговых клеток у человека, которому далеко за восемьдесят, недоумевал Бруно. Бывали дни, когда у него совершенно ясно работала голова. А в последнее время и боли утихли. У науки поразительные возможности. Нужно разузнать, как оформить дарственную, и завещать кому-нибудь коллекцию марок, дабы она не досталась налоговому ведомству. За коллекцию можно выручить двадцать тысяч фунтов. Двадцать тысяч фунтов, не облагаемых налогом, никому не помешают. Отец перед смертью очень неохотно отдал ему эту коллекцию. В ореховой скорлупке памяти сохранилась отчетливая картинка — тонкая бледная рука двигает к нему по столу красного дерева шкатулку. Умирающий отец с горечью произносит: «Ты продашь ее, Бруно, ты растяпа, и тебя чудовищно надуют». Но Бруно не продал коллекцию, он даже немножко ее пополнил, он даже немножко ее любил, хотя никогда в отличие от отца не увлекался филателией всерьез. Бруно сберегал коллекцию про черный день, но жизнь подходила к концу, а черный день так и не наступил. Он мог совершить кругосветное путешествие. Покупать великие произведения искусства и наслаждаться ими. Есть каждый день икру и устрицы или передать коллекцию в комитет помощи голодающим. Нужно разузнать насчет дарственной, как это все делается, только не хочется спрашивать Денби: Денби очень добр, однако он слишком земной. Наверное, Денби волнует вопрос, кто получит марки. Бруно это тоже волнует. Зять Денби или сын Майлз? Но уже много лет прошло с тех пор, как Бруно в последний раз видел Майлза. Майлз давно отрекся от него.

Конечно, все они постоянно причиняют ему боль, и с этим ничего не поделаешь. Бруно чувствует их неискренность, ему ясно, что их мысли устремлены мимо него в то невообразимое будущее, когда его не станет. Они видят в нем чудище. Давным-давно кто-то назвал Бруно «очаровательным стариком». Каков же он теперь?

В собственном представлении он вообще не был стариком. Вот руки у него состарились. Однажды он с недоумением обнаружил это, проводя пятнистыми, высохшими, искривленными руками по одеялу. В зеркало Бруно уже не смотрел, но порой ощущал, будто у него прежнее молодое лицо, точно маска. Бруно догадывался, каков он на самом деле, по тому, как Аделаида и Денби отводят взгляд, по тем едва уловимым признакам отвращения, которых им не удается скрыть. Отталкивал их и запах, конечно, и весь его внешний вид. Бруно знал, что он стал чудищем со звериной головой, точнее, с головой быка — пленным Минотавром. Он похож на одного из своих раздутых, точно жабы, пауков вида xisticus или oxyptila. Огромная голова словно приросла к узкому, продолговатому телу, ныне он лишь хлипкое подобие человека, нечто бессильное, тщедушное, вытянутое, дурно пахнущее. Теперь он обитает в этаком коконе, как atypus, он сам сделался коконом. Soma sema[1]. Его тело, словно склеп, нелепый, ничем не украшенный склеп. Другой представлялась Бруно смерть три года назад, когда у него еще были седые волосы. У настоящей смерти нет ничего общего с ангелами и обелисками. Неудивительно, что все отводят от него глаза.

Типография могла бы стать своего рода памятником Бруно, однако он считал ее творением отца. «Гейтер и Гринслив». Впрочем, сейчас, когда ее

_____
[1] Собственной могилой (греч.). — Здесь и далее примеч. пер.

возглавляет Денби, типография должна называться «Гринслив и Оделл». Но Денби отказался изменить название, несмотря на то что старик Гейтер умер сорок лет назад. После войны наступили тяжелые времена, трудно было доставать запасные части для американских прессов, но потом дело пошло. Была ли в этом заслуга Денби? Секрет успеха заключался в разнообразии продукции и в том, чтобы не пренебрегать ничем: программы, каталоги, брошюры, афиши, карточки для бинго, студенческие журналы, почтовая бумага. Со своей стороны Бруно сделал все что мог. Его просто произвели на свет для типографии, для нее одной, практически даже в ней — грохот монотипных машин звучал в его младенческих ушах. Только он никогда не чувствовал себя своим среди печатников и не мог привыкнуть к их профессиональному жаргону, который так и остался для него чужим, непонятным языком. Он всегда немного побаивался типографии, как в детстве лошадей, когда отец заставлял его ездить на них. А вот Денби, казалось бы начисто лишенный каких бы то ни было склонностей и творческих способностей, даже не очень интеллигентный, женившись на Гвен, окунулся в типографское дело с головой, словно по-другому и быть не могло. Бруно, считавшего Денби дураком, возмущала его самоуверенность. Тем не менее именно Денби стал настоящим предпринимателем.

Бруно хотел посвятить себя зоологии и не связываться с типографией. Отец же заставил его изучать древние языки и заняться типографией. И как это отцу удалось? Уже и не припомнить.

С отцом он говорил лишь о деньгах и о работе. Поскольку тот был строг и часто наказывал Бруно, в памяти он остался лишь как источник неприятных переживаний, раздражения и обиды, остальное все улетучилось. И теперь Бруно краснел от возмущения, когда думал об отце, и теперь давняя слепая ненависть захлестывала его с прежней силой. Но мать была добра к Бруно, и спустя восемьдесят лет он отчетливо видел ту особенную, натянутую улыбку, с которой она пыталась переубедить в чем-то мужа, и отчетливо слышал, как она говорила: «Джордж, будь поласковее с мальчиком».

Мне с моими пауками и книгами по теологии, думал Бруно, нужно было жить отшельником, вдали от города, наподобие священника восемнадцатого столетия. Собственное счастье, утраченное им, являлось ему в образе матери и в воспоминаниях о тех летних вечерах, когда он шестнадцатилетним мальчиком при свете электрического фонаря наблюдал торжественный ритуал кладки яиц, совершаемый крупным красавцем пауком dolomedes. О пауки, пауки! Бруно никогда не переставал любить этих аристократов ползучего мира, но как-то вышло, что он предал их с самого начала. Он так и не нашел eresus niger, хотя в отрочестве уверенность в том, что он отыщет его, казалось, была внушена самим Богом. Он намеревался написать книгу «Механика сферической паутины», а вышла только небольшая статья. Еще более честолюбивый замысел — книга «Пауки Баттерси-парка» — сузился до двух статей. Так и не была опубликована

Владимиром Пуком, и большой двухтомник Пука «Пауки России» с дарственной надписью «Б. Гринсливу, английскому другу и истинному любителю пауков» хранится среди самых драгоценных реликвий. Но Бруно не принял приглашения Владимира Пука посетить Советский Союз и даже не ответил на его последнее письмо.

Что со мной произошло, ради чего все это было и имеет ли это значение теперь, когда на самом деле все кончено? — спрашивал себя Бруно. Все это сон, думал он, жизнь каждого человека — сон, как это ни жестоко. Смерть доказывает несостоятельность индуктивного метода, поскольку нет ничего, что придавало бы смысл нашему существованию. Все только сон, атрибуты сна, его наполнение, и мы, уходя, продолжаем существовать во сне другого человека, тень внутри тени, постепенно бледнеющая, бледнеющая, бледнеющая. Странно, что Гвен, Джейни, его мать, да, наверное, и Морин теперь, когда их не было рядом, жили гораздо ярче, реальнее в его сознании, чем прежде. Они — часть моей жизни-сна, думал Бруно, они погружены в мое сознание, точно препараты в раствор формалина. Женщины вечно молоды, а я состарился, как Тифон[1]. Вскоре они начнут растворяться во

---

[1] В греческой мифологии чудовище с сотней драконьих голов.

времени. Этот сон, этот такой напряженный сон в какой-то миг прервется, кончится, и никто никогда о нем не узнает. Усилия, затраченные на собственное становление, казались теперь, когда целей уже не было, суетными. Он усердно работал, изучал итальянский, немецкий, но это представлялось сейчас суетой сует, желанием в какой-то момент, который так и не наступил, кого-то потрясти, добиться успеха, вызвать восхищение. Ведь Джейни так чудесно говорила по-итальянски.

С возрастом, думал Бруно, человек становится как бы менее щепетильным в вопросах морали, у него остается не так много времени, его уже мало что заботит, он делается равнодушным. Да и разве что-нибудь имеет значение теперь, в конце, если и в самом деле по ту сторону сна ничего нет? Самого Бруно никогда не волновала религия, он оставлял ее женщинам, и понятие добра в его представлении было связано не с Богом, а с матерью. Бабушка ежевечерне молилась в присутствии слуг. Мать ходила в церковь каждое воскресенье. Джейни посещала церковь на Рождество и Пасху. Гвен была рационалисткой. Бруно жил рядом с ними, и Бог в его жизни и был, и умер по воле случая. Стоит ли теперь снова копаться в себе, устанавливать, был ли он достаточно хорошим человеком, раскаиваться и тому подобное? Иногда ему хотелось помолиться, но что такое молитва, если там никого нет? Если бы только он мог поверить в то, что после раскаяния на смертном одре его ждет мгновенное спасение. Даже мысль о чистилище бесконечно утешительна: жить и страдать под сенью абсолютно справедливой любви; даже мысль о суде, о суде над его безжалостностью к жене, над его безжалостным отношением к сыну; даже мысль о том, что предсмертные проклятия Джейни обрекают его на адские муки.

Должно быть, лет десять прошло с тех пор, как он виделся с Майлзом по делу о доме в Кенсингтоне, который был сдан внаем и который Майлз хотел продать. Дом был записан на имя Джейни, куплен на ее деньги, и, конечно же, она все завещала детям. До этого Бруно встречался с Майлзом на похоронах Джейни, на похоронах Гвен и еще раз или два по поводу денег. Майлз холоден, неумолим, ко дню рождения и на Рождество регулярно присылает снисходительные письма: «Я всегда думаю о тебе с любовью и уважением». Это неправда. Бруно считал сына незаурядным человеком. Он был восхищен, когда Майлз отказался от работы в типографии, возможно, даже завидовал ему. Но Майлз немногого достиг в жизни. Трудно поверить, что ему уже за пятьдесят. Он оказался способным чиновником, как говорили Бруно, но не высокого полета. И вся эта поэтическая чушь, которой он увлекался, ни к чему не привела.

Если б они не наговорили столько друг другу. Человек опрометчив в высказываниях, порой совсем не то имеет в виду, не то думает, даже не понимает, что говорит. Нужно прощать ему эту слабость. Ведь очень несправедливо, когда приходится страдать из-за неосторожно оброненного слова, страдать годами, пока страдание не станет

16

страшной, неотъемлемой частью тебя. Бруно не хотел, чтобы Майлз женился на индианке. Но куда бы делась его предвзятость, доведись ему узнать саму девушку. Нужно было не обращать внимания на его высказывания, заставить его встретиться с Парвати[1], устроить эту встречу, а они убежали и возвели его проступок в непреодолимый барьер. Обращались бы с ним помягче, увещевали его, а они возгордились и озлобились. Все произошло слишком быстро, ему навязали роль и осудили за нее же. По словам Майлза выходило, что Бруно говорил такое, чего на самом деле — Бруно совершенно в этом уверен — он никогда сказать не мог. Они с сыном плохо понимали друг друга. Гвен — та еще немножко стремилась понять Бруно. Но она тоже спорила с ним зря, а тут еще и Парвати погибла вскоре после свадьбы. Только много времени спустя он увидел ее на фотографии: Парвати и Гвен в Гайд-парке стоят обнявшись, держа друг друга за талию. Гвен перекинула через свое плечо длинную черную косу Парвати. Обе смеются. Даже этот снимок мог бы переубедить его.

Майлз ничего не простил. Пожалуй, именно смерть Парвати навеки укрепила в нем обиду. Он часто поминал «внуков цвета кофе». Это было выражение Бруно. Вот и пришло возмездие. У Бруно не было внуков. Гвен и Денби оказались бездетны, Майлз и Парвати тоже, Майлз и... Бруно не мог вспомнить имя второй жены сына, он никогда не видел ее. Ах да, Диана, Майлз

---

[1] В индуистской мифологии одно из имен жены бога Шивы.

и Диана бездетны. Стоит ли теперь мириться с Майлзом, независимо от того, что означало бы такое примирение. В конце концов, обязанность родителей и детей поддерживать хорошие отношения — просто условность. У каждого из них своя неповторимая индивидуальность, и нужно, отдавая ей должное, обращаться друг с другом соответственно. Почему они лишены преимущества, которое есть у других, не связанных родственными узами людей, — безболезненно расстаться? Что-то вроде этого он говорил уже много лет назад Денби, когда тот поинтересовался его отношениями с Майлзом. Денби, вероятно, беспокоился о марках.

Впрочем, Майлз давно затаил обиду еще и из-за Морин. Джейни ли рассказала детям о Морин, или они сами обо всем догадались? Хотелось бы все-таки узнать. Очаровательная темноглазая парочка, дети перешептывались, неулыбчиво смотрели на него. Некоторое время спустя, много позже, с Гвен все наладилось, но с Майлзом — никогда, старая горечь присоединилась к тому, что случилось потом, обе провинности как бы переплелись. Никто так и не понял, что же было у него с Морин, а теперь слишком поздно объяснять, да и кому объяснишь? Во всяком случае, не Денби, который просто рассмеялся бы, как смеется надо всем — над жизнью, даже над смертью. Денби как-то сказал, что смерть Гвен представляется ему смешной, смерть жены — смешной! Конечно, сказано это было годы спустя после ее ужасного, бессмысленного прыжка с моста. Сможет ли Бруно объяснить Майлзу историю с Морин и станет ли тот слушать? Майлз — теперь единственный человек в мире, для которого это имеет какое-то значение. Сможет ли Бруно растолковать наконец Майлзу, что было на самом деле? Сможет ли Майлз простить Бруно от лица всех остальных, или впереди только холод, беспощадность и мрак?

Джейни обозвала Морин жалкой потаскушкой. Как далеко уводят слова, особенно сказанные в гневе, от того, ради чего они говорятся! Бесспорно, Бруно изрядно тратился на Морин. Потом Джейни заставила его все подсчитать. Но по-настоящему деньги не играли роли в его отношениях с Морин, и даже постель была в них не главным. Морин дарила ему радость. Она была сама прелесть, невинность, нежность, покой и отрада. Он покупал ей белье, новые занавески, посуду. Игра в семейную жизнь с Морин доставляла ему то удовольствие, которого с женой он был лишен с самого начала. Его участие в устройстве дома свелось к ссорам с тещей. Джейни обставила дом сама: ей и в голову не приходило, что это может интересовать Бруно. А Морин, тихо напевающая с ливерпульско-ирландским выговором *держите тигра, держите тигра...* Морин, важно расхаживающая в новых коротеньких юбках... Обнаженная Морин с голубым ожерельем на шее, танцующая чарльстон... Ее маленькая квартирка, заполненная принадлежностями шляпницы, напоминала гнездо экзотической птички. Однажды, вернувшись домой весь в перьях, что не укрылось от глаз Джейни, Бруно сказал, будто заходил в зоопарк. Джейни поверила. Морин хохотала до слез.

Ну, положим, не такая уж невинность. На что она жила? Не похоже, чтобы ее шляпки продавались. Морин говорила, что иногда подрабатывает билетершей в кинотеатре, и она представлялась ему нимфой века кино, сивиллой в гроте призрачной любви. Но уж слишком много у нее было нарядов, слишком хорошая квартирка. Как-то раз Бруно попался на глаза мужской носовой платок. Морин объяснила, что это платок ее брата. Впрочем, ревность к ней и та была несерьезной, чем-то наподобие игры, интимной милой игры вроде шахмат, которые она расставляла в кафе — большие красивые белые и красные фигуры на огромной доске — в тот раз, когда он впервые ее увидел. Потом выяснилось, что играть она не умеет. Шахматные фигуры были просто средством обольщения. Это открытие совершенно очаровало Бруно. Морин сказала, что ей восемнадцать лет и что Бруно ее первый мужчина. Однако и эта ложь казалась сладкой, когда он пробовал ее на вкус вперемешку с губной помадой во время долгих, неторопливых, упоительных поцелуев. О Боже, подумал Бруно, все это снова вернулось ко мне, способно вернуться даже теперь, прильнув теплой волной к сердцевине иссохших жалких останков. Физическое влечение все еще подкрадывалось, охватывало смутными и нереальными образами, иногда это были воспоминания о Морин или о цветных девушках, за которыми он следовал по улицам и которых с беспомощным вожделением обнимал в тускло освещенных комнатах в Килберне и Ноттинг-Хилле спустя много лет после смерти Джейни.

Насколько избирательно чувство вины, думал Бруно. Мы помним и сожалеем только о тех проступках, которые бедственно отразились на нашей жизни. Люди, походя сбитые нами с ног, быстро забываются. Хотя их раны не менее глубоки. Нас интересует только собственная судьба. До того, как в Хэрродсе[1] мир вдруг словно перевернулся, Бруно не чувствовал за собой никакой вины. Лишь после отвратительной сцены, которую Джейни устроила Морин, услышав рыдания Морин за дверью, он осознал всю тяжесть, омерзительность и скандальность происшедшего. И вообще, зачем Джейни вышла за него замуж? Элегантная Джейни Девлин. Вероятно, влюбленность и честолюбие ненадолго превратили Бруно в остроумного, блестящего молодого человека, какой был ей нужен. Ее разочарование проявилось в насмешливости и холодности.

Джейни запечатлелась в памяти Бруно главным образом в период его ухаживания и женитьбы, перед Первой мировой войной. Самое же войну Бруно едва помнил. Бруно не воевал, ему было уже за тридцать, он страдал язвой желудка, и война его почти не коснулась. Отец уже умер, и Бруно управлял типографией, преуспевавшей на правительственных заказах. Мать, которая перебралась в Норфолк, испугавшись немецких цеппелинов, умерла в тысяча девятьсот шестнадцатом году. Это потрясло Бруно больше, чем война. Отдаленнее и в то же время более ярко помнилась Джейни. Джейни на теннисном

---

[1] Фешенебельный универсальный магазин в Лондоне.

корте в белом платье из плотной льняной ткани, кромка которого за долгий летний вечер становилась зеленой от травы. Джейни, болтающая по-итальянски на дипломатическом приеме, посматривающая с усмешкой на мужчин дерзко блестящими глазами. Джейни, поигрывающая зонтиком, окруженная толпой поклонников на Брод-Уок. Джейни в Сент-Джеймском театре в тот вечер, когда Бруно сделал ей предложение. Каким радостным, милым и бесконечно далеким все это казалось теперь. Потом уже с Морин был связан период лихорадочного веселья в помрачневшем мире. *Радость счастливых дней унес ты из жизни моей, оставив мне грусть одиноких ночей.*

В обществе как бы условлено, что брачующиеся всегда добродетельны. Брак — это символ добропорядочности, но тем не менее всего лишь символ. Бруно и Джейни наслаждались своей добропорядочностью довольно долго. «Она хорошая женщина?» — спросила у Бруно еще до женитьбы мать, которая впоследствии не особенно ладила с Джейни. Это был не совсем обычный вопрос. В смущении Бруно не знал, что ответить. Его отношения с Джейни делились на два периода. До Хэрродса для окружающих они выступали в роли элегантной пары, вызывающей восхищение и зависть, они жили не по средствам и старались казаться людьми с более высоким общественным положением, чем были, произвели на свет двух красивых, талантливых детей. После Хэрродса, одинокие и наконец-то поистине сроднившиеся, они в чудовищно замкнутом уединении сделались демонами друг друга. Джейни плохо поступала со мной, думал Бруно, пытаясь в тысячный раз безуспешно сформулировать обвинение. Агамемнона убили в первую же ночь по возвращении домой из Трои. Но Агамемнон был виновен, виновен. У Джейни вскоре обнаружили рак, и в болезни она обвинила Бруно.

Память его не сохранила чувства любви к Джейни, но факты говорили о том, что любовь была. Очевидно, Джейни разрушила постепенно его чувство своей деспотичной властью. Теперь Бруно казалось, что он узнал о любви Джейни только тогда, когда она распинала ее у него на глазах. Он узнал, что Джейни хранила все его письма, только когда она разорвала их и расшвыряла по гостиной, а о том, что она сберегла записку с его предложением, он узнал, когда Джейни с плачем бросила ее в огонь. Несколько месяцев подряд Бруно раскаивался, плакал, умолял, дарил цветы, которые она выбрасывала в окно, заклинал простить его. «Не сердись, Джейни, я не вынесу этого, прости, Джейни, о прости, ради Христа». Видимо, он любил ее тогда. Морин исчезла, будто ее и вовсе не было. Бруно больше не заходил к ней. Только послал пятьдесят фунтов. Написать же записку так и не смог. Наверное, он любил тогда Джейни, хотя это была любовь в аду: Джейни неумолимо отказывалась простить его. Ни за какие грехи мать не наказала бы его так. Потом Бруно сделался необузданным и беспощадным. Джейни говорила: «Ты разбил мне жизнь». Бруно кричал в ответ: «Ты отвергаешь меня! Ты отвергаешь все, что во мне есть! Ты всегда так поступала! Ты никогда не любила меня!» Начались ссоры, и продолжались они даже тогда, когда Джейни заболела, даже когда оба знали, что она умирает. Он не должен был допустить, чтобы Джейни довела его до ненависти к себе. Это было самое худшее.

Сердце его яростно колотилось. Бруно повыше приподнялся на подушках. Все это, передуманное миллион раз, еще ранило его, он задыхался и не в состоянии был думать ни о чем другом. Неужели нельзя размышлять об этом по-иному, чтобы смириться и обрести наконец покой? Джейни нет в живых уже сорок лет. Он хорошо знает эту свою способность думать об одном и том же. Ему нельзя, нельзя расстраиваться, он не сможет уснуть ночью, а бессонные ночи — это пытка. Бруно не любил звать Найджела по ночам, он пугался собственного голоса, звучащего в темноте. А если и звал, Найджел, случалось, не слышал и не приходил. Однажды в отчаянии Бруно кричал так громко, что не услышать было невозможно, но Найджел не явился. Наверное, его не было на месте, видно, он проводил ночь в объятиях женщины. В сущности, Бруно очень мало знает о Найджеле. После этого Бруно умолк, поскольку боялся, что разбудит Денби и тот обнаружит отсутствие Найджела.

Бруно смотрел, не отрываясь, на поношенный красный халат, висевший на двери и в тусклом свете напоминавший большой саван. Теперь это было единственное его одеяние для единственно доступного путешествия, весь его гардероб. Почему халат сделался символом смерти? Денби предложил было купить новый, но Бруно отказался: «Теперь уже не стоит». Денби ничего не возразил. Старый халат Бруно так и будет висеть на двери, когда, вернувшись с похорон, они с облегчением откупорят бутылки, а потом кто-нибудь скажет: «Вот и нет Бруно, а его старый бедный халат все еще висит».

А если бы с ним рядом кто-нибудь был? Скажем, девушка, женщина? Но откуда ей взяться? Если бы только кто-нибудь мог его полюбить. Но это невероятно. Кто полюбит его теперь, когда он стал этаким чудищем? Наверное, он будет умирать в одиночестве и будет звать, звать. Он оставил Джейни, когда она умирала, одну. Он не мог этого вынести. Он слышал, как она кричала, звала его. Но он не вошел. Он боялся ее предсмертного проклятия. А вдруг она хотела простить его, помириться с ним и он лишил ее этой минуты последнего драгоценного милосердия? Стоны и крики продолжались некоторое время и в конце концов утихли. По лицу Бруно катились слезы. Он бормотал: «Бедный Бруно, бедный, бедный Бруно...»

ГЛАВА II

О милая, милая Аделаида,
а годы проходят, а годы уходят...

— Тсс!

Денби Оделл лежал в постели со своей служанкой. Аделаида была его любовницей уже почти три года. До нее у Денби была Линда. Замечательно аккуратная Линда с ее блестящими черными сумочками, в которых царил образцовый порядок, как в наборе инструментов. Нестрогих правил и divorcée[1], в ранг добродетели Линда возвела аккуратность и любовную связь, которой сама же явилась инициатором, организовала весьма педантично. Потом она возвратилась в Австралию. Они написали друг другу несколько писем. Через шесть месяцев появилась Аделаида. Аделаида была прелестна, она была рядом.

Это не имело ничего общего с гнетом настоящей любви. Ничего общего с тем, что было у Денби с Гвен. Такое случается в жизни лишь раз, и это своего рода сумасшествие. Денби страдал. Даже женившись на Гвен, он страдал, как может страдать душа в присутствии божества, просто от сознания своего несовершенства. Гвен была натурой глубоко чувствующей, духовной и возвышенной. Денби любил ее духовность плотской любовью. Оба они страдали от боли, которую причиняло им их несоответствие. Даже когда ему удавалось рассмешить ее, а это случалось очень часто, у нее на лице вдруг появлялась гримаса боли, и они поспешно отводили глаза. Гвен любила его глубоко, напряженно вдумываясь в их непохожесть и несовместимость, простирая свою любовь и на его чужеродность, всегда помня об этом, как помнит святой о гноящихся своих язвах, скрытых под рубищем от собратьев. Денби так и не оправился после ее смерти. Однако жизненные силы переполняли его.

---

[1] Разведенная *(фр.)*.

Денби был привлекателен, высокого роста, правда, в последнее время несколько располнел. Округлое брюшко заметно выделялось пониже талии. Голова у него стала совершенно седая, хотя грудь по-прежнему покрывали золотистые волосы. У него были ярко-голубые глаза и превосходные ровные зубы, которыми он частенько любовался в зеркале, румяное лицо напоминало чуть-чуть сморщенное зимнее яблоко. Денби любил и поесть, и выпить, и поработать. В молодости он отлично танцевал и слыл хорошим теннисистом. Денби вырос в непритязательной семье торговца, и, хотя был единственным сыном, ни он сам, ни любящие родители особенно не задумывались о его будущем. Он окончил обычную школу и год проучился в провинциальном университете. Отец, а затем и мать умерли, не оставив денег. Только когда некому стало пилить его и браниться, Денби по-настоящему понял, как любил свою мать. Он поступил на службу в страховую компанию. От этой участи его спасла война, на которой он неплохо провел время. Потом, встретив Гвен, он посерьезнел. Денби занялся типографским делом с некоторым трепетом, однако вскоре неожиданно для себя обнаружил, что имеет несомненные способности к бизнесу и справляется с работой гораздо лучше самого Бруно. Тому было уже за шестьдесят, и он с радостью передал дела зятю. Денби начал преуспевать. Его привлекали не столько сами деньги, сколько нечто вроде домашней распорядительности и хозяйской рачительности: все расставить по местам, все наладить, преодолеть двадцать маленьких кризисов ежедневно. Приятели, с которыми Денби постоянно выпивал в баре под названием «Старый лебедь», любили его. Поистине почти все любили Денби, хотя кое-кто и считал его ослом. Денби и сам любил Денби.

Отношения с Аделаидой не вызывали у него особенных угрызений совести. Денби полагал, что человек вообще волен поступать как заблагорассудится, если не причиняет никому зла, а какое зло мог он причинить Аделаиде? Она была в том возрасте, когда женщине необходимо быть желанной. Денби понятия не имел, нравится ли ей с ним спать, но он знал, что Аделаида влюблена в него, влюбилась сразу, когда пришла наниматься по объявлению. Бруно еще только начал прихварывать. Но оказалось, бедный старик заболел надолго. Аделаида помогала ухаживать за ним, а ее двоюродный братец, сиделка Найджел, сделался просто незаменимым. Денби и в голову не приходило (и Аделаиде, как он полагал, тоже), что мог встать вопрос о женитьбе. Не те у них были отношения. Однако он чувствовал, что стареет и приближается пора, когда требуется покой. Аделаида его вполне устраивала. Он пообещал обеспечить ее старость. Каждый вечер он ложился с ней в постель слегка навеселе и пребывал в совершенном блаженстве.

Не первой молодости и уже полнеющая, Аделаида была тем не менее очень недурна, как мог убедиться Денби за время их близости. Живот и бедра, пожалуй, тяжеловаты, зато плечи и грудь просто классические. Круглое румяное лицо, густые длинные каштановые волосы. (Волосы были крашеные, однако Денби об этом и не догадывался.)

Пристрастие к излишне нарядной одежде — в полную противоположность Линде — придавало Аделаиде в его глазах какое-то экзотическое, чуть ли не восточное очарование. На ней все звенело, бренчало и шелестело. Широко поставленные карие глаза смотрели на него с набожным вожделением, когда она сворачивала в затейливый пучок свои густые волосы. Ровный южнолондонский выговор Аделаиды звучал для него любовным призывом.

Денби икнул. На улице мягко и дружелюбно шумел дождик. В этот день Денби по обыкновению выпивал с Гэскином в «Вороне». И конечно, немного перебрал. Он лежал на спине, согнув ноги в коленях. Он любил так лежать, испытывая блаженное ощущение расслабленности. Аделаида выключила свет и примостилась рядом, прилепившись к нему, точно Ева. Денби видел очертания своих коленей, возвышавшихся на фоне тонких занавесок, сквозь которые брезжил свет уличного фонаря, освещавшего двор. Они с Аделаидой спали в полуподвальном крыле, пристроенном прежним владельцем к дому на Стэдиум-стрит еще в те дни, когда все вокруг выглядело куда менее убого. Денби в этой убогости находил утешение. Красивый, ухоженный дом в Ноттинг-Хилле был домом Гвен, ее территорией, Денби сбежал оттуда и после нескольких лет скитаний по квартирам приобрел дом на Стэдиум-стрит именно потому, что он оказался таким обшарпанным, таким непохожим на тот. И конечно, неподалеку от типографии. Денби любил маленький, слегка осевший двор, в который смотрело окно спальни, всегда сумрачный, покрытый скользким зеленым мхом.

Его называли двором, а не садом, хотя в нем росли кусты бирючины и лавра и даже выродившаяся в шиповник роза. На черном грунте травы не было. Только одуванчики и ноготки каждый год пробивались сквозь влажную корку мха. Громады труб электростанции Лотс-роуд как нельзя лучше гармонировали с этой мрачной, бесплодной землей.

Типография находилась на другом берегу Темзы, в Баттерси, почти у самой реки, прямо напротив муниципальной верфи, неподалеку от электростанции, и каждый день, перейдя Баттерсийский мост, Денби попадал на другую территорию, такую же грязную и убогую, отличавшуюся разве что запахами навоза, пивоварни и гниющих в воде отбросов. Наследство Гвен продолжало приносить Денби радость. Он любил типографию, грохот машин, бумажную пыль, кланóвую независимость печатников. Любил исходные материалы ремесла — ровный срез девственной бумаги, мужественный свинец. Еще в детстве Денби больше нравилось расплавлять солдатиков, чем выстраивать их для игры, и процесс изготовления букв из свинца никогда не переставал доставлять ему удовольствие. Нравились ему и машины, особенно те, что были постарее и попроще, и он гордился своей решительностью и хозяйственной смекалкой, благодаря которой устаревшее предприятие еще не село на мель. Порой он отправлялся в Челси, во всяком случае добирался по набережной до Королевского арсенала, изредка ходил с Аделаидой в фешенебельный ресторан на Кингс-роуд, потому что ей там нравилось, но Денби чувствовал себя неуютно в этой части города. Фулем и Баттерси, где он знал каждое заведение, — вот Лондон, который всегда оставался для него привлекательным и загадочным. Денби вздохнул с облегчением, когда Бруно перестал настаивать на переезде. Денби не любил, когда возникали разногласия со стариком. Они всегда ладили.

— Аделаида, тебе не холодно?

— Нет.

— А волосы у тебя холодные. Забавная штука — волосы. Не отрезай их, если любишь меня.

— Ты бы подвинулся немножко.

— У меня есть свежая рубашка на завтра? А то придут ребята Баутера.

— Конечно, есть.

— Радио в шесть часов слушала? Что там передают насчет реки?

— Предупреждают о наводнении.

— Не затопило бы наш двор, как два года назад.

— Как у тебя прошел день?

— Превосходно. А у тебя? Как старик?

— Как обычно. Опять вспоминал Майлза.

— Охо-хо.

— Хочет увидеться с ним.

— Только на словах.

— Мне кажется, ему нужно встретиться с Майлзом. Все же родной сын.

— Чепуха, Аделаида. Вряд ли это имеет смысл после стольких лет. Им не о чем говорить. Только расстроят друг друга. Кстати, ты не забыла спрятать марки?

— Нет.

Денби и в самом деле считал, что Бруно не имеет смысла встречаться с Майлзом. Не только потому, что Денби надеялся заполучить коллекцию. Хотя, конечно, он питал такую надежду. Любой бы на его месте надеялся.

— Тебе не кажется, что он слегка свихнулся?

— Вовсе нет. Даже если он что-то и путает иногда, разум все-таки у него очень ясный.

— Он столько говорит о пауках. Просто бредит ими.

— По-моему, он их даже притягивает. Ты заметила, в его комнате полно пауков?

— Отвратительные твари! Как ты думаешь, он еще долго протянет?

— Он угасает постепенно. Но это еще может длиться вечность.

— Ты говорил, он больше не расспрашивает о типографии, а это плохой признак.

— Может быть. Но бедняге все равно хочется жить.

— Не понимаю, зачем жить, когда становишься такой развалиной. Чего еще ждать от жизни?

— Очередной выпивки.

— Ну да, с тебя станется. А меня старость приводит в ужас. Не хочу быть старухой.

— Когда состаришься, милая, поймешь, что жить все равно хочется.

— Вот моя тетушка совсем спятила. Вообразила себя русской княжной. Несет какую-то тарабарщину и думает, что это русский язык.

— Сумасшедшие до смешного любят титулы. Кстати, твой двоюродный братец все еще без работы?

— Уилл Боуз? Да он и не ищет ее. Выкачивает пособие из государства. Слишком уж много оно им дает.

— Он мог бы подработать у нас маляром. Причем не обязательно сообщать об этом в комитет по пособиям.

— Все-таки он учился в школе. Как и Найджел.

— Ну уж извини, Аделаида, но в настоящее время я, к сожалению, не могу предложить Уиллу более творческой работы.

— Ему обязательно нужно найти что-нибудь подходящее. Кстати, в прошлый раз ты ему слишком много заплатил.

— Ну, помочь всегда приятно. Знаешь, он совсем другой, чем Найджел. Странно, что они близнецы.

— Они не зеркальные близнецы. Лучше бы ты не брал сюда Найджела. Лично я была против.

— Я ведь не для него старался. Он превосходно ухаживает за Бруно. Просто поразительно.

— И о чем они *столько* говорят?..

— Не знаю. Они замолкают, как только я вхожу.

— Может, о женщинах?

— Найджел? О женщинах? Хм-м.

— Неужели такой старик, как Бруно, может интересоваться женщинами?

— Интересоваться женщинами не перестают никогда, дорогая.

— Но Бруно же ничего не может.

— Все мы по большей части живем в своем призрачном мире. Любят ведь тоже чаще всего в воображении.

— Вот уж за тобой ничего такого не замечала. Я так думаю: если кто и разбирается в любви, так это Найджел.

— В любви? Никто в ней толком не разбирается. Каждый понимает ее на свой лад. Сдается мне, если наш Найджел и дока в этих делах, то довольно необычного плана.

— Да и какой нормальный мужчина захочет быть сиделкой?

— Ты не права, Аделаида, это очень уважаемая профессия.

— Ну, ты скажешь. А тебе не приходило в голову, что он наркоман или что-то в этом роде?

— Сомневаюсь. Хотя он и склонен к мистике. Мути в мозгах у людей хватает и без наркотиков. А Найджелу в уме не откажешь.

— Нет, что-то с ним не то. У него порой лицо какое-то перекошенное.

— А по-моему, Найджел довольно симпатичный.

— Ты с ума сошел. Он сущий дьявол.

— А мне, между прочим, дьяволы по душе.

— У меня от него мурашки по коже. Лучше бы его здесь не было. Догадается он про нас.

— В пристройке мы одни, малышка. И не бойся Найджела. Он неплохой малый и совершенно безвредный.

— Вот уж нет. Я его знаю. Нехороший он человек. Непременно про нас разболтает.

— Ну и пусть.

— Как это «пусть»? Ты же знаешь, я не хочу, чтобы кто-нибудь о нас догадался.

— Ладно-ладно, малышка. Спи. Баю-бай.

Едва Денби закрыл глаза, он увидел Гвен. Она медленно поворачивала к нему голову. Мелко вьющиеся каштановые волосы упали на плечо, зацепились за камею. Внимательный взгляд больших карих глаз остановился на нем. «Вот тебе и клоунада в драме, как ты когда-то говорила, милая моя Гвен».

Иногда во сне являлся другой ее образ — страшный. Гвен утонула в Темзе. Она прыгнула с Баттерсийского моста, чтобы спасти ребенка, упавшего с баржи. Мальчик добрался до берега. А у Гвен случился сердечный приступ, она потеряла сознание и утонула. Денби опознал ее в морге, в мокрой одежде, со спутанными волосами. Как это в духе Гвен, говорил он себе потом долгие годы, броситься в марте с моста, чтобы спасти ребенка, который умел плавать. Только она могла выкинуть такое. В этом она вся. Действительно смешно.

— Бруно говорит: пауки появились на сто миллионов лет раньше мух, — сказала Аделаида.

— М-м-м.

— Чем же они тогда питались?

Денби уже спал, ему снилась Гвен.

ГЛАВА III

Найджел сидел, скрестив ноги, на полу у дверей спальни хозяина и слышал все, о чем говорили Аделаида и Денби. Он ловко, бесшумно поднялся на скрещенных ногах. Из спальни доносился теперь только храп. Найджел скользнул вверх по лестнице в свою комнату и запер дверь.

В комнате темно. Дверь закрыта, толстые, как звериная шкура, шторы плотно задернуты. Где-то глубоко во тьме горит одинокая свеча. В черной рубашке, в черном трико, раскинув руки, кружит по комнате Найджел. У стены тускло поблескивает мебель. Коричневые стены отступают далекими арками от мерцающего круга, в котором вращается Найджел, прямой, как игла, как натянутая нить, узкий, как щель, сквозь которую упрямый ослепительный свет стремится проникнуть в этот загадочный мир.

Концентрическая вселенная. Круги завертелись быстрее и зазвенели. Священный город в экваториальном круге изумруда, в круге млечного пути жемчужины, в млечногалактическом круге, в галактике галактик, которая движется, застыв, где-то уже вне пространства. Частичка ржавчины, пылинка, невидимая пора в оболочке, через которую все просачивается, избывается.

Свеча выросла в огромный сияющий цилиндр, словно сотворенный из алебастра или кокосового мороженого. Он светится изнутри, пульсирует и дышит. Найджел упал на колени. Коленопреклоненный, раскачивается он в ритме своей беззвучной песни. Вначале был Ом, Омфалос, Ом Фаллос, черный нераздельный шар, лишенный сознания и индивидуальности. Из недреманного чрева времени выползает мгновение, которое не имеет ни начала, ни конца. Время порождает мгновения. На мрак надвигается мрак — сознание выделяется из бытия, колебания бьют крылами —

и возникает звук, глаз всматривается в глаз — и возникает свет.

Найджел в сумраке стоит на коленях, он так велик, он затмевает собою небо. Маленькие руки трепещут, как волоски, но коленопреклоненный Найджел велик и размышляет о себе. Невольным движением он способен сокрушить миллион миллионов, когда почесывается, потягивается, разгоняет мириады суетливых ничтожеств, чей тысячелетний вопль для него лишь писк комара, попавшего между пальцами и случайно раздавленного, пока Найджел, стоя на коленях, размышляет о себе.

Свет с гудением прибывает, кромешная тьма рассеивается, гудение сменяется звуками хорала, возникает ослепительный нимб. Два невидимых, ужасных ангела обхватывают землю, обнимают, обвивают ее, пронизывая собою все земные пространства, единые, единящиеся в месмерическом торжестве. Любовь и Смерть, преследующие друг друга и преследуемые друг другом.

Звуки стихают, и в пустынной мертвенно-бледной лазури меркнет золотой ореол. И вот он уже — лишь золотое пятнышко, сияющая крупинка, исчезающая вспышка, лазерный луч, мерцающая точка, вобравшая в себя весь свет. Обесцвеченная и обеззвученная тишь пульсирует и колеблется. ОН уже близко. Найджела охватывает трепет, он чувствует удушье и содрогается. Широко раскрытые глаза ничего не видят — он, Найджел, теперь провидец всего сущего, жрец, слуга Бога. Время и пространство медленно отступают. ОН все ближе. ОН все ближе. ОН все ближе. Время и пространство сжимаются и отступают. Любовь — это смерть. Они едины.

Найджел хватается за сердце. Он задыхается, стонет, его шатает. Он падает ниц, ударяется лбом об пол. Глаза его скашиваются к переносице, он всматривается в сверкнувшую тьму. Существование — это агония, наказание, бич, бесконечно длящаяся пытка единого мига — мига уничтожения. Они едины. Из другого, далекого мира его зовет старик, зовет и плачет, один в темноте уныло текущих ночных часов. Найджел с поразительной ясностью слышит его зовы и плач. Он лежит, распростертый на полу вселенной.

ГЛАВА IV

Такой чудесный парень
живет теперь у нас,
такой чудесный парень.

Напевая, Денби дружелюбно похлопал Найджела по спине. Найджел тряхнул длинными черными волосами, потупил глаза и, загадочно улыбнувшись, вышел.

— Денби, я собираюсь позвать Майлза, — сказал Бруно.

— О Господи!

Бруно сидел в постели, откинувшись на подушки. Светлое одеяло было сплошь усеяно разноцветными марками. Сверху лежал открытый том монографии Герхардта «Neue Untersuchungen zur Sexualbiologie der Spinnen»[1]. Сегодня с головой у Бруно было получше. Только ноги ныли; но тошнотворная боль где-то в глубине его существа, способная доставлять такие страдания, почти отпустила. Он даже чувствовал приятную расслабленность и вялость. Бруно обстоятельно побеседовал по телефону со служащим из бюро погоды, который заверил его, что наводнения не будет. Вежливый голос незнакомого человека подействовал успокаивающе. И сам Бруно, поскольку он не называл себя, был просто голос, голос некоего безликого гражданина. Потом он набрал еще несколько заведомо перевранных номеров.

Ему нужно поговорить с Майлзом. Поговорить с сыном о самых обычных вещах — о делах в типографии, о его, Майлза, работе, рассказать, как добр Денби и какой молодец Найджел. Они бы говорили и говорили, в комнате бы постепенно смеркалось, и вот незаметно зазвучали бы имена Парвати, Джейни, Морин, и с тихой, сдержанной грустью они созерцали бы их призрачные тени. Майлз держался бы сначала несколько отчужденно, но, стоило бы ему услышать, как чистосердечно и смиренно говорит о них Бруно, он бы опустил голову, а потом поднял на отца взгляд, преисполненный нежности, и вот в доме воцаряется целительный дух примирения. Каждый раз, когда Бруно мысленно повторял «целительный дух примирения», на глазах у него выступали слезы. Ему теперь ничего не стоило

___

[1] Новые научные изыскания в сексобиологии пауков *(нем.)*.

расплакаться. Любая газетная заметка о потерявшейся собаке или кошке вызывала у него слезы. Даже очерки о жизни королевской семьи.

Все возвращается на круги своя. Этим многое можно объяснить. Отец дал ему имя Бруно, с которым мать так и не свыклась, она называла его Топтыжкой, Медвежонком. Как он, сын своей матери, мог так испортиться, развратиться и вообще стать плохим человеком? Да и в самом ли деле он плохой человек, а если да, то до какой степени? По статистике, большинство мужчин постоянно обманывают жен. У него была только Морин. После смерти Джейни он разве что несколько раз пожал руку женщины, это было еще в Ноттинг-Хилле. Он вел поистине целомудренную жизнь. Его терзали обвинители, а не собственная вина.

Все, как теперь казалось, было игрой случая. Могла же сложиться его судьба иначе в тот вечер, когда он сделал Джейни предложение в Сент-Джеймском театре, где воздух был напоен комплиментами и Шекспиром, в сладком мороке лондонского сезона? Он написал на программке: «Джейни, выходите за меня замуж», сложил стрелой бумажку и бросил ее в ложу со своего места в партере. Она поймала записку на лету и, слегка улыбаясь, прочла ее, когда уже начал гаснуть после антракта свет. Давали «Двенадцатую ночь». Потом Бруно метался как угорелый, разыскивая Джейни в переполненном фойе. Она обернулась и, не оставляя своей компании, легонько хлопнула его веером по руке. «Мне нравится ваше предложение, Бруно. Приходите завтра, мы все обсудим».

И это продолжалось — выкрутасы, острословие, искусственный блеск — вплоть, как ему теперь казалось, до того момента в наводненном толпой Хэрродсе, когда Морин вступила в единоборство с платьем. В то время еще только начинали входить в употребление молнии. Бруно, который часто покупал Морин наряды, привычно стоял перед зашторенной примерочной. Снимая через голову платье, Морин застряла в нем, потому что не расстегнула до конца молнию. Она выскочила к Бруно, запутавшись в платье, из-под которого виднелось кружевное белье, руки ее беспомощно болтались. «Быстрее, Бруно, стяни его, я не могу дышать». Бруно рассмеялся и начал стаскивать платье. Потом он вдруг испугался. «Подожди, Морин, глупышка. Да не задохнешься ты. Платье рвется». Платье снялось. И тут, взглянув поверх обнаженного плеча Морин, Бруно встретился глазами с Джейни. Она отвернулась и скрылась среди покупателей. Бруно, для которого Морин тотчас перестала существовать, бросился вслед за Джейни. Он с отчаянием стал разыскивать ее в неторопливой толпе, как много лет назад в театре. Вдруг он увидел ее, кинулся к ней, но не догнал. Бруно вернулся и расплатился с продавцом за порванное платье. Морин тоже исчезла. *Ты научил меня любить. Теперь научи, как тебя забыть.*

Дома, ожидая возвращения Джейни, Бруно ощущал, что время изменило теперь свой ход, возможно навсегда, Джейни не было до позднего вечера. Она настояла на том, чтобы Бруно повел ее к Морин. И как это ей удалось? Невыносимо было чувствовать, что тебя наказывают. Джейни вошла в квартиру Морин, проскользнув впереди него, и заперла за собой дверь. Бруно слышал голос Джейни и потом плач Морин. Он постучал в дверь, требуя, чтобы его впустили. Из соседних квартир выглядывали любопытные жильцы. «Жена отчитывает его мадам!», «Попался, голубчик? — издевались они. — Плохи дела, старик». Им было смешно. Бруно ушел домой. И снова потянулось ожидание. Он никогда больше не видел Морин. А Джейни навещала ее несколько месяцев кряду. «Пусть поймет, что она натворила, я хочу, чтобы она знала, как мы были счастливы прежде. Я хочу ей помочь». Неудержимая в своей мстительности Джейни, слабая, беззащитная Морин. Через несколько лет после смерти Джейни он дал объявление в «Таймс»: «Морин. Радость счастливых дней. Пожалуйста, дайте о себе знать Б. Г. Только разговор о прошлом». Она не откликнулась. Ничего другого он и не ждал. Это была попытка снискать прощение у тени. Много лет спустя он наткнулся на страшную заметку в газете. Миссис Морин Дженкинс, вдову, проживавшую в Криклвуде, соседи нашли дома мертвой, она задохнулась, запутавшись в платье, которое снимала через голову. Помещена была и фотография толстой пожилой женщины. Он так и не смог разобрать, его ли это Морин.

Денби подошел и присел на край кровати. Собрал горкой марки.

— Будь поосторожнее с марками, Бруно. На днях я нашел на полу «Маврикий».

— Ничего с ними не случится.

— Они могут провалиться в щель.

— Нет здесь щелей. Такая грязища в комнате, какие там щели. Они давно забиты.

— По-моему, тебе незачем видеться с Майлзом.

— Ты ничего не понимаешь. Есть вещи, о которых я могу говорить только с ним.

— Хочешь исповедаться?

Бруно промолчал. Он опустил глаза, любовно окинул взглядом невинные веселые личики марок. Потом посмотрел на крупное, красивое лицо Денби. Странные эти человеческие лица. Они разнятся даже по величине, не говоря уже о прочем. А Денби неглуп.

— Может быть.

— Ну так исповедуйся мне. А еще лучше — Найджелу. Он в ладах с потусторонним.

— Почему ты против нашей встречи?

Бруно почувствовал, что у него дрожит голос. Его охватил страх, как это случалось с ним порой, стоило ему представить себе полную свою беспомощность. Он пожизненный узник в этом доме. Не захотят допустить к нему Майлза — и не допустят. Могут не выполнить поручение. Не отправить письмо. Существует, правда, телефон. Но могут обрезать провод. Бредовые мысли, конечно.

— Ты плохо представляешь себе это, — сказал Денби. — Вы только раздосадуете друг друга. Ты ведь возлагаешь большие надежды на эту встречу. А вы обязательно наговорите что-нибудь такое, отчего ты расстроишься.

— Мне надо увидеться с ним, — сказал Бруно, перебирая марки и глядя на свои жалкие руки

43

в пятнах. Руки похожи были на гигантских пауков.

— Что это тебе вдруг приспичило, ты же столько лет обходился без него? Даже на письма не отвечал.

— Не так уж много времени прошло. — Бруно невольно посмотрел на свой халат.

— Майлз может и не прийти, — сказал Денби. — И это будет для тебя ударом. Об этом ты подумал?

Об этом Бруно не подумал.

— Конечно, подумал. Но, по-моему, он придет. Я должен видеть его. Пожалуйста, Денби.

Денби, казалось, огорчился. Он встал, подошел к окну, приглаживая на затылке волосы.

— Смотри сам, Бруно. Конечно, ты волен поступать как знаешь. Тебе совсем не нужно меня упрашивать. Ведь, надеюсь, ты не думаешь... Естественно, я допускаю... Это не... уверяю тебя, я беспокоюсь только о тебе. Не придется ли тебе потом мучиться?

— Я и так мучаюсь. Лучше что-то предпринять.

— Этого я не понимаю. Ну да ладно, действуй. Никто не станет тебе препятствовать.

— Не сердись, Денби. Я не выношу, когда ты сердишься.

— Да я не сержусь, Боже избави.

— Так ты пойдешь к нему?

— Я? Почему я?

— Не мешало бы сходить прощупать почву, — сказал Бруно.

Мысль о том, что Майлз может попросту не явиться, очень испугала его, такое Бруно и в голову не приходило. Возможно, Денби прав, рисковать не стоит. Он слишком погружен в себя. А вдруг он напишет и не получит ответа? А вдруг сразу положат трубку, если он позвонит? Тогда его ждут еще большие мучения, вереницы, галереи мук. Те, что были, и вдобавок новые.

— Ты имеешь в виду разузнать, придет ли он? Может быть, даже уговорить его прийти?

— Да.

Денби улыбнулся:

— Бруно, дорогой, да какой же из меня посол? Мы с Майлзом не очень-то ладили. Да и не виделись столько лет. Он считал, что я недостоин его сестры. — Денби помолчал. — Был недостоин его сестры.

— Но у меня больше никого нет, — сказал Бруно. Голос его сделался хриплым. Он откашлялся. — Ты член семьи.

— Ну хорошо. Когда к нему пойти? Завтра?

— Нет, не завтра. — Сердце у Бруно бешено забилось. Что-то из всего из этого выйдет?

Денби пристально посмотрел на него:

— Доктор бы нас за это не похвалил.

— Теперь это уже не имеет значения.

— Может, тебе написать ему?

— Майлзу? О чем? Спросить, примет ли он меня?

— Да. Только не спеши. То есть дай ему время подумать. Сгоряча он может и отказаться. А если дать ему подумать, он придет.

— Хорошо, хорошо. Ты сочинишь письмо? Я ведь не умею писать писем.

— Нет, ты сам его сочинишь. Но не сегодня.

Вошла Аделаида и бросила на кровать «Ивнинг стандард». Марки потоком хлынули на пол.

— Минут через десять принесу чай. Вы что будете, булочки или бутерброды с анчоусами?

— Пожалуйста, булочки, Аделаида.

Дверь закрылась. Денби собрал марки и положил их в шкатулку. Отец Бруно не одобрял кляссеров, находя, что они портят марки, и всю жизнь безуспешно пытался изобрести что-нибудь другое; и хотя он был большим поборником эстетической стороны своего хобби и проповедовал сыну, что человек, у которого не возникает желания полюбоваться марками, всего-навсего жалкий лавочник, а не филателист, он тем не менее никогда не держал марки в кляссерах. Он заказал большую шкатулку из черного дерева с узенькими выдвижными ящичками, в которых марки лежали в целлофановых кармашках, сложенных гармошкой. Однако Бруно, еще больший эстет в отношении марок, чем отец, давным-давно внес неразбериху в эту тщательно продуманную систему. А с недавнего времени он и вовсе стал отбирать любимые марки и сваливать их в верхний запасной ящик.

— Ладно, Бруно, — сказал Денби. — Все это пустяки. Не волнуйся. Посмотрим, что из всего этого получится. Помочь тебе дойти до туалета?

— Нет, спасибо. Я сам.

— Ну, я пошел. У меня встреча в «Шарике». Пока.

Он думает, я не решусь встретиться с Майлзом, размышлял Бруно, потихоньку передвигая

46

ноги к краю постели, но я решусь. Хотя встреча эта и страшит, поскольку она чревата последствиями, чем-то совершенно непредвиденным, грозит опасностью получить новую рану. Переместив ноги к краю постели, он передохнул. А вдруг Майлз не явится, вдруг пришлет враждебный ответ? А вдруг придет и будет неприветлив? А вдруг Бруно почувствует непреодолимую потребность заговорить о смерти Джейни и Майлз обрушится на него с проклятиями? Майлз способен на это, он ведь такой невыдержанный мальчик. Он умеет ранить, и пребольно. Пожалуй, Денби прав. Лучше умереть спокойно.

Бруно свесил ноги в чулках с постели и опустил их на пол. Казалось, за время между прогулками до туалета он отвыкал ходить. Согнутые под одеялом ноги деревенели и теперь подкашивались. Приучаться каждый раз ходить заново было мучительно. Бруно постоял, согнувшись, и, цепляясь за кровать, двинулся к двери. Добравшись до спинки кровати, он мог уже, не теряя опоры, дотянуться до халата, висевшего на двери.

Конечно, теперь, когда зима прошла, надевать халат было необязательно, но без халата как-то неприлично. Да и не так уж это и сложно. Продолжая держаться левой рукой за кровать, правой он снял с двери халат и быстро сунул ее в рукав. Потом приподнял руку повыше, и рукав наделся сам собой. Теперь, опираясь правой рукой о дверь, левой нужно было поймать пройму другого рукава. Если ему это не удавалось, халат падал на пол, свисая с правого плеча. Приходилось сбрасывать его и оставлять на полу. С пола поднять халат он уже не мог.

Справившись с халатом, Бруно поудобнее натянул его на плечи левой рукой и запахнул полы. Он тяжело дышал от напряжения. Медленно опустив правую руку на погнутую латунную ручку, Бруно стал открывать дверь и выбираться по своей привычке бочком из комнаты. В конце концов он повернулся к ней лицом и какое-то мгновение созерцал свою тюремную камеру со стороны: старое индийское хлопчатое стеганое одеяло с выцветшим узором черных завитков, напоминающих каллиграфическую вязь древнего письма, деревянная со спинками кровать, донельзя неопрятная. Простыни сбились. Одинокое, убогое ложе инвалида, на время его покинувшего. В холодном, послезакатном свете на грязном, зашмыганном полу вырисовывался небольшой квадрат ветхого коричневого ковра, истертым краем засунутого под кровать. Линялые обои с потускневшими листьями плюща испещрены бурыми пятнами. Эта маленькая комната долгие годы пустовала. Бруно занял ее, потому что она была рядом с уборной. Справа — книжный шкаф с треснувшей мраморной столешницей, на которой среди пустых бутылок из-под шампанского стояла фотография Джейни. На верхних полках — книги в бумажных обложках, очень старые. Нижние полки заняты микроскопом и колбами на подставках с заспиртованными пауками. Слева, за дверью, — расшатанный раздвижной стол, и на нем — драгоценная шкатулка с марками. Денби обычно забирает ее на ночь к себе в комнату, надеясь, вероятно, что Бруно когда-нибудь не вспомнит о ней и можно будет отдать ее в банк. Под столом — нераскупоренные бутылки шампанского. По предписанию врача Бруно пьет его неохлажденным. Огромные книги о пауках, которым не хватало места в книжном шкафу, разбросаны по всей комнате — на комоде, на обоих стульях, вокруг лампы, на маленьком столике у кровати. В окно видны часть мокрой шиферной крыши, медленное, неуловимое коловращение облаков на кофейном небе и одна из трех труб электростанции Лотс-роуд, вырисовывающаяся черным силуэтом в меркнущем свете.

Бруно повернулся и, опираясь рукой о стену, начал свое странствие в туалет. Туда вела темная длинная полоса на обоях, след множества подобных странствий. Дверь уборной, к счастью, открыта. То есть дверная ручка застопорена. Найджел хорошо придумал — не защелкивать дверь уборной, когда там никого нет. Он горазд на всякие выдумки, создающие удобства для Бруно. Рука Бруно ползет по стене. Наверняка Парвати не виновата, это Майлз посеял вражду. Парвати бы все поняла. Ее родители — брамины — тоже были против их брака. Они так и не захотели познакомиться с Майлзом. Если б только Бруно сам увидел Парвати, все бы уладилось, перед ним была бы живая девушка, а не какая-то там индианка. Да он и не собирался серьезно им мешать, просто сказал, что не хотел бы иметь цветную невестку. Он уже забыл, что чувствовал тогда. Если верить Майлзу, он был ярым противником их брака. Это неправда. Бруно смутно помнит, как отказывался от своих слов, и холодное, высокомерное негодование Майлза. Что само по себе несправедливо.

В уборной Бруно закрыл дверь и прислонился к ней. Только он начал возиться с пижамой, как что-то упало на пол у самых ног. Он тотчас определил, что это pholcus phalangioides, лишившийся из-за него гнезда на двери или, может быть, в углу, где он свил причудливую, едва заметную паутину, которую не увидела во время уборки Аделаида. Паук не шевелился. Странно, неужели он мог зашибить его рукавом? Бруно осторожно тронул паука ногой в чулке. Насекомое лежало неподвижно со скрюченными длинными лапками. Возможно, паук притворялся мертвым. Стараясь не наступить на него, Бруно опустил стульчак и сел. Он оторвал клочок туалетной бумаги, наклонился и аккуратно подцепил крохотное тельце. Паук соскользнул в бумажку вместе с ворохом ворсинок и пыли. Слегка шевельнулся. Наверное, Бруно повредил ему что-то. Но без микроскопа или увеличительного стекла он не мог определить, что именно. Он попытался вглядеться в паучью физиономию, однако без очков все сливалось в одно пятно. Теперь он не держал пауков в неволе подолгу. Год назад ему вдруг страстно захотелось снова повидать красавца micromatta virescens, и он отправил Найджела, снабдив его фотоснимком, в Баттерси-парк. Найджел вернулся без micromatta, зато банка была битком набита самыми разнообразными пауками, два из которых, бедняжки ciniflo ferox и oonops pulcher, уже умерли; возможно, их прикончил свирепый drassodes lampidosus, вместе с которым они оказались в заточении. Бруно отложил увеличительное стекло и велел Найджелу сейчас же выпустить их всех во двор. Да, никогда он не был настоящим ученым.

Pholcus phalangioides не подавал больше признаков жизни. Должно быть, Бруно придавил его, когда прислонился к стене. Он бросил паука на пол и, оторвав еще туалетной бумаги, накрыл его и придавил едва ощутимый комочек пяткой.

Бруно снова почувствовал, как подступают слезы. Женщины были по-прежнему молоды, он же стал безобразным, как Тифон. А вдруг, умирая, Джейни хотела его простить? Вот она протягивает к нему руки: «Бруно, я прощаю тебя. Прости, пожалуйста, и ты. Я люблю тебя, мой дорогой, люблю, люблю». Теперь он этого никогда не узнает. Самое главное в жизни упущено без возврата.

ГЛАВА V

— Как там мой ненаглядный братец? — спросил Уилл Боуз свою сводную сестру Аделаиду де Креси.

— Ничего, — недоверчиво взглянула на него Аделаида.

Она плохо себе представляла, как близнецы относятся друг к другу. Порой они казались врагами, но определить их истинные чувства было невозможно.

— Ну и работенка у него. Уму непостижимо, как он выносит этого старого идиота.

— Он так добр к Бруно, — сказала Аделаида. — Это что-то невероятное.

— У Найджела не все дома, если хочешь знать. Лучше бы он оставался в театре.

— Посмотри, до чего тебя довел твой театр!

— Будь я одет поприличней, мне бы дали хорошую роль.

— Во всяком случае, денег ты у меня больше не получишь.

— А я прошу, что ли?

— Просто ты добрался уже и до тетушкиной пенсии.

— Да ладно тебе!

— Денби сказал: если хочешь, можешь покрасить фасад.

— Передай ему, пусть сам красит.

— Не будь дураком, Уилл. Денби прошлый раз хорошо тебе заплатил. Слишком даже.

— Вот именно. На черта мне его подачки.

— Но ты же должен зарабатывать на жизнь, как все люди.

— Все люди слишком много думают о деньгах.

— А ты побираешься.

— Господи ты Боже мой! Я еще продам свои рисунки. Вот увидишь.

— Эту порнографию, на которую ты даже и взглянуть мне не дал?

— Порнография никому не приносит вреда. В том числе и тебе. Если бы все политиканы увлеклись порнографией, мир бы от этого только выиграл.

— Да кто купит такую гадость?

— Покупатель есть. Выйти бы на него.

— По-моему, тебе надо заняться чем-то одним, а не хвататься за все без разбору.

— Что поделаешь, Ади, такой уж я разносторонний.

— Ты и в стрельбе продолжаешь упражняться?

— Мужчина должен уметь постоять за себя.

— Витаешь в каких-то снах. Такой же глупый, как и Найджел.

— Подожди, Ади. Вот куплю себе камеру что надо. Фотографией тоже можно заработать.

— Сначала порнография, потом фотография. Камеру «что надо» тебе никогда не купить.

— Ладно, ладно!

— Vot serdeety molodoy![1]

— Тебя тут только не хватало, тетя, с твоими бреднями.

— Shto delya zadornovo malcheeka!

— По-моему, она совсем чокнулась.

— Не тараторь, тетушка, а не то затолкаем тебя в мусорный ящик. Иди пиши свои мемуары.

Аделаида приезжала каждое воскресенье готовить обед тете и Уиллу. При нем она предпочитала называть это ленчем. Вообще-то квартира была тетина. Уилл поселился здесь, когда потерял работу. Тетя была немного не в своем уме, но с домашними делами вполне справлялась. Аделаида готовила незамысловатый обед, поскольку ни Уилл, ни тетя не были особенно привередливы,

---

[1] Здесь и далее «тетушка» говорит на непонятном для других героев искаженном русском языке, который оставлен в латинском написании.

а Уилл интерес к еде вообще считал буржуазным предрассудком.

Тетушка, на самом деле им вовсе никакая не родственница, а просто поклонница таланта братьев еще во времена их увлечения театром, когда она сдавала комнаты актерам на севере Англии, в последние годы была не совсем в ладах с реальностью. Почитала себя русской княжной, заявляла, что намерена продать свои драгоценности, что пишет мемуары о царском дворе. А в последнее время ей, казалось, вообще изменила способность изъясняться вразумительно. Зайдя в магазин, она тыкала пальцем в то, что хотела купить, или разражалась потоком никому не понятных слов. Правда, известные им русские «да» и «нет» она вполне могла вычитать в газетах. Тетя занимала темную полуподвальную квартиру в Кемден-Тауне. Выглядело ее жилище весьма необычно. В нем всего было слишком много, в том числе и фарфоровых безделушек, которых не убывало, даже несмотря на обыкновение Уилла разбивать все вдребезги в припадке ярости. Мебель не помещалась у стен. Длинный сервант и высокий шкаф стояли поперек гостиной, что мало кому мешало, поскольку туда редко кто заходил. Жизнь в основном протекала на кухне. Уилл хотел было «подсовременить» квартиру, но его хватило только на покупку невообразимо уродливого металлического стула, который стоял теперь в прихожей, милосердно скрытый от чужих взоров наваленной на него одеждой.

В кухне, и так темной, сегодня было еще темнее обычного из-за дождя, пришлось включить электричество. Лампочка без абажура уныло освещала кухонный стол, за которым они сидели, доедая жареную баранину. Тетушка, в очках с толстыми стеклами в металлической оправе, рассеянно улыбалась, более чем обычно погруженная в мысли о «царском дворе». У нее была привычка всматриваться в стекла очков, словно на них запечатлелись одной ей видимые сцены. Когда-то она была красивой. Высокая, со слегка отливающими голубизной волосами, тетушка носила длинные юбки и очень длинные кофты, которые вязала себе из оранжевой шерсти. Ее лицо приобрело землистый оттенок и расплылось, но глаза оставались яркими и живыми. Казалось, потеря рассудка не сделала ее несчастной.

Аделаиду тяготила собственная аристократическая фамилия. Ее мать Мэри Боуз вышла замуж за благопристойного зажиточного плотника по имени Морис де Креси. «Мы ведем свой род от гугенотов», — заученно повторяла еще девочкой Аделаида, хотя даже не знала толком, кто такие гугеноты и как пишется это слово. В школе, где она стояла в списке между Минни Даукинс и Доррис Добби, по поводу ее фамилии часто острили, и вскоре Аделаида заметила, что первоклассницы и те с любопытством поглядывают на нее. Вероятно, из-за фамилии Аделаида стала задумываться о социальной иерархии и о том, кто же она такая на самом деле. Всю жизнь ей не давали покоя эти вопросы. Ее родители, простые люди, жили в Кройдоне и обедали на кухне. Когда Аделаида подросла, она тщетно пыталась уговорить их есть в столовой. Потом сама заняла столовую и, назвав ее кабинетом, уставила безделушками из антикварных лавок. Но выглядела эта комната как-то неестественно. Брата Аделаиды, который был старше ее на десять лет, не тревожили подобные проблемы. Он стал программистом, женился и переехал в Манчестер, где жил на окраине, без всяких претензий.

Аделаида была способной ученицей, однако в пятнадцать лет бросила школу и пошла работать в страховую компанию. Она научилась печатать на машинке в расчете устроиться секретаршей какого-нибудь босса. Когда компания переехала из Лондона в другой город, Аделаида нашла место продавщицы в фешенебельном магазине, надеясь со временем стать его покупательницей. Но никто не оценил ее талантов, и она поступила на почту. У нее появилось чувство, что она осталась за бортом. В минуту отчаяния Аделаида откликнулась на хитро составленное объявление Денби о том, что требуется домоправительница. Она ожидала попасть в респектабельный дом. А когда оправилась от удивления, было поздно. Она влюбилась в Денби. Домоправительницей она, по сути, не стала, потому что Денби, у которого были наклонности старой девы, всем занимался сам, включая покупки. Аделаида лишь убирала в доме и готовила. Была прислугой. Денби называл ее Аделаида Прислужница и сочинял про нее шуточные песенки. Сочинил он их с полсотни. Денби относился к ней несерьезно, как почти ко всему на свете, и это задевало ее. Однажды он сказал: «У тебя фамилия шлюхи из знаменитого романа». Аделаида ответила: «Ну что ж, я и есть шлюха». — «Все хорошенькие девочки такие», — признал он вместо того, чтобы опровергнуть, Аделаида не стала расспрашивать о своей однофамилице, она знать ее не хотела. Только думала с горечью: «Я всего лишь жалкое подобие знаменитой шлюхи».

Отец Аделаиды умер, когда ей не было двенадцати лет, и мать, беспомощная и неуверенная в себе, вместе с Аделаидой перешла на иждивение Джозефа Боуза, отца Уилла и Найджела. Брат жил уже в Манчестере. Жена Джозефа, в прошлом актриса, не вынесла раздражительного характера супруга и, оставив семью, вернулась на сцену. Трое Боузов приковали к себе все помыслы осиротевших матери и дочери. Это семейство и раньше волновало воображение Аделаиды; мальчики-близнецы, которые были старше ее всего на три года, стали ей ближе родного брата. Она влюбилась одновременно в обоих, в те времена слегка отдавая предпочтение Найджелу. Была она влюблена и в дядю Джозефа, хотя относилась к нему не без страха из-за его вспыльчивости. Он был неотразим со своими черными усами и бородой, служил в навигационном бюро и держал себя заправским моряком.

Детство, проведенное с близнецами, было не только самой счастливой порой, но, как часто казалось Аделаиде, оно было и наиболее подлинной частью ее жизни. Она была сорвиголовой и наравне с мальчиками принимала участие во всех их играх — рыскала по строительным площадкам, взбиралась на леса, оставляла следы на незатвердевшем цементе, удирала от сторожей и воровала кирпичи. «А можно Уилл и Найджел придут к нам пить чай? А можно я пойду пить чай к Уиллу и Найджелу?» По субботам они приглашали ребят играть в крикет на заднем дворе Боузов. И конечно, всегда выходили победителями. Они составляли маленькое тайное сообщество. Все трое были будто созданы друг для друга. Потом, когда близнецам исполнилось девятнадцать лет, они удрали от дяди Джозефа к матери и поступили в театр.

Аделаида работала тогда в страховой конторе. Их бегство ошеломило ее. Ведь и после того, как миновали времена, когда они воровали кирпичи, они по-прежнему оставались дружны. Ходили в театр, в кино, и мальчики, будучи старше Аделаиды, незаметно оказывали влияние на ее развитие. Она прислушивалась к их разговорам, читала книги, о которых они говорили. Братья будто не замечали, что она взрослеет, хотя порой отпускали шуточки по поводу ее миловидности. Аделаида ревновала их к девочкам, с которыми они дружили. Она уже подумывала о том, чтобы выйти замуж за одного из них, только не могла решить за которого.

И вот близнецы исчезли из жизни Аделаиды, хотя слухи о них иногда доходили до нее. Им прочили блестящее будущее. А потом оказалось, что Найджел оставил сцену и работает кем-то в Лидсе. Уилла как-то раз показывали по телевидению в небольшой роли, но Аделаида была тогда на работе и не смогла его увидеть. Мать близнецов умерла, говорили, что она спилась. Когда и ее мать умерла, Аделаида сняла комнату. Она меняла одну работу за другой. У нее было много поклонников, порой весьма настойчивых, но она не доводила дело до постели. По сравнению с близнецами все они казались посредственными, недалекими, неинтересными. Уилл устроился в какую-то труппу в Шотландии. И неожиданно начал писать ей любовные письма.

Ему одиноко, он с грустью вспоминает детство; ну и что, думала Аделаида, может, это ничего и не значит. Все же ей было очень приятно. Она сердечно отвечала, первое время стараясь быть сдержанной, но вскоре ее письма стали не менее романтичными, чем его. Оба с наслаждением писали друг другу, их послания превратились чуть ли не в произведения искусства. Аделаида даже оставляла себе копии. Уилл твердил, что собирается на юг, но все не приезжал. Дядя Джозеф уволился из навигационного бюро и перебрался в Портсмут. Уилл намекал на какую-то хорошую должность в Уэст-Энде. Наконец он вернулся в Лондон безработным, поселился у тети и сделал Аделаиде предложение.

Аделаида не могла разобраться в своих чувствах. Они долго не виделись, и Уилл изменился. Он стал очень привлекателен и напоминал дядю Джозефа. Возмужал, отпустил усы. И всегда-то более плотного сложения, чем Найджел, теперь он напоминал игрока в регби викторианских времен. Крупный, румяный брюнет с аккуратно подстриженными довольно длинными волосами и размеренными движениями. И еще, как вскоре заметила Аделаида, в нем проявился нрав дяди Джозефа, и она не могла не признать, что это очень ее смущает.

Все осложнилось еще и тем, что Аделаида, встретившись с Уиллом, тотчас решила, что предпочитает Найджела. Если бы только их не было двое! Она не видела Найджела несколько лет, ничего не слышала о нем, и никто не знал, где он. Ее преследовал образ темноволосого стройного юноши, и она не могла разобраться, Найджел это или Уилл, каким он был прежде. Она надеялась, что Уилл не почувствует этого. Но Уилл почувствовал и расколотил всех тетиных фарфоровых попугайчиков. Найджел вернулся в Лондон, поступил санитаром в Королевскую больницу для бедных[1]. Аделаида наврала Уиллу с три короба и тайком отправилась на свидание с Найджелом. Ничего хорошего из этого не вышло. Найджел держался холодно, был рассеян, вял, отнюдь не ласков. Аделаида совершенно растерялась. Как раз тогда она и нанялась к Денби. И влюбилась в него. Уилл весьма кстати уехал в Ист-Гринстед сниматься в фильме. Когда он вернулся, Аделаида была уже любовницей Денби.

Аделаида если и упоминала Денби об Уилле, то лишь вскользь, и, разумеется, скрывала от Уилла свои отношения с хозяином. Ей удалось внушить Уиллу, что он зря ревнует ее к Найджелу, и это оказалось легко, поскольку было правдой. Аделаида уже не испытывала влечения к Найджелу, хотя иногда он вызывал у нее какое-то смутное чувство тревоги. Она не могла простить ему того, что он не откликнулся на ее

---

[1] Бесплатная больница, находящаяся на попечении благотворительного общества.

жалкий откровенный призыв. Найджел тоже изменился, и она побаивалась его. Он будто жил в ином мире. Она весьма неблагоразумно обмолвилась Денби, что у Найджела есть кое-какой опыт по уходу за больными и что сейчас он без работы. Денби, несмотря на все отговорки Аделаиды, тут же ухватился за идею нанять Найджела. Поначалу Аделаида думала, что присутствие Найджела в доме сделает ее жизнь невыносимой, но потом привыкла, хотя все же это тревожило и пугало ее. Впрочем, откуда Найджелу знать, что происходит ночью в пристройке, а если б он и догадался, то все равно ничего не стал бы рассказывать Уиллу, с которым, кажется, у него прервались всякие отношения. Не рассказал же он Уиллу об их свидании.

К Денби она уже относилась по-иному, что, однако, нисколько не уменьшило ее рабской любовной привязанности к нему. Аделаида по-прежнему оставалась в плену его обаяния, красоты, жизнерадостности. Она была до странности растрогана рассказом о его погибшей жене, чью фотографию на рояле в гостиной она ежедневно протирала. Большие задумчивые глаза, густые, мелко вьющиеся темные волосы, бледное выразительное лицо, припухший, хорошо очерченный рот. Когда бы ни заговаривал Денби о жене, а это случалось очень часто, голос его менялся, менялось и выражение глаз, в них появлялось что-то серьезное, почти несвойственное ему, даже если они искрились смехом. Аделаиде это нравилось. Загадочный отсвет ложился как бы и на их откровенно легкую связь. Ей виделось в Денби нечто от смеющегося, увенчанного виноградными листьями лесного бога, веселого, но также исполненного мощи. С самого появления ее в доме он держался с ней дружески-фамильярно, постоянно похлопывая по плечу или по спине; как оказалось потом, он вел себя точно так же и с типографскими рабочими, и с официанткой в «Шарике», и с девчонкой из табачной лавки, и с временной прислугой, и с молочником. Как-то раз он вошел к Аделаиде, долго смотрел на нее, сосредоточенно и молча, потом поцеловал и сказал: «Как ты насчет этого, Аделаида?» Она чуть в обморок не упала от радости.

Любовником Денби оказался далеко не богоподобным. Дело было совсем не в том, что она тревожилась за свое будущее. С самого начала он всерьез заверил ее, что рассчитывает на длительные отношения и что в старости она будет обеспечена. Аделаида, которая не думала о старости и приняла бы предложение Денби в любом случае, выслушала эти торжественные заверения с некоторым замешательством. Позже она стала черпать в них отраду. В те минуты, когда Аделаида чувствовала, особенно впоследствии, что она многим пожертвовала ради Денби, утешительно было думать, что по крайней мере в итоге она хоть что-то да выиграла.

Неполное наслаждение в постели устраивало ее. Она боялась забеременеть. Ей доставляло радость, что ему хорошо с ней, ее трогали его нежность и восторг оттого, что он у нее первый. Так уж оно устроено, думала Аделаида, любой мужчина, когда узнаешь его как следует, оказывается законченным эгоистом. Денби делал все, как ему хотелось, нимало, казалось, не заботясь о том, что это может не нравиться Аделаиде. Она затруднилась бы точно припомнить, чем он сердил ее, но в глубине души понимала, что не много для него значит. Пожалуй, если все взвесить, высокомерие Денби основывалось на том, что она ему неровня. Аделаида чувствовала порой это высокомерие, едва уловимое и вместе с тем постоянное, вездесущее. Она ощущала почти физически эгоизм Денби и свою беззащитность, лежа без сна долгими ночами после близости с ним и не понимая, почему с ней рядом в постели это толстое, потное, волосатое тело. Но открытие его изъянов, даже его посредственности, только усиливало ее любовь.

Уилл между тем был поразительно настойчив. Упорство же Аделаиды оставалось для него непостижимым, и он самоуверенно ожидал ее неминуемой капитуляции. Она положила много сил, дабы внушить ему, что у нее никого нет. Сначала разыгрывала из себя старую деву. Потом как-то попробовала намекнуть, что она лесбиянка, но Уилл так расстроился и разбушевался, что она больше к этому не возвращалась. Денби никогда не вызывал у него подозрений — скорее всего, потому, что Уилл принадлежал к числу людей, нечувствительных к его обаянию. Уилл считал его ослом. Время, которое все сглаживает, превращает самые невероятные ситуации в привычные и обыденные, и тут сделало свое дело. Аделаида перестала постоянно бояться, что Уилл узнает о Денби, хотя порой ее еще и охватывал страх. По воскресеньям она приходила к тете, где ее преданно ждал пылкий, обидчивый и напористый Уилл. Она оделяла его деньгами из скромных сбережений, накопленных от щедрот Денби, который давал ей деньги на наряды. После ленча наступало самое неприятное время, когда тетя уходила отдыхать и Уилл становился особенно навязчивым и ершистым. Но Аделаида научилась с ним управляться. Не вполне это сознавая, она была даже немножко рада, что у нее есть еще и Уилл.

Хотя Аделаида и видела, что Уилл такой же себялюбец, как и Денби, брат по-прежнему казался ей благородным и незаурядным человеком. Она восхищалась его равнодушием к неустроенности, его здоровым убеждением, что он «рабочий класс». На самом деле это было совсем не так. Обладая самыми разнообразными артистическими наклонностями, он, скорее, принадлежал к богеме. Аделаиду восхищало даже то, что он не боялся оставаться без работы. Несомненно, он был талантлив. Как-то он показал ей целую серию своих рисунков, на которых были изображены чудища, странные эмбрионы и отвратительные щетинистые существа с человекоподобными лицами, напугавшие и поразившие ее. Были у него и порнографические рисунки, один из них попался однажды ей на глаза, и ее едва не стошнило. В Уилле была какая-то сокрушительная сила, которой она побаивалась и которая вместе с тем ее волновала. Но она была осторожна и осмотрительна в отношениях с ним и усвоила для себя роль ворчливой сестрицы.

Тетушка слонялась по квартире, перед тем как уйти отдыхать. Аделаида мыла посуду. Уилл сидел за столом и курил.

— Ну и что Бруно делает целыми днями?

— Возится со своими марками. Без конца читает о пауках. Звонит по телефону кому попало. Читает газеты.

— Ужасно быть беспомощной развалиной. Я надеюсь не дожить до таких лет.

— К тому же он страшон до невозможности. Похож на твоих чудищ.

— Ну, я думаю, теперь уже не имеет значения, на кого похож бедный старикан. А марки-то, наверное, стоят кучу денег.

— Денби говорил — двадцать тысяч.

— И кому они достанутся?

— Наверное, Денби.

— Ты хоть немножко разбираешься в марках, Ади?

— Нет. А помнишь, ты тоже собирал марки?

— Да, и самые лучшие всегда воровал Найджел. Найджел — форменный жулик.

— А ты всегда лупил его. Ты форменный хулиган.

— Может быть. Интересно, есть у Бруно «Треугольный Мыс»?

— Что это такое?

— Мыс Доброй Надежды, треугольные марки.

— Какие-то треугольные у него есть. Я видела. Только не знаю какие. Чашка тебе больше не нужна?

— Ади, и ты видела все его марки?

— А как ты думаешь? Конечно. Я трачу на них полжизни: собираю с пола, кладу на место, приношу опять...

— Где он их держит? В кляссерах?

— В шкатулке с ящичками, в целлофановых кармашках. А некоторые валяются в шкатулке просто так. Они у него в ужасном беспорядке.

— Может, ты посмотришь, есть ли там «Треугольный Мыс»? Я тебе покажу, как он выглядит.

— А почему тебя это интересует? Ты же давно забросил марки. Все это детские игрушки.

— Двадцать тысяч фунтов — не детские игрушки, Ади.

— Люди с ума посходили. Платят такие деньги.

— «Треугольный Мыс» на прошлой неделе купили за двести фунтов, я в газете читал.

— Тебе бы его иметь, да?

— Я и собираюсь заиметь его, Ади.

— Каким образом? Как ты его добудешь?

— Ты мне добудешь его из коллекции Бруно.

— Уилл!

— Только одну марку.

Аделаида перестала мыть посуду. Она обернулась и прямо взглянула на Уилла. Он сидел, вытянув свои крупные ноги, каблуки тяжелых ботинок вдавились в мягкий коричневый линолеум, где уже виднелась не одна пара вмятин. Уилл смотрел на Аделаиду тем мечтательно-задорным взглядом, который она помнила с детства.

— Ты хочешь, чтобы я украла у Бруно марку? Ты шутишь!

— Нет, Ади, не шучу. Я уже говорил тебе о фотоаппарате. В общем-то, я его уже раздобыл. Осталось только заплатить за него. Мне нужно двести фунтов.

— Ты с ума сошел. Бруно так или иначе заметит.

— Не заметит. Ты же сама говоришь, он совсем спятил и стал страшно рассеян. И говоришь, лежат они как попало. И никто, кроме него, ими не занимается, так?

— Никто. Но я думаю, Бруно заметит. Да и в любом случае это низость — красть у старика.

— Гораздо меньшая, чем красть у молодого. Ты слюнтяйка, моя дорогая. Не заметит он ничего. И это наверняка никак не повлияет на ценность всей коллекции. А я куплю фотоаппарат.

— Отстань, не буду, и все!

— Ты эгоистичная дрянь! Не хочешь, чтобы у меня был заработок? Сколько можно заработать этим фотоаппаратом, у меня полно идей!

— Почему ты тогда не продашь свои дуэльные пистолеты?

— Потому что не хочу.

— Или купи аппарат подешевле. Я могу дать тебе десять фунтов.

— Ади, я же не прошу тебя украсть всю коллекцию. И потом, Бруно ведь не сам собирал эти марки. Они достались ему по наследству. А это несправедливо. Каждый собственник — вор. Правда, тетушка?

Тетушка зашла в кухню за своей оранжевой кофтой.

— Seezara seezaroo, boga bogoo.

— А ну тебя.

— Уилл, по-моему, ты спятил.

— Значит, ты не сделаешь этого, даже ради меня?

— Нет.

— Ты всегда говоришь «нет», Аделаида. Посиди со мной немножко, пока нет тетушки. Брось эту посуду. Я домою ее потом.

— Мне скоро пора уходить.

— Замолчи, а то получишь у меня. Иди сядь сюда.

Они неловко сидели рядом на стульях с прямыми спинками, под электрической лампочкой, болтавшейся на шнуре. Аделаида положила руки на стол, на скатерть в красно-белую клетку, и чувствовала крошки сквозь рукава. Она смотрела в окно, за которым было темно и шел дождь, на грязно-бурый штакетник соседнего дома, на мокрую серую оштукатуренную стену. Уилл, повернувшись к ней, не сводил с нее глаз, коленом он уперся ей в бедро, а руку положил на плечо, потом опустил ее, придавил к столу запястье. Крошки больно впились ей в локоть. Другой рукой он водил по юбке. Аделаида вырвалась, схватила Уилла за руки и стиснула их, продолжая рассеянно глядеть в окошко.

— Ади, ты же знаешь, я с ума по тебе схожу. Ничего не могу с собой поделать. Когда же ты скажешь «да»?

— Отстань от меня, Уилл, мне неприятно.

— Я и не пристаю к тебе, черт побери. У меня ведь это серьезно, по-настоящему. Иногда мне кажется, что ты живешь как во сне. Тебя нужно как следует встряхнуть.

— Прости, Уилл. Я бы и сама рада, но ведь себе не прикажешь.

— А ты постарайся, моя милая. Я же люблю тебя. Просто жить не могу без тебя. Без тебя так пусто. Ну, Аделаида, в чем дело?

— Не хочу, и все.

— Странно. Ты должна меня любить.

— Мы слишком в большом родстве. Ты мне как брат.

— Ерунда. Я знаю, что волную тебя. Ты вся дрожишь.

— Ты только выводишь меня из себя. Пожалуйста, Уилл, не будь таким противным, не затевай ссоры. В прошлый раз мы поссорились, и это было очень глупо.

— Аделаида, у тебя кто-то есть? Скажи, пожалуйста, правду. Есть?

— Нет.

— О Господи, если бы у тебя кто-то был, я бы его прикончил.

ГЛАВА VI

«Почему никто никогда не видит мертвых птиц? Куда же они прячутся, когда приходит время умирать?»

Майлз закрыл тетрадь и подошел к окну. Только что он пробовал описать увядший лист, прилипший во время дождя к стеклу. Прошлогодний лист, темно-коричневый, прозрачный, как тонкие чулки, наводил на мысль о женских ногах. Прожилки на листе напоминали ветви дерева, а черенок — его ствол. Черенок выгнулся, отделившись от стекла, образовался узкий проток, в золотистом устье которого мерцала серая дождевая капля.

Как трудно описать предмет. Как трудно его увидеть. Интересно, стал ли он наблюдательнее, бросив пить? Не то чтобы он очень уж пил, но любое отклонение от трезвости искажает восприятие. Даже бросив пить, он не был достаточно трезв, был недостаточно трезв, чтобы постичь окружающие его чудеса — экстатическую красоту полета голубя, нерушимое единство сброшенных с ног башмаков, узор на срезе сыра. Его «Книга замет» была уже третьей по счету, а он все еще только учился видеть. Он понимал, что пока в этом состоит вся его задача. Великие произведения он сможет создать только тогда, когда будет к этому готов.

Майлз приоткрыл створку окна. Наступал вечер, начинало смеркаться — его любимое время суток. Было тепло и сыро. Он протянул руку в открытое окно, согнул ее в запястье, ухватил чулочный лист за черенок и оторвал его от стекла. Лист отлепился, слабенько чмокнув. Какое-то мгновение Майлз всматривался в него, потом кинул в темноту. Дождь кончился, багрово светилось небо над огромной горбатой крышей выставочного комплекса Эрлз-Корт. Мокрая металлическая крыша блестела, отражая городское зарево.

Внизу узенький, зажатый оградой сад уже погрузился во тьму, только слабо отсвечивали окна летнего домика. Майлз построил это похожее на короб строение у ограды неподалеку от дома в надежде, что там ему будет лучше работаться. Но оказалось — что ничуть не лучше, а зимой в нем было страшно сыро.

Сад тонул уже в дрожащих сгущающихся сумерках, и Майлз различал лишь сереющие заросли иссопа, лаванды да кустик руты, посаженные в аккуратных квадратных гнездах на асфальтовой площадке. За ними была разбита лужайка, рассеченная надвое выкошенной в траве тропинкой, бегущей через проход в тисовой изгороди к сараю, где Диана хранила садовый инвентарь. Благодаря этому проходу, над которым пышные ветви тиса смыкались, образуя арку, создавалась иллюзия, будто маленький этот садик простирается вдаль, а за ним должен быть еще садик, еще и еще. Сейчас проход под аркой зиял чернотой и тисы были почти такие же черные — прямо сгустки тьмы.

Сколько же это может длиться? — думал Майлз. Сколько же еще потребуется выдержки? Придет ли ОН, явится ли в конце концов? Уже около года у Майлза росла уверенность, что вот-вот он снова начнет писать, и гораздо лучше, чем раньше, это будет наконец настоящее. И он ждал. Он пытался предуготовить себя. Перестал пить, свел почти на нет свои и без того скудные связи с внешним миром. Все главное, полагал он, человек находит в себе самом. Он проводил вечера наедине со своей тетрадью, и, если к нему заходили Диана или Лиза, он с трудом удерживался, чтоб не закричать, не выгнать их вон. Он

71

ничего им не объяснял. Они решили было, что он болен. И только молча смотрели на него и переглядывались. Иногда он набрасывал несколько строк — так музыкант берет два-три аккорда, пробуя инструмент. Случалось, приходили прекрасные строчки. Но все никак не наступал тот миг, когда осеняет сам Бог.

Юношеские стихи Майлза выглядели сейчас вялыми, надуманными. И поэма, которую он написал после смерти Парвати, представлялась уже ему выспренней, бутафорской. Им двигало стремление перенести в сферу искусства, осмысленности и красоты ужас этой смерти. Это была поэма уцелевшего, порожденная неистовой жаждой жизни. Порой ему казалось, что писать ее было преступлением, она словно бы затмила то, во что он обязан был всмотреться и во что так избегал всматриваться, — истинное лицо смерти. Но поэма подступила к нему с той силой внутренней необходимости, какой он не знал ни до этого, ни потом. Он назвал поэму «Парвати и Шива».

«Бог Шива», — словно бы слышит он голос Парвати, с характерным акцентом рассказывающей ему об особенностях индуистской религии.

— Ты веришь в Шиву, Парвати?

— Истина есть во всех религиях.

— Да, но веришь ли ты в Шиву, именно в Шиву?

— Возможно. Кто знает, что такое вера?

Чисто восточная способность Парвати видеть, с определенной точки зрения, за всем что-то еще озадачивала Майлза и в то же время привлекала его западный, воспитанный на Аристотеле ум.

Они познакомились в Кембридже, где он изучал историю, а она — экономику. Оба были, конечно, социалисты. Она — более убежденная. Вот Парвати холодными кембриджскими вечерами у газового камина в серой, тонкой, как паутина, кашмирской шали, наброшенной на голову и плечи, говорит о неминуемом кризисе капитализма. Они уедут в Индию и будут служить людям. Парвати станет учительницей. Майлз — инженером-агротехником. Они поселятся в деревне, среди народа. Майлз начал учить хинди. Они поженились сразу же после выпускных экзаменов. Им обоим было по двадцать два года.

Парвати выросла в семье богатых браминов, в Бенаресе. Родители воспротивились ее браку с Майлзом, он так и не понял почему. Социальные, расовые, религиозные мотивы или, может быть, финансовые соображения послужили тому причиной? Он тщетно выспрашивал об этом Парвати. «Тут много всего. Они не могут этого принять. Мама всегда была далека от современной жизни». Как-то раз она перевела ему письмо от брата. Оно было уж очень высокопарным. Кажется, брат и не подозревал, насколько серьезно решение Парвати. «Грех противен человеческому естеству...» Что они подразумевали под грехом? Парвати расстроилась и хотела отложить замужество. Но они слишком любили друг друга, и Майлз восстал против отсрочки. Он сердился на ее родных, поведение которых казалось ему странным. Но собственный отец вывел его из себя еще больше, грубо заявив, что не желает иметь цветную невестку и внуков цвета кофе.

Майлз порвал отношения с отцом. Они с Парвати поженились и написали несколько примирительных писем в Бенарес. Через некоторое время мать ответила дочери и пригласила ее домой. О Майлзе она не упоминала. Парвати обрадовалась. Они были уверены — уж теперь-то все образуется, особенно когда Парвати скажет им, что ждет ребенка. Майлз проводил ее в Лондонском аэропорту. Самолет разбился в Альпах. Майлз никогда никому не говорил, даже Диане, что Парвати была беременна.

Майлз не поехал к ее родителям. Конечно, они считали его виновником гибели дочери. Он написал им много времени спустя, уже когда был женат на Диане, но они не ответили. Майлз остался в Кембридже, занялся каким-то исследованием, но так и не довел работу до конца и не получил места в университете. Началась война, стоившая Майлзу семи лет тяжких испытаний. Он не участвовал в военных действиях. Жил лагерной жизнью, не имея возможности ни сочинять стихи, ни читать, и все более страдал непонятным заболеванием кишечника. Его перевели в канцелярию. Он дослужился до капитана. Когда война кончилась, поступил в гражданское ведомство.

Работа над поэмой, занявшая более года, несмотря на душевные муки, продлевала ощущение жизни, преисполненной любви. Он передал крушение самолета ослепительным вихрем эротических образов. Но поэма знаменовала Liebestod[1], и, хоть искусство обычно дарует утешение, когда,

---

[1] Гибель любви (нем.).

обращаясь к нему, оплакивают свое горе, завершение работы над поэмой принесло ему чувство смертельной усталости и абсолютной убежденности в том, что любить он больше не сможет. Его одиночество в армии обострялось тайным болезненным отвращением к распутной легкости, с какой собратья-офицеры относились к сексу. Майлз избегал женщин. Когда начинались разговорчики определенного толка, он выходил и хлопал дверью. В результате его сторонились и даже относились к нему враждебно. Он не то чтобы желал смерти, но вечерами его охватывала какая-то безотчетная тоска, причину которой он вряд ли смог бы объяснить.

Никакой другой женщины, кроме Парвати, для него быть не могло. Парвати, заплетающая длинную черную косу. Парвати, легко и изящно поправляющая сари. Парвати, сидящая, как кошечка, на полу с чуть высунутым языком. Он любил ее утонченное, полное орлиной гордости лицо, медового цвета кожу; чувствовал, что в ней он обрел особый, драгоценный мир. В серьгах у нее, о чем он с изумлением узнал, играли настоящие рубины и изумруды. Он удивлялся, и это ее смешило. Вот Парвати гладит сари в их квартире в Ньюнеме. Потом гладит его рубашки. «Ты послана мне богом». — «Каким богом?» — «Богом Шивой, Эросом... У каждого поэта есть свой ангел. У меня — ты». Он помнил ее смуглые маленькие ловкие руки, босые ноги в легких сандалиях, мелькающие на мокром осеннем тротуаре. Красно-коричневую помаду на губах. Рядом с грациозной Парвати любая западная женщина казалась неуклюжей, топорной. Грубо скроенными, унылыми и неприятно розовыми выглядели по сравнению с ней сокурсницы. Еще и теперь он ощущал у себя в руке ее толстую косу, вспоминая, как впервые отважился игриво и в то же время трепетно дернуть за нее. Он поцеловал косу. Потом поцеловал край шелкового сари, соскользнувшего с тонкой руки. Она, засмеявшись, оттолкнула его. Парвати была умной девушкой и намеревалась самым серьезным образом изучить экономику, но в то же время слишком многое связывало ее с отгороженным от мира домом в Бенаресе, где ее мать украшала гирляндами изображения богов. Парвати горячо говорила о сварадж[1] и о проблемах сельскохозяйственной экономики.

Майлз сочинил сотни любовных стихов, посвященных Парвати. После войны казалось, что с поэзией покончено, как и со многим другим. На смену Эросу пришел Танатос[2], а позднее даже лик Танатоса подернулся дымкой. Единственным человеком, к которому у Майлза сохранилась какая-то привязанность, была Гвен. В детстве они с сестрой не очень дружили. Она была на несколько лет моложе, а он большую часть времени проводил вне дома, в школе. Впервые он поистине обрел Гвен, по-настоящему разглядел ее, когда она так решительно вступилась за него перед отцом, который воспротивился его женитьбе. Гвен любила Парвати, восхища-

---

[1] Движение за самоуправление Индии.
[2] В греческой мифологии олицетворение смерти.

лась ею. Она приняла их сторону и донимала отца длинными проповедями. Позже, когда Майлз начал сожалеть о разрыве с отцом, ему пришла в голову мысль, что, возможно, Гвен принесла больше вреда, чем пользы. Бруно нужно было не нотации читать, а ласково его уговорить, и другая дочь сумела бы это сделать. Майлз и не помышлял уговаривать отца. Он просто послал его к черту.

После гибели Парвати Майлз никого не хотел видеть, даже Гвен. Гвен уехала тогда в Кембридж, занялась этикой и готовила докторскую диссертацию по Фреге[1]. Началась война, Гвен пошла в гражданскую противовоздушную оборону. Потом, когда в конце войны Майлз приехал в Лондон и, не сменив военной формы на штатский костюм, поступил на гражданскую службу, между ними возникла духовная близость. Гвен обычно уставала до изнеможения. Майлз испытывал чувство вины за легкую жизнь, какую вел теперь в отличие от Гвен. Они жили в разных местах, но он почти каждый вечер заходил после работы в ее маленькую квартирку в одном из переулков Бейкер-стрит и, поджидая сестру, готовил ей что-нибудь горячее. Порой она сильно задерживалась, и он сидел, напряженно прислушиваясь к бомбежке и стараясь не давать воли воображению. Порой она работала ночами, и он ее почти не видел. Они о многом

---

[1] Ф р е г е Г о т л о б (1848—1925) — немецкий логик, математик, философ, один из основоположников логической семантики.

говорили, но не о себе, и никогда о Парвати, а на успокоительно-отвлеченные темы: о поэзии, философии, об искусстве. По большей части их разговоры замыкались в круге философских и теологических проблем: Карл Барт[1], Витгенштейн[2].

Их дружбу перед самым концом войны нарушил Денби. Майлз никогда не мог понять, что общего между Гвен и Денби. Все произошло очень быстро. Они познакомились в метро. На кольцевой линии, чему оба, казалось, придавали большое значение. Во всяком случае, они твердили об этом с идиотской ритуальной торжественностью. Гвен и Денби разговорились. Во время войны люди были общительнее. Денби не заметил, как проехал свою остановку. Гвен не заметила, как проехала свою. Когда кольцо замкнулось, им пришлось признать, что все это неспроста. Их знакомство началось с нелепости, и Майлз считал, что все, происшедшее между ними, было нелепостью от начала до конца. Денби по сути своей был нелепый, случайный человек, и Майлза возмущало, что этот пустоцвет, эта вялая водоросль прилепилась к такому близкому и вовсе не случайному существу, как его сестра.

Майлз чувствовал себя обманутым. Гвен не должна была сразу выходить замуж за Денби, должна была посоветоваться с ним. Она же —

---

[1] Барт Карл (1886—1968) — швейцарский теолог, один из основоположников диалектической теологии.
[2] Витгенштейн Людвиг (1889—1951) — австрийский философ и логик, представитель аналитической философии.

правда, со слегка виноватым видом — ни с того ни с сего представила Майлзу Денби как жениха. Майлз был вежлив, однако глядел хмуро на этого пухлого, постоянно улыбавшегося и явно самодовольного блондина в форме артиллерийского офицера. В те дни у Денби были золотистые волосы, свежий цвет лица. Он выглядел курсантиком. Майлз прямо спросил, что у него за профессия и какое образование. Денби оказался сыном лавочника из Дидкота. Окончил местную среднюю школу, потом поступил в провинциальный университет и бросил его, проучившись год на отделении английской литературы. Потом работал в страховом агентстве, откуда ушел на войну, тихо-спокойно, без отличий и наград, прослужил в артиллерии и, как говорил Майлзу, армией остался очень доволен. Интеллектом он не блистал. После женитьбы Денби сразу, ничтоже сумняшеся, занялся типографским делом, что раздражало, да к тому же и преуспел, что раздражало еще больше. Майлз не мог представить себе, чтобы у Денби вообще был серьезный raison d'être[1]. «Не понимаю, что ты нашла в этом Денби?» — сказал он сестре однажды. «Ну что ты, Денби такой забавный», — ответила Гвен. Майлзу этот ответ ничего не объяснил.

Отцу, с которым у Гвен теперь наладились отношения, Денби, говорили, пришелся по душе, и со временем Майлз сделался терпимее к зятю. Денби стремился ему понравиться, и по-

---

[1] Смысл существования (фр.).

сле того, как Майлз ясно дал понять, что он думает о мужланских шуточках, которыми Денби с самого начала пытался снискать его расположение, между ними установилось некоторого рода взаимопонимание, основанное на том, что Денби по-своему принял роль подконтрольного и подцензурного дурачка. Чувствуя отношение к себе Майлза, Денби приноровился выказывать перед ним, дабы его умиротворить, свою неполноценность, которую поистине ощущал перед Гвен. Он признавал превосходство Майлза, принимал и разделял точку зрения Майлза, что ему неправдоподобно и в высшей степени незаслуженно посчастливилось получить в жены сестру Майлза. На этом они и остановились, но Майлз виделся с Гвен и Денби все реже и реже. А после смерти Гвен ему вообще незачем стало встречаться с Денби.

Диана появилась позднее, нежданно-негаданно, как чудо. Майлз мучительно переживал гибель Гвен, его снова преследовали мысли о смерти, от которых его избавила когда-то работа над поэмой. Но он нашел в себе силы закрыть на все глаза, заткнуть уши и повел отрешенную, полностью отупляющую жизнь. Писать было немыслимо. Он по привычке много читал, в основном историческую литературу и жизнеописания великих людей, без всякого увлечения. Он выполнял свою работу, сторонился сослуживцев, считался оригиналом и пренебрегал карьерой. Начальство стало замечать в нем какую-то неуравновешенность, но в общем на него мало обращали внимания. Порой он страдал от приступов глубокой депрессии, впрочем не таких уж частых.

И вот однажды в магазине на Эрлз-Корт-роуд, куда он дважды в неделю заходил за продуктами, какая-то девушка сказала ему: «Не грустите». Майлз вздрогнул оттого, что к нему обратилась девушка, и сейчас же вышел из магазина. Она догнала его. «Вы меня извините, я вас часто здесь вижу. Можно пройтись с вами немножко?» А потом спросила: «Вы живете один?» А потом еще: «Вы были женаты?» Диана все взяла на себя. Позднее она рассказывала Майлзу, что видела его несколько раз в магазине, рассеянного и грустного, и представила себе его жизнь именно так, как и оказалось: что он, должно быть, остался один, что у него большое горе, что он избегает общества, сторонится женщин. Просто-таки чудесное воплощение ее мечты. Она давно искала такого Майлза. Она узнала его сразу. Она увидела в нем своего суженого, благодаря чему они и познакомились.

У Дианы было ясное представление о своей женской роли. Эта роль была для нее главной в жизни, и она отдалась ей целиком после окончания школы. Она выросла в Лестере, отец ее служил клерком в банке. Родители были людьми не строгими, и они с сестрой делали все что заблагорассудится. Диана поступила в художественное училище в пригороде Лондона и получала стипендию, но через два года бросила занятия. Из нее не вышло хорошего дизайнера, она пошла работать в рекламное агентство. Но главным образом просто жила. Переехала в Эрлз-Корт.

У нее были романы. Она сходилась с мужчинами, среди них встречались и богатые, которые находили в ней что-то особенное и делали ей дорогие подарки, и бедные, которые вытягивали из нее деньги, пьянствовали и плакались ей на судьбу. Все это она со временем поведала Майлзу, с удовольствием отмечая, с каким недоумением он слушал ее, как у него неодобрительно подергивалось лицо. Она рассказала ему, что искала все это время только его. Она мечтала о необыкновенном человеке, печальном, суровом и одиноком, о человеке, пережившем горе, об отшельнике. Она была бабочкой, которая хотела сгореть в холодном-холодном огне.

Она очень полюбила Майлза, и, хотя он говорил ей с самого начала, что он порожний сосуд, и больше ничего, и что любовь ее ему не нужна, ей удалось в конце концов увлечь его. Майлзу было тридцать пять. Диане — двадцать восемь. Он видел, что она хороша собой: кареглазая, с чудесными волосами, широкими бровями и прямым носом, с большим, хорошо очерченным ртом; крупное малоподвижное лицо цвета слоновой кости имело выражение несколько холодное и загадочное. Волосы Диана аккуратно зачесывала назад и смело преподносила миру свое бледное, гладкое, большеглазое лицо. В ее кажущемся бесстыдстве Майлз позднее стал усматривать скорее отвагу. В первые дни, когда она начала вызывать у него интерес, он не без тайного удовольствия видел в ней куртизанку; а потом, когда убедился в искренности ее чувства, понял, что «похождения» Дианы как бы обострили, а не ослабили ее способность любить. Когда Майлз женился на ней, он все еще воспринимал ее как любовницу, и это нравилось им обоим.

Конечно, Диана понимала, кем была для Майлза Парвати. Не просто большая земная любовь, но нечто высшее. Она покорно признала превосходство Парвати, и это тронуло сердце Майлза, заставило его по-настоящему поверить в любовь Дианы. Она приняла как должное, что ни о каком соперничестве между нею и Парвати не может быть и речи. Та его жизнь, та часть его самого, вероятно лучшая часть, была ей просто недоступна. Майлз объяснил ей это, когда пытался отлучить ее от себя. Потом, а возможно, даже уже тогда он с облегчением обнаружил, что, сколько бы он ни выказывал ей досаду, какую бы горькую правду ни выкладывал, отлучить ее было невозможно. В конце концов он перестал сопротивляться и позволил ей употребить всю недюжинную силу ее женственности на то, чтобы утешить его, выманить из мрачного закута, в который он забился. Она восхищалась, как дитя, тем, что это ей удалось, и он тоже радовался, глядя на нее, впервые за последние много лет.

Они поселились на Кемсфорд-Гарденс, и с течением времени Майлз понял, что Диана надеется обзавестись ребенком, хотя сама она ничего об этом не говорила. Майлз не знал, как он относится к детям. Его ребенок, его единственный ребенок погиб в Альпах. Мог ли быть другой? Он смутно стал помышлять о сыне. Но годы шли, а все оставалось по-прежнему. Они вопрошающе смотрели друг на друга в пустом доме. Жизнь их была проста. Майлз никогда не жаждал общества других людей. Теперь же он вполне довольствовался тем, что с ним была Диана. Он рад был бы вообще никого больше не видеть. Диана встречалась со своими друзьями днем. Они почти не знали развлечений.

Диана установила и неукоснительно поддерживала определенный жизненный порядок. Она завела в их маленьком домике на Кемсфорд-Гарденс церемониал, как в старинном поместье. Еда подавалась вовремя и со всею тщательностью сервировки. Майлз не допускался на кухню. В доме всегда были свежие цветы. Майлзу пришлось приспособиться к сверхъестественной аккуратности, которую он всегда считал абсурдной и которую теперь полностью усвоил. Диана как бы взялась дать ему почувствовать, что живет он на широкую ногу, и скоро ей это и впрямь удалось. В ее власти было сделать маленькое большим, подобно тому как их садик словно по волшебству казался большим, бесконечным, как в сказке. Майлз догадывался, что Диана пыталась таким образом создать комфорт, которого недоставало ей в детстве, в Лестере. Как-то она сказала ему задумчиво: «Ты самый незаурядный человек из всех моих поклонников». У Дианы был свой строгий распорядок дня, ею самою установленные обязанности. Не имея других занятий, она проводила время в домашних трудах и развлечениях. Были у нее определенные часы для работы в саду, часы, когда она за-

нималась цветами в доме, когда рукодельничала, когда усаживалась в гостиной и читала книгу в кожаном переплете или слушала пластинки со старыми популярными мелодиями, которые Майлзу не нравились, но с которыми он
тоже постепенно свыкся. Диане подошел бы помещичий уклад жизни в восемнадцатом веке с
ее мирной, томительной скукой и чинным однообразием, с праздными, затяжными визитами.
И в одном из самых густонаселенных районов
Лондона каким-то чудесным образом Диане почти что удавалось вести такую жизнь.

Однако и к ним пришли перемены. Возможно, они даже обрадовались им, хотя поначалу
были очень встревожены. У Дианы была младшая сестра Лиза, которая совершенно по-иному
построила свою жизнь. Она изучала классическую литературу в Оксфорде и с отличием окончила университет. Потом уехала работать учительницей в Йоркшир и вступила в коммунистическую партию. Диана, которая очень любила
сестру, на время потеряла с нею связь. Лиза
приехала с севера к ним на свадьбу и познакомилась с Майлзом. Потом она снова исчезла, и
до них дошли слухи, что Лиза приняла католичество и вошла в религиозную общину «Бедные
девы». «Уверена, что ее привлекло название, —
говорила Майлзу Диана. — Она всегда была
книжной девушкой». Через несколько лет Лиза,
разочаровавшись в католицизме, уехала в Париж.
Вернулась она в Англию больная туберкулезом
и поселилась у Дианы с Майлзом на время лечения. Получила место учительницы в Ист-Энде.

Постепенно становилось ясно, что она может так и остаться у Дианы и Майлза. И она осталась.

Они не были полностью убеждены, что приняли правильное решение — жить вместе, но в конце концов укрепились в нем, и вскоре все стало казаться само собой разумеющимся. Возможно, Лиза восполняла отсутствие у супружеской четы ребенка. Сестры были глубоко привязаны друг к другу, и Майлз, на которого благотворно влияло присутствие Лизы в доме, полюбил свояченицу. Ему приятна была близость сестер, их неуловимое сходство. Ему нравилось вечерами заставать их за шитьем. Лиза, более беспорядочная, чем Диана, капитулировала даже быстрее Майлза перед домашней тиранией сестры. Хорошо, что после стольких лет à deux[1] в доме есть кто-то еще, что в доме две женщины и обе о нем заботятся. Возможно, они слишком долго были вдвоем с Дианой. Лиза внесла разнообразие в их жизнь и позволила ему по-новому увидеть жену.

Да и Лиза явно нуждалась в заботе. Диана склонна была считать сестру неудачницей: «Она из тех, кто всегда остается за бортом», «Такие если уж падают, то все кости ломают», «У нее нет инстинкта самосохранения», «Она птица с перебитым крылом». Лиза была серьезнее, суше, мрачнее Дианы, и обычно ее принимали за старшую. Но эта нервная, скрытная, молчаливая и замкнутая Лиза отстаивала свои позиции в философских спорах с Майлзом куда горячее, чем он. Иногда дело доходило до ссор, и Диане при-

---

[1] Вдвоем (фр.).

ходилось их разнимать. Лизу, видимо, устраивала работа в школе, а по выходным она добровольно помогала участковому инспектору, в ведении которого находились условно осужденные. Майлзу нравилось ее общество. Она была для него загадкой, и ему было жаль ее. Она казалась окропленным росой увядшим цветком. Иногда она представлялась ему просто призраком, тенью рядом с полной жизни сестрой. Майлз вместе с Дианой тревожился за Лизу, отчего она делалась им только дороже.

В небе, теперь уже почти черном, сверкала большая вечерняя звезда в окружении мелких блесток других звездочек. С Олд-Бромптон-роуд доносился ровный шум машин. Дрозд, начинавший петь с наступлением темноты, выводил на ближнем дереве свое пронзительное неугомонное «кирие»[1]. Сырой воздух к ночи стал холодным. По саду двигалась какая-то светлая тень — женщина в светлом платье медленно пересекла асфальтовую площадку и пошла через лужайку по выстриженной в траве тропинке к тисовой арке. Кто это? Диана? Лиза? Он молча стоял у окна, не в силах разглядеть движущуюся в темноте фигуру.

Вдруг в комнате зажегся свет.

Майлз резко обернулся, захлопнув окно и задернув штору.

— Диана, я просил тебя никогда так не делать.

— Извини меня.

---

[1] Kyrie eleison — Господи, помилуй (*греч.*).

Диана была одета в голубое вышитое кимоно в духе японской старины. Ее гладко причесанные волосы, еще не седые, выцвели, не потеряв блеска, сделались песочно-жемчужными. Матовое лицо было гладким, без морщин, как на миниатюре.

— Извини меня, я не знала, что ты здесь.

— Где же мне еще быть в такое время, черт побери? Прошу тебя, не входи ко мне неожиданно. Я пытаюсь работать. Что тебе?

— Кто-то бросил письмо в почтовый ящик. Написано «срочно», вот я и пришла отдать тебе его сейчас же.

— Не уходи, дорогая. Прости меня. От кого же это? Дьявольщина, почерк незнакомый.

Майлз вскрыл конверт.

Дорогой Майлз!

Представляю себе, как ты будешь удивлен, неожиданно получив мое письмо. Дело в том, что отец твой, как тебе известно, болен, и, хотя в данный момент нет особых причин для беспокойства, он, естественно, думает о последних распоряжениях и все такое. Ему хочется повидаться с тобой. Он велел мне подчеркнуть, что не имеет в виду ничего особенного, просто хочет видеть своего сына. Очень надеюсь, что ты изъявишь готовность встретиться с ним, раз он к этому так стремится. Поскольку вы долго не виделись, я думаю, неплохо было бы нам с тобой предварительно встретиться и потолковать, я бы ввел тебя в курс дела. Очень надеюсь, что ты на это согласишься. Если можно, я позвоню тебе на работу завтра утром, чтобы узнать, когда удобней к тебе прийти. Очень надеюсь, что мы сможем обо всем дружески договориться. Твой отец стар и, увы, очень болен.

Искренне твой
Денби Оделл

— О Господи, — сказал Майлз.

— Что такое?

— Письмо от Денби.

— От Денби? А, Денби Оделла. Что ему нужно?

— Чтобы я сходил к отцу.

— Не странно ли, — сказала Диана, приглаживая волосы на висках, — за все эти годы я ни разу не видела ни твоего отца, ни Денби Оделла. Это что, спешно? Старик при смерти?

— Да вроде бы нет.

— Ты сходишь к нему, конечно? Я всегда считала, что вам нужно помириться.

Майлз бросил письмо на стол. Все это было неприятно, тягостно и страшно.

— Черт-те что, я все эти годы почтительнейше писал старому ослу, и он не отвечал мне. А теперь этот идиот Денби изображает дело так, будто я же во всем и виноват.

Диана взяла со стола письмо.

— По-моему, очень милое письмо. В нем и намека нет на твою вину.

— Как бы не так! О Господи.

Майлзу это было сейчас ни к чему. Ни к чему переживания, воспоминания, сцены, вообще тяжелые впечатления. Ни к чему обвинения и разглагольствования о прощении. Одно позерство. И грязь. А между тем все это может отсрочить, спугнуть, может окончательно отвратить тот бесценный миг, когда осеняет Бог.

ГЛАВА VII

Денби поправил галстук и нажал на кнопку звонка. Майлз открыл дверь.

— Надеюсь, я не слишком рано?

— Входи.

Майлз повернулся и пошел наверх, предоставив Денби самому закрыть дверь. Слегка помешкав, Денби закрыл ее и последовал за хозяином вверх по лестнице. Майлз уже исчез в комнате. Денби подошел к отворенной двери и увидел Майлза, стоящего у окна вполоборота к нему. Денби вошел в комнату и притворил за собой дверь.

Денби решил явиться в полседьмого в расчете на то, что Майлз, конечно же, предложит ему выпить и это облегчит беседу. Он не преминул, однако, пропустить две большие порции джина в «Лорде Кларенсе», прежде чем свернул на Кемсфорд-Гарденс. В комнате было темно. Серовато светилось небо за окном.

В последний миг мысль о том, что сейчас он увидит Майлза, весьма взволновала Денби. Не то чтобы он беспокоился о марках. Судьба их вряд ли зависела от того, придет или не придет Майлз к Бруно, Денби не очень-то верил, что Бруно всерьез собирается встретиться с сыном.

Бруно и раньше заводил разговоры о встрече с Майлзом, и ничего из этого не вытекало: он помышлял о том, чтобы помириться с Майлзом, еще в те времена, когда был куда предприимчивее и решительнее, чем теперь. Денби полагал, что Бруно настроен под конец жизни на мирный лад и вполне довольствуется своими марками, телефоном и вечерними газетами, своими размышлениями если не о вечности и Страшном суде, то по крайней мере о том моменте великого успокоения и надвигающегося небытия, с приходом которого кончаются все тревоволнения, недомолвки и неожиданности. Денби недооценивал Бруно и, когда вдруг постиг всю силу порывов, которые владели этим истаявшим стариком с распухшей головой, был потрясен и тут же пересмотрел свою точку зрения на то, что значил для Бруно Майлз.

Уже много лет Денби считал Майлза отрезанным ломтем. Особенно не рассуждая, он просто решил, что вряд ли им придется встретиться снова. У них не было на то причин, разве что похороны Бруно. Случалось, Денби представлял себе эти похороны. Представлял себе торжественность обстановки, и как он молчаливо кланяется Майлзу, и какие будет испытывать чувства: нежность, жалость и вместе с тем облегчение. А дело неожиданно повернулось так, что вот он странно нервничает и волнуется, воочию видя перед собой этого чужого, но тем не менее, как понимал теперь Денби в связи с решением Бруно, глубоко вовлеченного в его жизнь человека. Он мог оставаться безразличным к Майлзу только на расстоянии. Вблизи же Майлз снова притягивал его, будоражил, даже страшил.

Хотя Майлз и Денби были почти ровесниками, Денби всегда казалось, будто Майлз старше. Это ощущение передалось ему от Гвен, которая глубоко уважала брата и взирала на него как на оракула. Денби еще тогда привык считать Майлза выдающейся личностью и теперь старался внушить себе, что, в сущности, Майлз самый обыкновенный человек, в некотором смысле даже неудачник. Еще до знакомства Денби немного побаивался Майлза и весьма обоснованно опасался его власти над Гвен. А Майлз и не скрывал своего отношения к Денби, что причиняло Денби ощутимую боль даже после того, как он убедился, что Гвен не позволит брату воспрепятствовать их женитьбе. Теперь же, стоя в темноте и глядя на спину Майлза, Денби отчетливо осознал, еще раз убедился в том, что он просто забыл, как искренне восхищался когда-то Майлзом. Встретившись с ним, Денби снова испытал старое, знакомое чувство унижения, смешанное со страхом, восхищением и горькой обидой.

Майлз обернулся, указал на кресло у камина, и Денби сел.

— Ну-с, — произнес Майлз и опустился на стул, стоявший у окна. — В чем дело?

— По-моему, ясно, — сказал Денби. — Бруно хочет тебя видеть.

— Неужели?

— Ну, он так говорит, просит об этом постоянно. А мыслей читать я не умею.

Денби, много думавший об этой беседе с Майлзом, так и не смог решить, какой ему выбрать тон, и махнул на это дело рукой — как получится. И теперь он был весьма напорист.

— Бессмысленно встречаться через столько лет, — промолвил Майлз. Он аккуратно складывал лист бумаги, не глядя на Денби. В комнате становилось все темнее.

— Он умирает, — сказал Денби. На него вдруг нахлынула щемящая тоска, соединившая в его представлении и Бруно, и Гвен, и профиль Майлза, вырисовывающийся на фоне сереющего окна.

— Да, да, — раздраженно сказал Майлз. — Но у отцов и детей не всегда есть что сказать друг другу. А на условности мне плевать, да и отцу, по-моему, тоже.

Он произнес слово «отец» так же, как Гвен — казалось, Денби услышал ее голос. Он сказал:

— Отец хочет тебя видеть. Какие бы то ни было рассуждения по этому поводу просто неприличны.

Майлз с высокомерным видом бросил на стол сложенный лист бумаги, и Денби подумал: как странно и удивительно, что ему приходится напоминать Майлзу о приличиях. Денби не без удовольствия отметил, что некогда густая шевелюра Майлза слегка поредела, образовалась плешь.

— Боюсь, ты не отдаешь себе ясного отчета в ситуации, — сказал Майлз. — Я забочусь о благе отца. Встреча со мной может плачевно отразиться на его состоянии. Все это нужно как следует взвесить. Он что, думает, я каждый день должен являться, или как?

Господи, вот чинуша бессердечный, пронеслось в голове у Денби.

— Мне кажется, Бруно ни о чем таком не думает, он просто хочет тебя увидеть.

— Не вижу смысла в подобной встрече.

— Ну, потом вы сами решите, что дальше.

— Это может оказаться настоящей пыткой для отца, и я удивляюсь, почему ты не отговорил его. Ты ведь теперь, должно быть, имеешь на него влияние.

Это что, намек на марки?

— Бруно сам себе голова, я не вожу его на помочах.

— Эта наша встреча может нанести ему такой вред, что потом ничем не поправишь — хоть ходи, хоть не ходи.

Только тут Денби пришло в голову, что Майлз, пожалуй, прав. Как и Бруно, он не шел в мыслях дальше первого шага.

— Ты усложняешь дело, — сказал Денби. — Ты, в конце концов, его единственное дитя, он при смерти и хочет тебя видеть. Мне кажется, твой прямой долг навестить отца, как бы то ни было.

— Всегда надо помнить о последствиях.

— Ох, ладно, — сказал Денби; он резко встал и отодвинул кресло. — Значит, я пойду и скажу ему, что ты не придешь?

— Сядь, Денби.

Денби постоял, переступая с ноги на ногу, и медленно опустился в кресло.

— Извини меня, — сказал Майлз. — Вероятно, я кажусь тебе бессердечным, но я хочу все предусмотреть. Давай зажжем свет.

94

Он задернул шторы и пошел к выключателю. Денби стиснул зубы.

Майлз был не так уж похож на Гвен, и все же отдельные ее черты, которые память и даже фотографии хранили только в туманной обобщенности, были сейчас неожиданно явлены перед Денби: резко очерченный рот, глубокая бороздка, тянувшаяся к нему от носа, сросшиеся на переносице брови, сосредоточенный взгляд, мелко вьющиеся темные волосы.

Денби отвел взгляд от Майлза и бегло осмотрел комнату, которую освещали теперь две лампочки под зеленым абажуром. Судя по множеству полок с книгами, это был кабинет. Аккуратные стопки бумаги, тетради, стройный ряд шариковых ручек на столе у окна, под самым подоконником. Вычищенный открытый камин с пирамидой еловых шишек, облицованный изразцами Уильяма Морриса[1], сиял голубыми и пурпурными бликами. Гвен бы понравились эти изразцы. Она бы с удовольствием собирала шишки. На белой крашеной каминной полке — ваза с желтыми нарциссами, над ней — небольшое квадратное зеркало в золоченой раме. Тут и там на книжных полках поблескивали фарфоровые вазочки, ультрамариновые утки, собачки, драконы. Немыслимая чистота и порядок. Образцовое жилье, но и цветы, и утки, и еловые шишки — все это мало похоже на Майлза. Денби смутно

---

[1] М о р р и с   У и л ь я м (1834—1896) — английский художник, писатель, теоретик искусства, организовавший в 1861 г. фирму по изготовлению предметов интерьера и декоративно-прикладного искусства.

припомнил, отчего-то встревожившись, что Майлз женат.

— Откровенно говоря, — Майлз сел и снова принялся сосредоточенно складывать бумагу и тщательно разрезать ее острым ножичком, — откровенно говоря, меня несколько пугает эта затея не только потому, что она может принести вред отцу, но и потому, что она выбьет меня из колеи. Я довольно-таки сильно подвержен эмоциям, а мне надо работать. Отец собирается говорить со мной о деньгах?

— О деньгах? — переспросил Денби. — Господи, да нет же!

А может быть, да? Не исключено, что Бруно хочет решить судьбу марок. Проклятые марки, все они усложняют.

— Видишь ли, — сказал Майлз, старательно и точно разрезая сложенную бумагу. — Видишь ли, не знаю, известно ли тебе, что я регулярно писал отцу и никогда не получал ответа. Я понимал это так, что он вычеркнул меня из своей жизни. Его желание встретиться несколько неожиданно. Он очень сдал?

— Нет, — сказал Денби. — Ему приходится пить всякие лекарства, и бывают дни, когда он слегка рассеян и заговаривается, но в основном у него совершенно ясная голова. Он безусловно в здравом уме.

— Он сильно изменился?

— Внешне да. Но вообще — нет. Я думаю, ты знаешь, что с ним?

— Знаю, как это ни странно, — медленно произнес Майлз, устремив на Денби серьезный,

96

задумчивый взгляд, что очень напомнило Гвен. — Да, как это ни странно, знаю. Я писал его врачу примерно полтора года назад. Надеюсь, с тех пор ничего нового не случилось?

— Нет. Только прогрессирует эта... штука.

Они замолчали. Денби смотрел на Майлза, а Майлз внимательно оглядывал разрезанную бумагу.

— Хорошо. Я навещу его. Но думаю, что это будет ужасно. Ужасно.

Денби встал. Он испытывал необычайную нежность к Бруно, желание его защитить, и в то же время ему страстно хотелось, чтобы Майлз предложил ему выпить. Хотелось, чтобы его пригласили остаться, приветили, чтобы Майлз утешил его. Хотелось поговорить с ним о прошлом.

— Бруно держится молодцом.

— Не сомневаюсь, не сомневаюсь. Так когда мне прийти? — Майлз тоже поднялся.

— Конечно, Бруно может переменить решение, когда узнает, что ты собираешься навестить его. Может струсить.

— Ты полагаешь, он тоже боится?

— Да.

— Забавно, — сказал Майлз. — А я-то думал, что он и не вспоминает обо мне, особенно теперь.

Он улыбнулся. Зубы у него были острые, неровные, их было больше, чем нужно, впереди они находили один на другой, и это придавало его улыбке, которую Денби успел забыть, что-то неукротимое, волчье. Денби обычно презирал людей с некрасивыми зубами, но Майлза это не портило.

— Во всех случаях я позвоню тебе, — сказал Денби, продолжая неловко стоять. Он был выше Майлза. Об этом Денби тоже как-то забыл. Самое время для благословенного стаканчика джина. Если Бруно отменит встречу, пронеслось в голове у Денби, в следующий раз я увижу Майлза разве только на похоронах. И Денби слегка отодвинул кресло, что можно было расценить и как готовность попрощаться, и как готовность снова сесть. При этом он увидел голубой комочек во впадине между сиденьем и спинкой. Это был женский платок.

— Я никогда не видел твоей жены, — сказал Денби.

Майлз рассеянно взглянул на него и взялся за дверную ручку.

Я должен остановить его, подумал Денби, я хочу поговорить с ним о Гвен. С чего бы начать? Но он так и не смог ничего придумать. Сказал только:

— Бруно хотел познакомиться с твоей женой.

Ничего подобного Бруно не хотел.

— Ненужные эмоции, — сказал Майлз. — Все это совершенно бессмысленно. Совершенно.

И он стал спускаться по лестнице.

— Значит, вы говорили обо мне? — спросил Бруно, подозрительно взглянув на Денби.

— Да, — ответил Денби раздраженно. — Конечно, говорили.

Денби вернулся от Майлза сердитый, и Бруно не мог добиться, что же там произошло.

Денби стоял у окна с незадернутыми шторами, глядя в бурую тьму лондонской ночи. Бруно сидел, удобно устроившись среди подушек. Оба они потягивали шампанское. Светлое, небрежно накинутое покрывало усеяно было марками и разрозненными страницами «Ивнинг стандард», сверху лежал первый том «Пауков России», открытый на главе «Пауки Балтийского побережья».

— Ну и что вы обо мне говорили?

— Он спросил, как ты поживаешь, я рассказал ему про тебя, передал, что ты очень хочешь с ним встретиться, и...

— Не нужно было этого говорить.

— О Боже...

— Я не уверен, что очень хочу с ним встретиться, — рассудительно произнес Бруно.

— Ну так определись же ты наконец, Бога ради.

— Не понимаю, отчего ты так расстроен.

— Да не расстроен я, черт побери.

С тех пор, как он решил повидаться с Майлзом, или, во всяком случае, с того момента, как он отправил Денби к Майлзу, Бруно испытывал противоречивые чувства. С одной стороны, надвигающаяся встреча с сыном вызывала у него какой-то животный страх, а с другой стороны, он боялся того, что ему придется пережить, если Майлз откажется прийти. С ума можно сойти. Но тут Денби, вернувшийся от Майлза, сразу успокоил его. Бруно к тому же охватывала жгучая досада при мысли о том, что Майлз и Денби, чего доброго, могут объединиться и начать строить против него козни. Денби скажет:

— Старый болван хочет увидеться с тобой. Ты уж потрафь ему.

— Он что, совсем спятил? — ответит Майлз. — Ну и сколько же он еще собирается коптить небо?

А почему бы им и не говорить о нем в таком тоне. Они молоды, здоровы, ничем не связаны. Еще он растроганно удивлялся — надо же, столь острые и разнообразные чувства могут возникать у такого старика. «Такого старика», — мысленно повторял он, пока не выступили слезы. Ему было приятно, что он не обратился в примитив под влиянием возраста и болезней. Он был таким же сложным, развитым существом, как и раньше. И даже еще более сложным, много более. Он плел паутину своих чувств, не обрывая ни единой ниточки. Хорошо, он увидится с Майлзом. Однако ничего нельзя было предсказать заранее, и это его пугало.

— Конечно, я хочу его видеть, — рассудительно продолжал Бруно, — и все же мне как-то не по себе. Не думай, что я помешался.

— Да я и не думаю. Мы с ним откровенно поговорили.

— Что значит откровенно? Как он выглядит?

— Слегка облысел.

— Ты всегда не любил его, Денби.

— Это он меня не любил. Я-то его как раз любил. Он был похож на Гвен. Да и сейчас тоже.

— Вот почему ты расстроился.

— Да. Еще шампанского?

— Спасибо. И как же он выглядит?

— Раздраженный, озабоченный. Но с тобой он, конечно, будет ласковее.

— Не представляю, о чем только с ним говорить, — сказал Бруно. Левой рукой он безотчетно шарил по покрывалу, а дрожащей правой подносил к губам стакан. Шампанское бодрило его.

— Всего лучше пригласить Майлза как-нибудь утром. По утрам ты прекрасно себя чувствуешь.

— Да-да. Тогда это нужно сделать в субботу или воскресенье. Ты дашь ему знать?

— Да. Ну, я пойду, ладно, Бруно? Меня ждут в баре. А вот и сиделка Найджел.

Осторожно ступая, явился Найджел, и Денби ушел. Прямые темные волосы Найджела мягко обрамляли его бледное неправильное лицо и сходились дугой под подбородком. Темные глаза были сонными, но он расторопно и заботливо наводил у Бруно порядок перед ужином. Убрал марки, аккуратно сложил «Ивнинг стандард», снова наполнил до краев стакан Бруно золотым пузырчатым шампанским. Оно немного расплескалось на белую, поправленную Найджелом простыню, потому что державшая его пятнистая рука бессильно дрожала. Такая старая-престарая была эта рука.

— В туалет хотите?

— Нет, не хочу, Найджел, спасибо.

— Судорог не было?

— Нет, не было.

Найджел порхал, как мотылек. Застегнул пуговицы на пижаме Бруно, подставил ему под лопатки подпорку и взбил подушки, отодвинул подальше от кровати лампу и телефон. Закрыл и убрал «Пауков России». Тыльной стороной руки Найджел вытер Бруно щеку. Нежность — восхитительна. У Бруно на глазах выступили слезы.

— Я собираюсь повидаться с сыном, Найджел.

— Вот это хорошо.

— Как ты думаешь, Найджел, возможно ли прощение? Существует ли оно на самом деле, или за этим словом ничего не стоит? Что-то спать хочется. Нельзя ли побыстрее поужинать?

Слишком много шампанского. Найджел пьет его из стакана Денби. Найджел порхает, словно мотылек, как бы наполняя комнату мягким, едва слышным шелестом больших крыльев.

ГЛАВА VIII

Денби поправил галстук и нажал на кнопку звонка. Дверь открыла крупнолицая женщина с бледно-песочными волосами, гладко зачесанными назад.

Денби тут же забыл о Майлзе.

— Я... Здравствуйте... Я...

— Вы Денби.

— Да. А вы — Диана.

— Да, вот и хорошо. Очень хотела с вами познакомиться. Входите. К сожалению, Майлза нет.

Откуда-то из глубины дома доносилась тихая музыка.

Денби прошел следом за Дианой через темный холл в комнату, которую слабо озаряли последние лучи заходящего солнца. За большими двустворчатыми окнами виднелась асфальтовая площадка, мокрая от недавнего дождя, густые заросли дымчатой, голубоватой зелени. От нагретого солнцем асфальта поднимался легкий пар. Денби не сводил глаз с Дианы.

Денби узнал мелодию, это была старая танцевальная музыка, фокстрот времен его юности, и Денби словно окутал туман прошлого. Медленный фокстрот. Диана убавила звук, и музыка стала едва слышна.

— Как это мило, что вы заглянули.

— Можно было и позвонить. Но я шел мимо и подумал: дай-ка зайду.

На самом же деле Денби мучительно хотелось снова увидеться с Майлзом.

— Вы насчет встречи Майлза с Бруно? Я так рада, что Майлз собирается пойти к отцу, а вы?

— И я рад. Хотел вот узнать, подойдет ли субботнее утро. Майлз по субботам не работает?

— Иногда работает, но может освободиться, если нужно.

— Что-нибудь к одиннадцати.

— А знаете, вы совершенно не такой, каким я вас себе представляла.

— Каким же вы меня представляли?

— Таким каким-то... Ну, трудно сказать.

— Что, Майлз не очень-то лестно отзывался обо мне?

— Нет-нет-нет, не то. Я полагала, вы старше и не такой...

— Красивый?

Они рассмеялись.

В убранстве гостиной с мягкими круглыми креслицами, обтянутыми ситцем, смело сочетались яркие тона. Высокий белый камин в стиле «art nouveau»[1] был уставлен блестящими фарфоровыми статуэтками. На стенах в желтую и белую полоску висели вперемежку небольшие картины поздней викторианской поры, силуэты и миниатюры. Продуманная эклектика, стилизация, комната в духе этакого строгого гедонизма, которая могла существовать в XIX веке в Кембридже, в тех пасмурных болотистых местах.

Девочка, как сразу же мысленно назвал он Диану, была в шерстяном коротком голубом платье без пояса. Она выглядела пухленькой в этом облегающем платье — округлости груди, живота, бедер четко обрисовывались плавно расширяющимся платьем. У нее были чистые темно-карие глаза, правильный прямой нос, длинные, гладко зачесанные назад волосы, которые сейчас, на солнце, отливали серебристо-золотым блеском. Лицо — непроницаемое, сосредоточенное, как бы жаждущее чего-то. Денби тотчас уловил ее неудовлетворенность, ее готовность к решительным поступкам. Чувственная, соблазнительная девочка, каких теперь не часто встретишь. Истинная гедонистка.

— А меня вы такой себе представляли?

— Признаться, я вообще не много о вас думал. Зато буду думать теперь.

---

[1] Стилевое направление в европейском искусстве конца XIX — начала XX в.

— Вы очень любезны.

Они снова рассмеялись.

— Хотите выпить? — спросила Диана. — Майлз бросил пить. Вот ужас, правда?

Она достала из белого буфета бутылки с джином, вермутом, ликером и небольшие хрустальные бокалы.

Денби был благодарен Диане за приглашение. Выпивка в этот час дня была для него ритуалом; после первой вечерней порции всегда наступали минуты блаженства, которое разливалось по всему телу. А сейчас ему было приятно вдвойне, поскольку он не ждал ничего подобного.

— Я люблю выпить вечером, но только не в одиночестве.

— В таком случае я рад, что зашел и могу составить вам компанию.

— И я рада, что вы зашли! А то Майлз совсем оторвался от своей семьи.

— От семьи? Да, я, пожалуй, сойду за родственника.

— По-моему, семейные узы очень важны.

— Смотря какая семья. А чем вы занимаетесь, Диана?

— Чем? Я домохозяйка. А вот чем вы занимаетесь, я знаю.

— Наверное, я бизнесмен. Или печатник. Все не пойму как следует, кто же я такой.

— Я тоже не пойму как следует, кто я такая. Но кажется, это потому, что я вообще никто.

— И вы нигде не работаете?

— Да нет же. Я сижу дома.

— Пылинки сдуваете?

— Да. Слежу за домом, за садом, готовлю, навожу красоту.

— Творите.

— Не валяйте дурака. Выпейте еще.

— Майлз когда придет?

— Он вернется поздно. У них какое-то сборище на работе, от которого он не смог отвертеться. Он терпеть не может этих сборищ.

— Майлз не очень-то общителен, да?

— Да, он не выносит людей.

— А вы, по-моему, наоборот.

— Да, я гораздо общительнее Майлза. Можно мне тоже навестить Бруно?

— Конечно. Он очень хочет вас увидеть.

— Правда? Я думала, он и не подозревает о моем существовании.

— Ну что вы, ему не терпится с вами познакомиться.

— Это меня радует. Только пусть сначала Майлз сходит к отцу. А мне всегда хотелось познакомиться с вами и Бруно. Он очень страдает?

— И да, и нет. У него нет болей, и он в здравом уме. Он вас полюбит.

— И я его полюблю.

Какой же я дурак, думал Денби. Даже представить себе не мог, что встречу здесь такую девочку. Просто счастье для Бруно. Она найдет подход к старику. Женщины в этом смыслят гораздо больше. Он снова оглядел комнату. Женщина, которая ничем не занята, сидит в обитом ситчиком кресле и читает. Он увидел книгу на одном из кресел. Джейн Остин. Женщина,

106

которая, наверное, немного скучает. Которая чего-то ждет.

— Очень рад, что мы наконец познакомились, — сказал Денби.

Господи, какая сексуальная музыка, подумал он. Что же это такое? Очень знакомая мелодия.

— Что это за пластинка?

Диана усилила звук. Это был медленный фокстрот, классический, благородный, чрезвычайно сладкозвучный, всколыхнувший в душе Денби драгоценный, хотя и не очень уместный, отзвук прошлого. Ноги его сделали заразительное скользящее движение по устилавшему пол гладкому ковру. Он шагнул к Диане, обвил рукой ее талию; они танцевали молча — вперед, назад, поворот, медленно, ритмично, слаженно, их тени, слитые воедино, порхали по стенам следом за ними.

Музыка кончилась, и они отстранились друг от друга. Взгляд голубых глаз погрузился в карие, и карие потупились.

— Вы прекрасно танцуете, Диана.

— Вы тоже.

— По-моему, медленный фокстрот — это самый лучший танец на свете.

— Да. И самый трудный.

— Сто лет не танцевал.

— Я тоже. Майлз не выносит танцев.

— В свое время я побеждал на танцевальных состязаниях.

— Я тоже.

— Диана, а что если я приглашу вас как-нибудь днем в танцевальный зал, знаете, в такой, для всех. Вы придете?

— Конечно, нет.

— Майлз ведь не будет возражать, как вы думаете?

— Денби, не валяйте дурака.

— Диана, медленный фокстрот?

— Нет.

— Медленный фокстрот?

— Нет.

— Слоуфокс?

— Нет.

ГЛАВА IX

Босоногий Найджел сидит на корточках у ограды и смотрит куда-то вниз. Руки в ржавчине, ноги заляпаны грязью. Случайный в этот поздний час прохожий подозрительно оглядывается на него. Найджел, не меняя позы, улыбается, его зубы блестят в полутьме, отражая свет отдаленного уличного фонаря. Прохожий, постояв в нерешительности, пятится и бросается прочь. Продолжая улыбаться, Найджел возвращается к прерванным наблюдениям. За незашторенным окном жилец полуподвальной квартиры укладывается спать. Вот он снимает брюки, небрежно бросает их на пол, подходит к умывальнику, оправляется. Стягивает с себя рубашку с обмахрившимся подолом и принимается деловито чесать подмышки. Вот он перестает чесаться и с серьезным видом нюхает пальцы. Прямо поверх грязного нижнего белья надевает мятую пижаму и неуклюже забирается в постель. Некоторое время он лежит, равнодушно уставившись в потолок и почесываясь, потом выключает свет. Найджел поднимается на ноги.

Вот они, достопримечательности его ночного города, места, куда стекаются паломники, места, где грешат, места, где отпускаются грехи. Босоногий Найджел бесшумно скользит по тротуару, прикасаясь к каждому фонарному столбу. Он видел людей попранных, обессиленных, проклинающих, молящихся. Он видел, как человек, подложив мягкую подушечку, становится на колени, складывает в молитве ладони и закрывает глаза. Повсюду из человеческих сот священного города исторгаются молитвы любви и ненависти. Отрешившийся от собственного «я», Найджел тихо обходит семимильными шагами город, а вокруг него со слабым шелестом устремляются ввысь молитвы. Какую бы религию ни исповедовал человек, она всегда возвышает душу. По темным проулкам смуглые почитатели культа в белоснежных одеждах безмолвно несут белые благоухающие гирлянды, дабы прикрыть ими наготу Великого Шивы.

Найджел неслышно ступает, перешагивает через улицы, его босые ноги не касаются земли, он невидимый зритель в театре жизни. Вот он у священной реки. Она течет у его ног, черная и полноводная, река слез, уносящая человеческие трупы. Река слез, но Найджел не из тех, кто плачет. Широкая река, исполинская, черная, несет свои воды под звуки надтреснутых церковных колоколов. Эти звуки взлетают стаями летучих мышей, застилая темно-бурое небо. Мутная река покрыта рябью, набухла, вспучилась у берегов. Найджел совершает жертвоприношение: цветы. В каких садах под покровом ночи собирал он их? Он бросает цветы во вздыбившиеся воды, вслед за ними бросает все, что есть у него в карманах: перочинный нож, носовой платок, пригоршню монет. Река принимает со вздохом и цветы, и белый платок, медленно унося их в тоннель ночи. Найджел — бог, раб — стоит прямо, он страдалец за грехи больного города.

Он ложится на тротуар, и волны подносят к его зорким глазам иллюминатор баржи. На кровати сидят мужчина и женщина, женщина — голая, мужчина одет. Он ругается, грозит женщине кулаком. Она отрицательно качает головой, с усилием отводит его руку, от натуги и страха лицо ее искажается. Мужчина начинает раздеваться, срывает с себя с проклятиями одежду. Он откидывает одеяло, и женщина ныряет в постель, как зверек в нору, скрывается в ней, натянув одеяло до самых глаз. Мужчина стаскивает с нее одеяло и выключает свет. Найджел лежит на мокром тротуаре, скорбя о грехах человечества.

Вот он приподнимает голову, чтобы заглянуть в другое незашторенное окно над самой землей. За неубранным столом бранятся Уилл и Аделаида. Уилл держит за руку Аделаиду, она упрямо пытается вырваться. Уилл отшвыривает ее руку. Тетушка вяжет оранжевую кофту.

— Ну так есть у него «Треугольный Мыс»?

— Да, их несколько.

— Ты должна будешь взять именно тот, что мне нужен. Я тебе покажу, как он выглядит.

— Да не собираюсь я брать никакого.

— Нет, ты возьмешь, Ади.

— Нет, не возьму.

— Прямо убил бы тебя, Аделаида.

— Отпусти руку, больно.

— Так тебе и надо.

— Ух и гад же ты.

— А зачем ты приходишь мучить меня?

— Отпусти руку.

— Тебе доставляет удовольствие меня мучить.

— Отпусти.

Тетушка не впервые замечает лицо Найджела, застывшее за окном, как луна; она загадочно улыбается и продолжает вязать.

А вот Найджел в другом месте простерт перед стеклянной дверью среди густой дымчатой зелени. Сквозь просвет между гардинами ему удается разглядеть худощавого бледного мужчину с узкими продолговатыми глазами, залысиной в густых темных волосах, он спорит о чем-то с худенькой женщиной, у которой руки словно тростинки и лицо изможденное, упрямое, страстное. Это лицо окружают бесформенным темным облаком растрепанные каштановые волосы.

— Мир совершенно независим от моей воли.

— Да, он, должно быть, замыслен извне. И в нем все идет как идет и происходит как происходит. Без какого-нибудь особенного смысла.

— А если бы он и был, этот смысл, то и в нем не было бы ни малейшего смысла.

— Если добрая или злая воля и меняет что-то в мире, то только его границы. Он либо увеличивается, либо уменьшается.

— Мир счастливого совершенно иной, чем мир несчастного.

— Здесь, как со смертью, мир не меняется, а прекращает свое существование.

— Смерть — не факт жизни. Ее нельзя пережить.

— Но если вечность понимать не как бесконечную временную длительность, а как отрицание времени, то всякий, живя в свой век, одновременно живет и в вечности.

— Загадка не в том, что и как в нашем мире, а в том, что он вообще существует.

— А уж об этом нам нечего говорить.

— А значит, нам следует молчать[1].

В комнату входит прекрасная женщина с лицом крупным и ласковым, как рассвет, в длинном пеньюаре цвета полуночной синевы. Она ставит поднос перед спорящими, садится между ними и примирительно гладит по плечу одного и другого. Глядя на нее с любовью, они маленькими глотками потягивают горячее какао и едят пирожные с заварным кремом.

Найджел идет домой. Он становится на колени на мокром скользком мху и видит, как Денби рассматривает себя в зеркале. Денби, улыбаясь, любуется своими ровными белыми зубами. Стоящий на коленях рядом с ним невидимый Найджел тоже улыбается нежной, прощающей, бесконечно грустной улыбкой всемогущего Бога.

---

[1] Перифраза последнего предложения «Логико-математического трактата» Витгенштейна: «О чем нельзя говорить, о том следует молчать».

ГЛАВА X

Медленный фокстрот.

Обнявшись, с полузакрытыми глазами, мечтательно кружатся в танце Денби и Диана. В зале множество отрешенно скользящих немолодых пар, все танцуют очень хорошо. В красноватом приглушенном свете едва различимы сквозь облака сигаретного дыма мраморные колонны, увенчанные позлащенными рогами изобилия, как бы изливающимися на танцующих. Бархатный пурпурный занавес между колоннами спадает мягкими складками, на стенах золоченая мозаика с бирюзово-голубым цветочным орнаментом. Пышные пальмы и папоротники расставлены по углам, скрывают вход. В зале стоит тяжелый приторный дух дешевой косметики и парфюмерии. Отдельные посетители расположились в стороне за столиками, но большинство молча танцуют, полузакрыв глаза, щека к щеке. Переговариваются шепотом. Все это происходит днем.

— Денби!

— Да.

— Мы здесь моложе всех.

— Да.

— Вы думаете, все эти женщины танцуют со своими мужьями?

— Нет, конечно.

— А они расскажут об этом своим мужьям?

— Нет, конечно. А вы расскажете своему мужу?

— Странно думать, что на улице еще день и светит солнце.

— Да.

— Грешное время. Наверное, в аду всегда это время дня.

Диана говорила едва слышно, будто во сне, она вся растворилась в своих ощущениях: щека Денби, прижавшаяся к ее щеке, его правая рука, которая лежала у нее на спине, мягко, легко и уверенно направляя ее в танце.

Диана сама не знала, как и почему она оказалась здесь, в танцевальном зале с Денби. Он позвонил. У нее возникло вдруг чувство фатальной неотвратимости их встречи, ее охватило властное, острое и отчетливое желание, чтобы уверенное, как у музыканта, прикосновение пальцев Денби к ее спине повторилось снова. Все было очень необычно. Столько лет прошло в ожидании детей, и лишь недавно она решила, что ждать больше нечего. Чем-то ведь были заполнены эти годы — так чем же? Они были заполнены Майлзом: одиночеством Майлза, неуверенностью Майлза в себе, его нервным истощением, его неспособностью хоть как-то примениться к жизни. Она очень скоро рассталась с честолюбивыми помыслами относительно его карьеры. Но ей хотелось как можно дольше не утратить своего стремления опекать его, согревать ему жизнь. Между тем она немножко кокетничала с друзьями. Она сознавалась себе, что моногамия не в ее натуре, и в то же время хранила верность мужу. Диана замечала, что порой она мечтает о ком-то неведомом, но не о Майлзе. И в то же время она была всецело поглощена им, постоянно, самозабвенно, страстно. Пуповина ее ранней влюбленности в него не обрывалась никогда. Она по-прежнему считала себя счастливой. Хотя со временем, размышляя вечерами на кухне, она обнаружила, что видит их жизнь уже несколько в другом свете, ощущала необходимость перемен и чувствовала, что начинает скучать.

Она жила своей неистощимой любовью к Майлзу. Еще она жила какой-то другой, воображаемой жизнью, хотя воображение ее не было столь уж неистощимо. Годами она занималась благоустройством дома и все эти годы сама себе позировала. Позировала в гостиной в шелковом вечернем платье, позировала в нейлоновом пеньюаре в спальне. Составляя букет, она изображала леди, составляющую букет. Она часами красилась, сидя дома одна. Майлз терпеть не мог общества, и они почти не знали развлечений. Она была как проститутка, которая проводит время в ожидании мужчины среди безделушек, сопутствующих ремеслу, только мужчина, которого ждала Диана, был ее муж.

Долгие годы она фанатично верила, что для нее было огромным счастьем встретить Майлза. Она и не чаяла заполучить такого незаурядного, аристократического мужа. Ее бы устроила и гораздо более скромная партия. Отец Дианы умер, но она по-прежнему навещала мать в родительском доме; она была ласкова со старушкой, хотя с удовлетворением отмечала, какая пропасть между жизнью матери и ее собственной. Майлз, не помышляя о том, перетащил ее через эту пропасть. И она принялась создавать красивый, элегантный дом, где они сживались годами, как два зверька, уже неотделимые друг от друга.

Уяснив себе, что она теперь для Майлза вторая самая любимая, Диана лучше осмыслила свою роль любящей женщины, завоевавшей ответное чувство. Мысли о Парвати не угнетали ее, наоборот. Диана увлеклась этой своей ролью — ролью исцелительницы: она не героиня, заточенная в замке, нет, она таинственная дева у родника, исцеляющая странствующего рыцаря от ран, которые не залечишь никакими снадобьями. Ролью тем более благодарной, что незабвенная героиня из замка давным-давно умерла, милосердно сойдя со сцены. Осталась только дева у родника. Неистребимость же памяти о Парвати была гарантией верности мужа. Покойная Парвати счастливо покровительствовала их союзу.

Лиза, бедняжка Лиза, тоже требовала заботы, как и в те далекие дни детства, когда Лиза с ее идеализмом и нехваткой здравого смысла постоянно попадала в затруднительные положения, доставлявшие Диане массу хлопот. Диана была предана сестре, восхищалась ею, опекала ее, и Лиза отвечала ей такой же искренней любовью, что помогало Диане жить, поддерживало ее. Она отдыхала душой, ощущая всем своим естеством близость и родство Лизы, чего в отношениях с Майлзом добилась лишь через долгие годы. В зрелом возрасте жизнь разлучила сестер, и во время редких встреч у них все меньше находилось о чем говорить друг с другом, хотя чувство прежней близости все же сохранилось. Диана радовалась, что Майлз полюбил Лизу;

когда Лиза заболела, со стороны супружеской четы было естественно предложить ей, по крайней мере на время, поселиться у них. Они так спорили друг с другом, Лиза и Майлз! Это была какая-то новая, счастливая жизнь.

Диане было бесконечно жаль Лизу, однако к ее сочувствию примешивалось понимание того, что сестра — полная ей противоположность, и убежденность в том, что собственная ее удачливость является прямым следствием характера. Приветливая, спокойная, привлекательная Диана казалась всем довольной. Легкая загадочная улыбка купидона, которая не сходила с ее уст, и была улыбкой довольства, лучащимся знамением благополучия, здоровья, удовлетворенности, олицетворением радости бытия. Лиза, никогда не блиставшая красотой, с болезнью утратила и прежнюю свою миловидность. Она была умной, конечно, и, по всей видимости, не такой уж слабой, если справлялась с работой учительницы в одной из ист-эндских школ, от посещения которой Диане делалось дурно. И все же, несмотря на это, Диана ощущала в Лизе какую-то обреченность. Диана диву давалась, что сестра выздоровела. «Лиза ищет себе смерти», — сказала как-то Диана Майлзу. «Лиза ищет себе страданий, — ответил Майлз, — что далеко не одно и то же». — «Она настроена мистически и стремится к самоуничтожению», — заключила Диана. «Мазохистка она, это уж точно», — согласился Майлз.

«Я уже пожилая женщина», — думала Диана, оглядывая скользящие мимо, словно погруженные в сон пары. Такая же, как они. Оживление,

117

привнесенное появлением в доме Лизы, улеглось. Уж не дожила ли она, Диана, до того возраста, когда остывшие чувства постоянно требуют обновления? Или сказывается ее испорченность? Она не могла разобраться в себе. Ясно было одно: в ней проснулось волнующее ощущение молодости, которым она обязана неожиданному, чудесному появлению Денби. Конечно, у нее и раньше возникали мысли о Бруно, о Денби, но Денби безотчетно представлялся ей именно таким, каким рисовал его Майлз. Даже после первого появления Денби в их доме она доверчиво выслушивала восклицания Майлза о жирном дураке и клоуне, скалящем зубы. Она не ждала, что будет мгновенно очарована Денби. Это был настоящий сюрприз, в нее словно вдохнули жизнь. Загорелое веселое лицо Денби, его пышная седая шевелюра, подкупающая улыбка уверенного в себе человека стояли у нее перед глазами, пока она молча выслушивала поток саркастических восклицаний Майлза, которому сдержанно сообщила о визите Денби. Образ Денби преследовал ее и в постели.

— Соприкосновение тел — это соприкосновение умов.

— Вы философ, Денби.

— Подумать только, что все эти дурацкие годы мы не знали друг друга.

— У меня такое ощущение, что я знаю вас всю жизнь.

— У меня тоже. Мне кажется, мы с вами одного склада люди. Правда?

— Может быть. С вами мне так легко, никаких тревог. Ведь для женщины моего возраста вовсе не просто позволить себе такой... праздник.

— Легко. То есть что-то легкомысленное, несерьезное?

— Нет, легко — это значит легко. Вы меня смешите.

— Ну и замечательно. Давайте заведем роман.

— Нет, Денби, никакого романа. Я люблю мужа. Я не свободна.

— Ох. А по-моему, это дурной тон — вести такие речи, тайно танцуя с другим мужчиной.

— Боюсь, вы правы, дорогой.

— Позвольте ответить искренностью на искренность: вы причинили мне боль.

— Позвольте отплатить вам признанием, что я взираю на вашу боль с удовольствием.

— Это уже кое-что для начала.

— Нет-нет...

— Вы уже говорили «нет», потом «да», так что я не теряю надежды.

— Напрасно. Мне было приятно, что вам захотелось со мной потанцевать, вот и все.

— Нет, не все, раз уж мы оказались в этом прелестном вертепе.

— Ну, а мы же не грешим на самом деле.

— Так давайте грешить на самом деле.

— Денби, у вас есть кто-нибудь?

— Женщина? Нет.

— Может, у вас другие наклонности?

— Боже упаси. Вы меня прямо в краску вогнали.

— Значит, так-таки и никого?

— Так-таки и никого. Была одна девочка, но она уехала в Австралию. Я скучаю.

— Бедный Денби. Только, по-моему, не стоит придавать значения всем нашим чувствам и помыслам.

— Моим стоит, поскольку они обращены к вам. И как вы собираетесь с ними обойтись? Вы же понимаете, что я увлечен вами?

— Мне уже под пятьдесят. Такого не бывает.

— А мне за пятьдесят. Значит, бывает.

— Вы все осложняете. Просто на какое-то мгновение я почувствовала себя снова молодой.

— Это из-за музыки. Здесь все принадлежит прошлому. Мы встречаемся с нашей молодостью. Я тоже чувствую себя молодым, точнее, человеком без возраста.

— Без возраста? Да. Вы очень привлекательны.

— Ну так заведем роман?

— Нет-нет.

— Не собираетесь ли вы рассказать обо всем Майлзу и после этого написать мне записку, что мы не должны больше видеться? Если вы это сделаете, вот тогда я действительно все осложню.

— Нет, конечно, я этого не сделаю, это вам не грозит. Но все должно быть спокойно, пристойно, романтично.

— Не понимаю я этих слов. Вы имеете в виду шоколад, цветы?

— Я имею в виду что-то вроде романтической дружбы.

— Романтической дружбы между мужчиной и женщиной не бывает. Я хочу тебя в постели.

— Вы не влюблены в меня по-настоящему, и я в вас — тоже. Мы слегка увлеклись друг другом.

— Нам пока рано говорить о любви. А что же плохого в том, что мы увлеклись друг другом? Откровенно говоря, я не из тех, кто часто увлекается.

— Поддавшись искушению, мы потеряем самое существенное друг в друге, а получим самое несущественное.

— Ну вот, теперь уж ты ударилась в философию. Я провожу тебя домой?

— Нет.

— Майлза еще не будет, слишком рано.

— Нет.

— Диана, мне бы хоть на минутку остаться с тобой наедине. Я хочу тебя поцеловать.

— Нет.

ГЛАВА XI

— Найджел!

Три часа, страшный омут ночи. Бруно спал. Ему снилось, что он убил кого-то, женщину, но он не мог вспомнить, кто она, он зарыл ее в саду перед домом в Туикенеме, где провел детство. Прохожие останавливались, смотрели туда, где зарыто тело, показывали на это место пальцами, и Бруно с ужасом заметил, что очертания тела ясно проступают на земле красноватым мерцающим абрисом. Потом был суд, и судья, которым оказался Майлз, приговорил его к смерти. Бруно проснулся с бьющимся сердцем. Когда он уразумел, что это был сон, ему полегчало, но минуту спустя он подумал, что, в сущности, так оно все и есть. Он приговорен к смерти.

В комнате с плотно задернутыми шторами царила смоляная тьма, но время можно было узнать по часам с фосфоресцирующими стрелками. Бруно протянул руку, чтобы включить свет, однако лампы рядом не оказалось. Ее, должно быть, перенесли со столика у кровати на стол, который стоял у окна. Порой Аделаида, закончив уборку, забывала поставить лампу обратно. В одиннадцать часов Найджел погасил свет. Бруно лежал, прижав руку к груди. Его сердце бешено колотилось, неровно, с перебоями — как если бы бегун бежал что есть мочи и все время спотыкался. Бруно мучила острая боль в области сердца, к тому же грудь его точно обвили проволокой, которую стягивали все туже и туже. Он шевельнул ногой внутри каркаса, собираясь встать и отыскать лампу, но слабость была так велика, что он не смог двинуться, а левую ногу свело судорогой. Чтобы облегчить боль, он попытался потереть одну ногу о другую. Вот и настало это время, думал Бруно, время беспомощности, неподвижности, ночных горшков: время халата. Подумать только, что ему никогда больше не понадобится халат! Халату предстоит быть сторонним наблюдателем, ожидающим своего часа. Но это же абсурд. Он и прежде чувствовал слабость, и она проходила. Жизнь — это вереница всяких неприятностей, которые проходят. За исключением той одной, последней, которая не пройдет.

Бруно сделал усилие, чтобы сдержать слезы. Странное дело, сдерживая их, устало размышлял он, слезы живут где-то в глубине глаз, ты ощущаешь, как они копошатся там, внутри, точно муравьи. Затем наступает легкая разъедающая слабость от теплого прилива, который все прибывает, и вот уже влага струится по щекам. Слезы почти не приносили облегчения. Он с трудом поднял руку, коснулся щеки и поднес соленый палец к губам. Может, я больше и не увижу Майлза, подумал Бруно. Сын казался ему теперь олицетворением смерти. Сердце все продолжало спотыкаться. Что же это за шум, прерывистое жужжание, словно где-то работает мотор. Прислушиваясь, Бруно все никак не мог определить, был ли это громкий звук, доносившийся издалека, или слабый, раздававшийся поблизости. Потом он понял, что это такое. Муха жужжала, запутавшись в паутине. Видимо, она попала в паутину большого tegenaria atrica, который, как было известно Бруно, по-соседски устроился в углу потолка. Муха, отчаянно борясь за жизнь, сопротивлялась все слабее и наконец затихла. Ужас снова охватил Бруно. Час халата. И он снова закричал:

— НАЙДЖЕЛ!

Дверь тихонько отворилась.

— Шшш, вы разбудите Денби.

Найджел щелкнул выключателем у двери, подошел к столу, стоящему у окна, включил лампу под зеленым абажуром и погасил верхний свет.

Бруно сразу стало легче, он расслабился, но лежал совершенно обессиленный.

— Найджел, будь добр, поставь лампу около меня. Кажется, я опрокинул стакан. Вытри, пожалуйста, воду. Надеюсь, она не залила книги?

— Вы себя плохо чувствуете?

— Нет, ничего. Просто испугался. У меня свело левую ногу. Будь добр, надави вот здесь. Сильнее. Вот так, хорошо.

Крепкие теплые руки Найджела сжали больную ногу, и судорога тут же отпустила.

— Спасибо, все прошло. Извини, что я тебя разбудил.

— Я все равно не спал.

— Найджел, приподними меня немножко, я хочу посмотреть, могу ли я двигаться.

Бруно, тяжело опираясь на руки, медленно сел в постели, в то время как Найджел поддерживал его под мышки. Потом Найджел поднял одеяло, и Бруно также очень медленно переместил ноги к краю кровати. Оказалось, получается довольно неплохо.

— Хотите пройтись?

— Нет. Мне только нужно было проверить, могу ли я двигаться. У меня сильная слабость. Мне приснился дурной сон. Ну вот и прекрасно, отпусти меня. Найджел, не мог бы ты побыть немного со мной, пока мне не станет лучше? Посиди, пожалуйста, около меня.

— Хорошо.

Найджел пододвинул кресло и сел у постели Бруно. Он взял его руки, ползавшие по покрывалу, точно пауки, и стал их гладить. Ласковое, сильное поглаживание от кисти к кончикам пальцев снимало напряжение, благоприятно действуя на больные суставы.

Они вполголоса разговаривали.

— Отчего ты так добр ко мне, Найджел? Я же знаю, что вызываю отвращение. Никто, кроме тебя, не прикоснулся бы ко мне. Ты что — умерщвляешь плоть?

— Не говорите глупостей.

— Это ведь так обременительно — возиться со мной.

— Я для того и существую.

— Странный ты парень, Найджел. Ты ведь верующий, ты веришь в НЕГО.

— В НЕГО? Да.

— Удивительно, как ОН меняется. Когда я был маленьким, — говорил Бруно, — Бог представлялся мне необъятной пустотой, как небо, да Он, возможно, и был в моем представлении небом с его бесконечным дружелюбием, покровительством и любовью к детям. Мне вспоминается мама с указующим вверх перстом и чувство необыкновенной защищенности и счастья, которое я испытывал. Я не особенно много размышлял об Иисусе Христе, хотя, скорее всего, просто я, не задумываясь, в него верил. Но дарило мне счастье и защищало меня огромное пустое яйцо неба. Сам я казался себе сжавшимся комочком внутри этого яйца. Потом, когда я начал наблюдать за пауками, все изменилось. Знаешь, Найджел, есть такой паук amaurobius, он обитает в норке и обзаводится потомством в конце лета, а с наступлением морозов умирает; его потомство переживает холода, питаясь мертвым телом родительницы.

Трудно поверить, что тут нет чьего-то умысла. Не знаю, представлял ли я себе дело так, что все это воля Божья, но каким-то образом Он связывался для меня с этим amaurobius, Он сам был amaurobius или теми пауками, которых я наблюдал летними ночами при свете электрического фонарика. Это было дивно, ни с чем не сравнимо, божественно — созерцать пауков, живущих своей, ни на что не похожей жизнью. Позже, в юности, Бог ассоциировался у меня с чувствами. Я думал, что Бог — это любовь, огромная любовь, которая покрывает землю большими влажными поцелуями и все устраивает к лучшему. Я виделся себе преображенным, очищенным, возвышенным. Я никогда не задумывался о непорочности, но в те времена я был непорочен. Я был лучезарно молод. Жил исключительно своими чувствами. Я любил Бога, был влюблен в него, и повсюду в мире царила любовь. Всюду был Бог. Потом Он перестал представляться таким всеблагим, сделался суше, мельче, походил уже на чиновника, издающего законы. Нужно было жить с оглядкой на Него. Он напоминал теперь клерка, который выписывает чеки и счета. И сам я не был уже непорочен и лучезарен. Я больше не любил Бога, Он стал наводить на меня уныние. И вот Он совершенно отступился от меня, Он повел себя как женщина, которую разлюбили, хотя иногда я и встречался с Ним — большей частью в деревенских церквах, будучи один, я неожиданно обнаруживал Его там. В эти встречи Он приобретал иное обличье. Он уже не походил на чиновника, а был растерянным и трогательным, пожалуй, слегка сумасшедшим и каким-то маленьким. Я испытывал к Нему жалость. Если бы можно было взять Его за руку, я бы повел Его, как ребенка. Все же Он обитал где-то, в каких-то норах и щелях, и порой я испытывал удивление, натыкаясь на Него там. Потом опять Он скрылся и представлялся мне уже не более чем плодом художественного вымысла, древней легендой, литературным персонажем.

В комнате было тихо. Тускло светила лампа под зеленым абажуром. Найджел перестал массировать Бруно суставы и сидел, подобрав под себя ноги, впившись в него взглядом, с расширенными глазами, с затуманенным взором, оттопырив тонкие губы, покусывая кончик прямых темных волос. Этакая частичка рода человеческого. Он вздохнул — как бы в знак понимания того, о чем говорил Бруно.

— Странно, — сказал Бруно, — с одними людьми можно говорить только о сексе, а с другими — только о Боге. С тобой я частенько беседую о Боге. Другие бы этого не поняли.

Найджел снова вздохнул.

— Найджел, так что же такое Бог?

— А почему бы и не пауки? Это была очень хорошая мысль, о пауках.

— Хорошая-то хорошая, но у меня недостало выдержки и мужества сохранить верность паукам. Возможно, с этого все и началось.

— Не важно, что Он такое.

— Может быть, Бог — это именно секс. Любая энергия имеет сексуальное начало. Как ты думаешь, Найджел?

— Может, и секс, не важно что.

— А если это так, то как же мы можем быть спасены?

— Да и это не важно.

— Что поделаешь, — сказал Бруно, — я хочу быть спасенным. Ты любишь Его, Найджел?

— Да, я люблю Его.

— За что?

— Он заставляет меня страдать.

— И ты любишь Его за это?

— Я люблю страдания.

Помолчав, Бруно сказал:

— На мой взгляд, каждый походит на то, что любит. Или любит подобное себе. У каждого свой бог. Ты молишься, Найджел?

— Я служу. Лучшая молитва — это служение. Полный отказ от себя.

— Ты считаешь, нужно обязательно чему-нибудь служить?

— Да. Но служение подразумевает еще и терпеливое ожидание. Если ты терпеливо ждешь, Он придет, Он найдет тебя.

— Мне не довелось сильно страдать, — сказал Бруно. — Но сейчас я готов был бы страдать, если б полагал, что в этом есть какой-то смысл, что этим можно искупить вину; я бы, не колеблясь, предпочел смерти вечное страдание.

— Мне кажется, смерть должна быть чем-то прекрасным, чем-то таким, что можно любить.

— Ты молод, Найджел. Ты не понимаешь, что такое смерть.

— Когда я думаю о смерти, она представляется мне оргазмом тьмы.

— Ничего общего с этим смерть не имеет, ничего. — Бруно подумал, не рассказать ли Найджелу о халате, но решил, что не стоит. И добавил: — Я собираюсь встретиться с сыном. Нам надобно простить друг друга.

— Это великолепно.

Будет ли это так уж великолепно? Достижимо ли абсолютное прощение? И достижимо ли вообще все, к чему мы стремимся?

— Ты почти все понимаешь, Найджел.

— Я все люблю.

— Но ты не понимаешь, что такое смерть. Знаешь, что мне кажется? — сказал Бруно, пристально глядя на халат, едва различимый в тусклом свете. — Мне кажется, Бог — это смерть. Да. Бог — это смерть.

ГЛАВА XII

Денби вошел в гостиную, закрыл за собой дверь и прислонился к ней. Его сердце стучало, как паровой молот.

Диана напряженно и прямо стояла у окна. Они пристально, серьезно смотрели друг на друга.

Их притягивало друг к другу словно магнитом. Денби стал медленно приближаться к Диане, сшибая по пути круглые, обитые ситцем креслица. Диана не двигалась с места. Приблизительно в метре от нее он остановился.

Потом медленно-медленно подошел ближе, раскрыл объятия; и жест этот был не победный, а скорее молящий или, быть может, благословляющий. Словно огладив Диану на расстоянии, благословляющие руки опустились. Глубоко вздохнув, Денби спрятал их за спину. Еще шаг — и отворот его пиджака слегка коснулся ее груди. Она медленно отклонила голову, и он поцеловал ее в губы, продолжая держать руки за спиной. На какое-то время они застыли с закрытыми глазами, припав к устам друг друга.

— Метафизика поцелуев, — сказал Денби. Он обнял ее, погладил ее красивую шею и медленно-медленно провел руками по спине. Хрупкая, податливая человеческая шея. Он ощущал, как бьется сердце Дианы.

— Прямо целая церемония.

— Еще бы, я ведь целую тебя впервые. Первый поцелуй из тысячи.

— Или первый из немногих. Кто знает?

— Что я говорю? Из миллионов!

Диана стояла, по-прежнему опустив руки.

— Я истинный и изощренный любитель наслаждений, Диана.

— Но мы же не влюблены друг в друга!

— Нет, влюблены. Именно так, как подобает в нашем преклонном возрасте.

— Когда «Разгул в крови утих»?[1]

— Вовсе нет, дорогая. Ну так как насчет романа?

— Я же сказала. Я люблю своего мужа.

— Совсем недурной поцелуй для девочки, которая любит своего мужа. Ну, будь человеком,

---

[1] Шекспир У. Гамлет, акт III, сцена 4. *Перев. М. Лозинского.*

обними меня! Или если тебе это не под силу, то хоть улыбнись мне!

— Милый, милый, Денби! Господи, как ты прелестен! — Она рассмеялась. Затем порывисто обняла его, спрятав лицо у него на плече.

Денби попытался приподнять ее голову, потянул за волосы и поцеловал ее снова.

— Поцелуй номер два. Может быть, присядем? — У стены стоял небольшой, отороченный бахромой мягкий диванчик. Это была подходящая комната для свидания. Ее освещали косые лучи холодного заходящего солнца. — Поцелуй номер три.

— Я не должна была позволять тебе входить сюда, — сказала Диана. Ей было хорошо в его объятиях, она поправила ему выбившуюся седую прядь.

— Ты позволила мне войти сюда, потому что хотела меня видеть.

— Боюсь, я очень хотела тебя видеть.

— Ну и чудесно!

— Но это же нелепо, Денби! Такие разговоры кончаются постелью...

— Ну и замечательно!

— Но это не то, к чему мы стремимся.

— Посмотрим. Это не к спеху. Я пока что три раза тебя поцеловал. Очередь за четвертым поцелуем.

Денби начал расстегивать ее платье. Ее рука затрепетала, пытаясь остановить его, и затихла. Пробравшись сквозь белые кружева, он прикоснулся к ее груди. Они замерли, пристально глядя друг на друга широко открытыми затуманенными глазами.

В то же мгновение Диана с силой высвободилась из его объятий и выпрямилась. Однако платье она не поправила, и оно так и осталось расстегнутым на груди.

— Попробуем поговорить разумно. Расскажи мне о себе. У тебя была девушка, и она уехала в Австралию, так? Когда она уехала?

— Около четырех лет назад.

— Вы долго были вместе?

— Три года.

— Как ее звали?

— Линда.

— И ты не собирался на ней жениться?

— Нет.

— Почему?

Денби подумал. Между тем рука его, отброшенная резким движением Дианы, подкралась к краешку юбки и тихонько скользнула вверх по ноге. Диана была одета сегодня в другое платье, еще более элегантное, из светло-бежевого плотного шелка, с пуговицами сверху донизу. Удобное.

— Она не хотела. И я считаю, что мне невозможно жениться снова.

— После... Гвен?

— После Гвен.

Диана вздохнула.

— Линда не ревновала тебя к Гвен?

— Ни к кому она не ревновала. Она была веселая девочка.

— Интересно, может, ты и обо мне так же думаешь? И ты с тех пор один?

— С тех пор один.

132

В сущности, Денби не чувствовал себя лгуном. Ну, кое в чем соврал мимоходом. Когда тот же вопрос Диана задала ему в танцевальном зале, он сбросил со счетов Аделаиду, покамест, конечно. Возможно, его побудила к этому и забота о той же Аделаиде. Диана была прелестным подарком. Там видно будет, как у них все сложится, а пока беспокоиться не о чем. Нет нужды отпугивать Диану с самого начала.

Денби играл свою роль дерзкого обольстителя как во сне. Он и сам точно не знал, чего он добивается от Дианы. То есть добивался он близости с нею, и не какой-то платонической, а самой земной, откровенной близости. Но как осуществить это, он не задумывался и даже не представлял себе. Он просто шел на поводу у своих чувств, поступал как заблагорассудится; нынче утром он почувствовал непреодолимое желание позвонить Диане, и он позвонил и попросил ее встретиться с ним.

Денби не испытывал особенных угрызений совести из-за того, что соблазняет чужую жену, хотя вообще-то предпочитал этим не заниматься. Он считал, что нельзя никому причинять боли, но, если сохранять благоразумие, никто и не пострадает, зато любовники принесут друг другу много счастья, свежего, нежданного, можно сказать, дарового. Была особая прелесть в том, чтобы провести безмозглую старуху жизнь, и Денби очень радовался, когда ему это удавалось, он чувствовал себя поистине благодетелем — благодетелем Линды, благодетелем Аделаиды. А почему бы не облагодетельствовать и Диану, если все в ней выдает скучающую женщину, которой некуда себя деть? Было очевидно, что ей очень хочется встретиться с ним снова. Что же касается Аделаиды, то почему бы не совместить их обеих? Да и рано ломать над этим голову. Вдруг у них с Дианой ничего не получится. А если получится, он может увлечься ею гораздо сильнее, чем теперь. Решать проблемы он будет по мере их возникновения. Кроме того, мысль о том, что он наставит рога Майлзу, не замедлившая прийти ему в голову, была очень заманчива. Так его ничего не связывает с Майлзом. А теперь открывалась прекрасная возможность сопричастности Майлзу, пусть без его ведома, без его на то доброй воли.

— Любовь имеет начало, середину и конец, — сказала Диана. Она удержала его нетерпеливую руку.

— Хорошо, ну так давай же хотя бы начнем.

— Женщины всего хотят навечно.

— Женщины имеют несносную привычку уходить от конкретного разговора. Так когда и где мы начнем?

Безусловно, в этом-то и заключалась вся сложность. Он бы предпочел не встречаться с Дианой в доме у Майлза. Однако в его собственном была Аделаида.

— Мне бы хотелось избежать всяких недоразумений, Денби. Ты мне очень нравишься. Я чувствую себя счастливой...

— Вот это ты замечательно говоришь!

— Я хочу продлить это счастье. Не испортить его... Ты мог бы стать моим другом... Таким романтическим другом, знаешь... Пожалуйста, давай останемся друзьями.

— Ну что ты мне заладила про дружбу, это ведь кощунственно — все равно что транжирить жизнь и совершенно не чтить богов. Признайся, ты сама себе не веришь, Диана. Мы же прекрасно ладим, правда? Это не часто бывает, согласись.

Денби и в самом деле поражала необыкновенная легкость их общения — прямо-таки безукоризненный импровизированный спектакль. Он упивался их разговором. Он уже совершенно забыл, как восхитительно флиртовать с умной, тонкой женщиной.

— Мне бы хотелось, чтобы ты был моим другом, близким человеком, без всяких неприятностей, был бы...

— С таким же успехом я могу быть близким человеком, став твоим любовником, даже еще более близким, надеюсь.

— Нет. Это приведет к неприятностям, и я тебя потеряю.

— По крайней мере меня радует, что ты перешла от сослагательного наклонения к будущему времени.

— Нет-нет, я не имела в виду...

— Во всяком случае, я не вижу особенной разницы между тем, чем мы сейчас занимаемся, и постелью.

— Мужчины всегда так говорят. Сам знаешь.

— Так что же, нам встречаться, не притрагиваясь друг к другу?

— Нет, я хочу к тебе притрагиваться, целовать тебя. И больше ничего. То есть я хочу большего, но считаю, что это будет безумие.

— В таком случае давай будем безумными. Я знаю, чего хочу. От всех этих объятий и поцелуев я на стенку полезу.

— О Господи. Наверное, мне не нужно было с тобой встречаться.

— Ну-ну. Ты слишком далеко зашла, Диана. Ты ведь любишь жизнь, как и я. Ты не сможешь отобрать меня у себя теперь, когда ты заполучила меня. Правда?

Она долго вглядывалась в окно, залитое холодным солнечным светом, потом медленно повернула голову к Денби:

— Нет.

Она порывисто обняла Денби и припала к его груди. Денби смотрел на серебристо-золотые волосы, которые разметались по рукаву его пиджака. Крепко сжав Диану в объятиях, он провел подбородком по ее лицу, пытаясь поймать губы.

— Поцелуй номер...

Диана, уклоняясь от поцелуя, опустила голову, и Денби неожиданно увидел прямо перед собой темноволосую худенькую женщину, которая в полной растерянности стояла на пороге гостиной.

Он отстранился от Дианы, легонько сжал ее руку и кашлянул. Диана медленно подняла голову, оглянулась и с затуманенными глазами, в которых угадывалось отчаяние, принялась совершенно спокойно поправлять платье.

— О, простите, пожалуйста, — натянуто, чуть заикаясь, сказала стоящая в дверях женщина. Она нерешительно повернулась, собираясь уйти.

— Не уходи, — сказала Диана. Она поднялась с диванчика, Денби тоже встал. — Денби, это моя сестра, Лиза Уоткин. А это — Денби Оделл.

— А, привет... — поколебавшись, она протянула руку, и они обменялись с Денби крепким рукопожатием.

— Здравствуйте. Я и не знал, что у тебя есть сестра, — произнес Денби, стараясь вести себя как можно непринужденнее.

Лиза, которая стояла, прижав руку к груди, казалась более огорошенной и расстроенной, чем Диана. Она озабоченно смотрела на сестру. Неожиданно они улыбнулись друг другу, и улыбка обнаружила их неуловимое сходство. Только улыбка Дианы была вялой, вымученной, а улыбка Лизы — открытой и какой-то первозданно непосредственной.

— Ну ладно, я пошла наверх. — Лиза неловко взмахнула рукой, будто хотела поймать муху, и скрылась за дверью, не взглянув на Денби. Дверь захлопнулась, и шаги стихли.

— Вот черт! — сказал Денби.

— Ничего, — устало улыбнувшись, ответила Диана.

Мгновенно остыв, они оцепенело стояли друг против друга.

— Она доложит Майлзу?

— Нет. Я скажу, что ты заходил.

— Надеюсь, без подробностей?

— Без подробностей.

— Лучше придумать какой-нибудь предлог. Скажи, я забегал передать, что завтра Бруно ждет его не в одиннадцать, а в полдвенадцатого. Ты уверена, что она не расскажет Майлзу?

— Уверена. Она отнюдь не болтлива. Отнюдь.

— Она на тебя не очень похожа. У нее такой болезненный вид.

— Да, она долго болела. Сейчас все слава Богу.

— Одна сестра хорошенькая, другая дурнушка.

— На самом деле она красивая, но это нужно разглядеть.

— Она намного старше тебя?

— На четыре года моложе.

— Никогда бы не сказал. В гости пришла?

— Нет. Она здесь живет.

— О черт, Диана. Как же нам все устроить?

— А кто сказал, что нужно что-то устраивать?

— Не начинай все сначала. Знаешь, милая, пожалуй, я пойду. Что-то мне стало не по себе, сестра Лиза на меня подействовала. Но мы с тобой скоро увидимся, хорошо? Ничего не решай и не беспокойся. Там посмотрим, как быть. Только нам нужно встретиться.

— Да, Денби, может быть, ты и прав.

Диана отвела от Денби глаза и стала смотреть на зеленеющий за окном садик, залитый трепещущими лучами заходящего солнца.

— Ну, не печалься, моя хорошая. Позвони мне в понедельник на работу. Если не позвонишь, я сам тебе позвоню.

— Я позвоню.

— Поцелуй номер... Я уже сбился со счета.

Диана стояла возле окна, опустив руки, точно такая же, какой он увидел ее, когда вошел сюда; она медленно отвернулась и прислонилась лбом к стеклу. Денби вышел на улицу. Свернув к Олд-Бромптон-роуд, он поднял голову и в окне верхнего этажа увидел обращенное к нему бледное лицо. Женщина поспешно отошла от окна. Денби снова стало не по себе, он вдруг почувствовал озноб, и отчего-то заныло сердце. Кого-то она ему напоминала.

ГЛАВА XIII

Il est COCU, le chef de gare [1].

Майлз в раздражении остановился перед домом; до него донеслась песенка, которую распевал Денби. Все утро у Майлза было такое ощущение, будто он собирается на похороны. Он и оделся как на похороны. И чувствовал себя прескверно. Проникнувшись пониманием ответственности за предстоящую встречу с отцом, Майлз ожидал, что и другие заинтересованные лица отнесутся к этому событию с должным пониманием и уважением. Он согнал с лица хмурое выражение и позвонил.

_____

[1] Он рогоносец, начальник вокзала (фр.).

Il est COCU, le chef de gare.

Напевая, Денби открыл дверь.

— А, это ты, отлично, входи. Аделаида, встречай молодого хозяина. Майлз Гринслив. Аделаида де Креси.

Молодая шатенка с высокой затейливой прической, с озабоченным выражением лица, одетая в рабочий халат в голубую и зеленую клетку, кивнула Майлзу и скрылась за лестницей, ведущей на второй этаж.

— Это Аделаида. Прислужница, — пояснил Денби. — Может быть, ты не пойдешь туда так сразу? По-моему, нам лучше сначала потолковать. Ты не откажешься от кофе? Аделаида, кофе!

— Никакого кофе, спасибо, — сказал Майлз.

— Аделаида, не нужно кофе!

И Денби, спустившись на несколько ступенек, провел Майлза к двери, ведущей в пристройку, и затем в комнату, которая оказалась его спальней.

— Выпить не хочешь? Виски?

— Нет, спасибо.

Майлз, никогда не бывавший в доме на Стэдиум-стрит, поморщился от неприятного запаха и сырости. Ступеньки казались какими-то замшелыми, облепленными грязью. Возможно, потому, что линолеум был слишком старый. Спальня Денби, темная, хотя и довольно просторная, имела неопрятный, типично холостяцкий вид: кровать с деревянными спинками, туалетный столик, заваленный разным хламом, среди которого были и невычищенные бритвенные принадлежности, и грязная щетка в оправе из слоновой кости; книжная полка ломилась от детективных романов в мягких обложках. Дешевые кретоновые цветастые занавески вытерлись до прозрачности. Сквозь большое подъемное окно виднелся дворик, часть которого была вымощена бетоном, на голой черной земле кое-где цвели одуванчики. Над грязной кирпичной оградой на фоне тревожного облачного неба возвышалась безобразная черная труба электростанции. Накрапывал дождь, щербатый бетон был сер, угрюм. Майлз ощутил вдруг острую тоску, безысходное отчаяние, гнетущее, как никогда. Он устрашился жизненных переживаний, устрашился их власти, сбивающей с толку, терзающей, разрушительной. Он устрашился скверны.

— Может быть, снимешь плащ? Аделаида высушит его на кухне.

— Нет, спасибо. Послушай, о чем тут толковать? Схожу-ка я лучше к нему, и покончим с этим.

— Я только хотел сказать тебе, — тихо промолвил Денби, — он сильно изменился. Я подумал: нужно тебя предупредить. Он совершенно не тот, каким был раньше.

— Конечно, я понимаю, что он постарел.

— Не просто постарел. Ну хорошо, увидишь сам. Не огорчай его, ладно?

— Разумеется.

— Он несчастный старик. Он только хочет со всеми быть в мире.

— Он меня ждет?

— О Господи, ну конечно. Ждет с нетерпением. Всю ночь не спал. Понимаешь, он...

141

— Так я пойду к нему, хорошо? У меня нет настроения разговаривать.

— Да-да, тогда пойдем, извини...

Денби вывел Майлза из пристройки и поднялся с ним по лестнице на второй этаж. На ступеньках была не грязь, это крошился линолеум. Дойдя до маленькой темной лестничной площадки, Денби без стука отворил дверь и переступил порог комнаты:

— Вот и он, Бруно.

Майлз вошел следом за ним.

Краем глаза он заметил, что Денби выскользнул из комнаты и закрыл за собой дверь. Майлз огляделся. У него перехватило дыхание, и он зажал рот рукой, испытав чудовищное потрясение и ужас. Кровь бросилась ему в лицо от стыда. Бруно и в самом деле изменился.

В воображении Майлза сложился определенный образ отца. Бруно представлялся ему седовласым, согбенным старцем, с изможденным челом. Теперь же он увидел перед собой не просто голый череп, а огромную, раздувшуюся звероподобную голову на тонком, как сухая палка, теле. Совершенно облысевшая голова Бруно словно бы раздалась, распухла, ее верхняя часть выступала куполом над большими оттопыренными ушами. Лицо, отнюдь не изможденное, по-видимому, тоже разрослось. Нос стал огромным, бесформенным, бугристым. Волосы росли не где положено, а на носу и на щеках, из бородавок и безобразных пятен. Отеки на лице были не морщинистые, а удивительно гладкие, розовые, словно обтянутые детской кожей. Под густыми бровями, из которых торчали, словно хоботки, отдельные, особенно длинные волосы, виднелись щелки глаз, необычайно блестящих и влажных. Узкое, тщедушное, с тонким стебельком шеи тело, на котором пижама болталась как на жерди, распростерлось в постели. Иссохшие, покрытые пятнами руки с изуродованными суставами сновали по покрывалу.

— Майлз, — раздался дрожащий голос, каким говорят актеры на сцене, изображая стариков. — Мой мальчик!

— Здравствуй, отец!

— Сядь сюда, рядом со мной.

Майлз испытывал и омерзение, и желание разрыдаться — будто его вот-вот стошнит потоком слез. Он надеялся, что ему удастся скрыть свое состояние. Он деревянно опустился на стул у кровати. Видимо, Бруно, к счастью, не догадывался, как он выглядит. Тошнотворным звериным духом разило от неухоженного старика и грязной постели.

— Как ты себя чувствуешь, отец?

— По утрам неплохо, лучше всего. Иногда и вечером, после шести, я чувствую себя довольно-таки сносно. Но я уже не поправлюсь, Майлз. Ты знаешь об этом? Тебе говорили?

— Ну что ты, отец. Как только потеплеет, ты встанешь на ноги.

— Не лги, Майлз. Ты же знаешь, что это неправда. Не будь жестоким...

К ужасу Майлза, две крупные прозрачные слезинки показались во влажных щелках глаз и скатились по рыхлому лицу Бруно.

Майлз ожидал, что по старому своему обыкновению отец разозлит его, выведет из себя, что его все будет коробить, как всегда. Он решил играть роль, и по этой роли ему надлежало вести себя вежливо и сдержанно, а не так, как когда-то. При этом условии давние враги за столом переговоров и достигнут перемирия. Конечно, возникнут все те же разногласия и все те же ненужные эмоции, но уже в сдержанном, приглушенном виде. Больше всего он опасался ненужных эмоций, но опасения его основывались на прежних представлениях об отце. К такому испытанию он готов не был. И у него недоставало душевных сил на общение с этим чудищем, которое все-таки было его отцом и которое, по всей видимости, ждало от него участия и сострадания. Отец, каким Майлз знал его раньше, никогда не нуждался в сострадании. Майлз опешил. Он твердо полагался на то, что они будут сохранять человеческое достоинство во всех случаях жизни, но с первой же минуты всякие представления о человеческом достоинстве были опрокинуты, вместо этого он столкнулся с до ужаса обнаженной потребностью одного человеческого существа в другом, к чему был совершенно не подготовлен. Да, Бруно чрезвычайно изменился. Он не может быть в здравом уме, думал Майлз, это просто невозможно — судя по его виду.

— Извини... отец. Пожалуйста, не... утомляй себя. Я ненадолго.

— Нет, не уходи, не уходи!

Пятнистые клешни со вспухшими узловатыми суставами, подрагивая, потянулись к нему. Еще немного — и они коснутся его! Майлз слегка отодвинулся вместе со стулом. Он весь сжался, не в силах смотреть на эту огромную, звероподобную, залитую слезами физиономию.

— Хорошо, но я не хочу... утомлять тебя, отец...

— Майлз, мне нужно тебе все объяснить. Времени осталось очень мало, я знаю, ты не откажешься меня выслушать. Мне необходимо все-все рассказать. Джейни не понимала, она никогда не могла понять, она видела в этом что-то дурное. Эта девушка, Морин, она играла в шахматы в кафе...

— Боюсь, я представления не имею, о чем ты, отец.

— Она играла в шахматы...

— Да-да, конечно. Мне кажется, ты чересчур взволнован. Я позову...

— Ты знал об этом, Майлз? Гвен знала? Джейни рассказывала вам про меня и Морин? О Джейни, она была так жестока со мной... В конце концов, это было не таким уж, это вовсе не было...

— Я ничего не знаю об этом, отец.

— Джейни тебе не рассказывала? Я думал, она обязательно расскажет вам, я был уверен в этом. Ты был слишком... суров со мной... И Гвен тоже. О Господи. Прости меня, Майлз...

— Ну что ты, отец...

— Прости меня, прости меня. Скажи, что ты прощаешь меня.

— Да, естественно, конечно, но...

— Я должен обо всем тебе рассказать, я должен сказать тебе все. У меня была любовная связь с этой девушкой, Морин...

— Ну что ты, отец, мне кажется, тебе не следует мне этого рассказывать...

— Я ходил к ней домой...

— Я не хочу этого слушать...

— Я обманывал Джейни...

— *Я не хочу этого слушать!*

— Мне бы понравилась Парвати, Майлз, я бы принял и полюбил ее, если бы только меня познакомили с ней, если бы только вы дали мне возможность узнать ее, все произошло слишком быстро, я сказал какую-то глупость, не подумав, и это вменили мне в вечную вину, если б вы только дали мне время, если б вы не были такими злыми...

— Пожалуйста, отец, все это совершенно ни к чему. Я не хочу говорить о Парвати.

— Но я хочу, Майлз. Разве ты не понимаешь, что я думал об этом все эти годы, что это мучило меня?

— Мне грустно об этом слышать, но я не вижу смысла...

— Я хочу, чтобы ты простил меня. Ты должен меня понять.

— Не надо ворошить старое, отец. Все это было слишком давно, все прошло.

— Ничего не прошло, все это здесь, *здесь*...

— Не волнуйся, пожалуйста.

— Мне бы понравилась Парвати. Я бы полюбил ее, мы все могли бы быть счастливы, я бы полюбил ваших детей. О Майлз, ваших детей...

— Прекрати, пожалуйста.

— Ты должен простить меня, Майлз, простить по-настоящему, все поняв. Если бы только Парвати...

— Я не хочу говорить о Парвати! Это тебя совершенно не касается. Пожалуйста.

Наступило молчание. Бруно откинулся на подушки. Поднес дрожащие руки к горлу. Щелки глаз ярко блестели. Он пристально смотрел на сына.

— Ты не виделся со мной столько лет.

— Ты не отвечал на мои письма.

— Это были лживые письма.

— Ладно, отец, если ты так думаешь, едва ли мы сможем...

Бруно лежал, подтянув к груди острые колени. Он оперся на руку, пытаясь приподняться, его непомерно большая голова то поднималась, то снова падала на подушки. Большое опухшее лицо дрожало. Его сиплый голос вырывался наружу, как шипящая струйка пара.

— Ты пришел сюда, чтобы грубить старику отцу? Ты никогда не любил меня, ты всегда был на стороне матери, ты никогда не был мне близок, ты никогда не был любящим и прощающим сыном, как другие, ты был холоден со мной, и ты по-прежнему ненавидишь меня и хочешь, чтобы я умер, умер и сгинул, как все то, чего, по твоим словам, больше не существует. Прекрасно, я скоро умру, и ты можешь забыть, закопать меня, избавиться от меня. Ты не хочешь даже теперь взять на себя труд и разобраться, что же я собой представляю. Ты во мне видишь только умирающего старика, источающего тошнотворный запах смерти, ты думаешь, что я потерял рассудок, что я лишь груда смердящего, гниющего мяса, тебе противно дотронуться до отца, но у меня еще достанет душевных сил проклясть тебя...

— Отец, пожалуйста...

— Вон, вон, вон! — Бруно дрожащей рукой неловко схватил стакан с водой, стоящий на столике у кровати. Он как будто хотел швырнуть его в Майлза, но у него не хватило сил поднять стакан, и вода темным пятном разлилась по покрывалу, стакан упал на пол и разбился.

— А-а-а, Денби! Денби!

Майлз попятился, споткнулся о порог, ступая на ощупь, пересек темную лестничную площадку и бросился по ступенькам вниз. Там он столкнулся с Денби. Денби схватил Майлза за руку и крепко сжал ему запястье.

— Все-таки ты довел его, черт тебя побери! Я же тебя предупреждал!

Майлз вырвался и, уже выбегая из дома, услышал, как Бруно кричал наверху:

— И марок ты не получишь! Ты не получишь марок!

Майлз выбежал на улицу, под дождь. Ни в коем случае не нужно было приходить сюда. Ничего другого нечего было и ожидать, все оказалось еще ужасней, чем он себе представлял. Он снова окунулся в этот страшный мир глупости, необузданности, неразберихи. Все-все в нем было осквернено.

ГЛАВА XIV

— Можно к Бруно? Мы не стали звонить, боялись, что вы не разрешите нам прийти.

Денби широко раскрытыми глазами смотрел на сестер. Дождь кончился, и облака неслись по грязно-серому небу. Обе женщины были в плащах, с шарфами на голове. Их встревоженные лица расплывались бледными пятнами в тусклом свете непогожего дня. На Диане был пестрый бело-розовый плащ, в руках она держала букет нарциссов. По пустынной улице гулял ветер.

— Входите, — сказал Денби, — только я не знаю... может, вам лучше зайти ко мне?

Он провел их из темной прихожей вниз, в свою спальню, закрыв за собою дверь, соединяющую пристройку с домом.

— Бруно слышит все, что здесь происходит. Лучше бы он не... Спасибо, что пришли.

Диана откинула шарф, обнажив голову с гладко зачесанными назад блестящими волосами.

— Майлз очень расстроен вчерашним.

— Черт бы побрал этого Майлза, вы уж меня простите.

— Да, я представляю себе, как он был ужасен, бестактен и так далее. Он сказал, что был слишком потрясен и что Бруно разнервничался. А Майлз этого не выносит.

— Чего же он хотел от умирающего старика? Майлз должен был держать себя в руках.

— Он старался, я знаю, он очень старался. Но у него создалось впечатление, что Бруно слегка... не в себе.

— Бруно в себе. Майлз законченный кретин.

— Он был чересчур ошарашен.

— Он чертовски спешил. Я хотел объяснить ему, что к чему, но он и слушать не стал. Мне нужно было настоять на своем.

— Ну хорошо, а можно нам повидать Бруно?

149

— Сегодня он неважно себя чувствует.

— Он тоже расстроился?

— Он не просто расстроился, ему очень худо. Трудно требовать от такого больного человека, как Бруно, чтобы он смотрел на вещи философски. Он просто убит этим идиотским свиданием. Я отнесу цветы наверх. Боюсь...

— Можно нам зайти на секундочку, только взглянуть на него! — сказала Лиза, которая стояла, прислонившись к двери, не скинув шарфа и не вынимая рук из карманов.

— Ну, не знаю. — Денби в первый раз внимательно посмотрел на Лизу. Она была темноволосой в отличие от Дианы, лицо — сухощавое, пряди каштановых волос, выбившиеся из-под мокрого, туго завязанного шарфа, торчали во все стороны, большой нос покраснел от ветра.

— Понимаете, — продолжала Лиза, — мне кажется, очень важно что-то срочно предпринять, пока они не пришли к окончательному выводу, что им невозможно видеться.

— По-моему, Лиза совершенно права, — подхватила Диана. — Это она придумала, что нам надо прийти, будто бы от Майлза. Мне кажется, может быть, Бруно... Мы бы сказали ему, что Майлз просит прощения... две женщины...

— Две женщины! — рассмеялся Денби. — Вы, девочки, думаете, будто вы всесильны. Вы увидите очень больного и в высшей степени сварливого старика. Не воображайте, что вам удастся приручить Бруно.

— Мы зайдем только на минутку, — сказала Лиза, — отдадим цветы и немножко поговорим с ним. Он потом будет вспоминать о нашем посещении. Оно скрасит его жизнь, рассеет тяжелое впечатление от встречи с Майлзом.

Денби поколебался:

— Ну хорошо, я пойду и скажу, что вы здесь. Но едва ли он захочет вас видеть. Он просто вне себя от горя, и боюсь, с головой у него тоже сегодня не очень. Неподходящий день для посещений.

— Пожалуйста...

— Ладно, пойду посмотрю. Поднимитесь наверх и подождите на лестничной площадке. Привет, Аделаида. Это Аделаида Прислужница. Миссис Гринслив. Мисс Уоткин.

Денби поднялся по лестнице и просунул голову в дверь Бруно. Неосвещенная комната походила на унылую тюремную камеру с тусклым окошком, за которым мчались по небу серые, подсвеченные невидимым солнцем облака, отчего черная труба электростанции, казалось, тоже медленно двигалась. Бруно сидел на кровати, неестественно выпрямившись; обычно он лежал, укрытый одеялом. Его фланелевая пижама в красно-белую полоску была застегнута на все пуговицы. Руки под одеялом плотно прижаты к бокам. Лицо его так опухло, что черты его стерлись, и трудно было распознать в представшей перед их взором рыхлой маске нечто человеческое. Найджел, сказав, что теперь ему «не забраться в эти рытвины», не брил его второй день, поэтому подбородок и шея Бруно покрылись седой щетиной. Денби отвел глаза.

— Бруно, тут пришли жена Майлза и его невестка.

Бруно слегка повернул голову, и Денби почувствовал на себе его взгляд.

— Пожалуйста, мы только...

Денби уловил движение за дверью позади себя, плащ Дианы коснулся его пиджака.

Бруно молчал.

Денби, обернувшись и приоткрыв дверь пошире, сказал:

— Положите цветы на постель и сразу уходите.

Появление сестер смутило и обескуражило Денби, он вдруг перепугался, взглянув на Бруно их глазами. Следовало предупредить девочек, как выглядит старик.

Диана прошмыгнула мимо Денби в комнату и остановилась как вкопанная. Денби заметил, что она судорожно глотнула воздух. К ней подошла Лиза, откинув назад свой желтый шарф. Он видел их лица с широко открытыми глазами — светлокарими у одной и темно-карими у другой. В следующее мгновение Диана нервно подалась вперед и, протянув руку, опустила, словно туго спеленутого младенца, перевязанный букетик нарциссов на возвышение каркаса в изножье кровати. Это напоминало принудительное посещение кенотафа[1]. Только эта гробница не была пустой.

Диана попятилась к двери, растерянно глядя на Бруно, и задела при этом Лизу, которая отступила в сторону.

— Так кто, ты сказал, эти девушки? — спросил Бруно.

---

[1] Пустая гробница, мемориал.

В его дрожащем голосе слышались сиплые нотки, появлявшиеся всегда, когда он особенно плохо себя чувствовал, но властность и требовательность, с которыми задан был вопрос, поражали.

— Они только принесли тебе цветы. Они...

— Кто они?

— Жена Майлза и его невестка.

— Жена Майлза и его... кто?

— Невестка. Эти леди — сестры.

— Сестры, — произнес Бруно тяжело, жутко, бессмысленно.

Диана была уже у двери.

— Чего они хотят? — спросил Бруно. Он сидел все так же прямо и неподвижно, и трудно было понять, куда он смотрит.

— Мы от Майлза, он просит прощения за то, что расстроил вас, — медленно и отчетливо произнесла Лиза негромким голосом.

Большая уродливая голова слегка качнулась:

— Что?

— Майлз просит прощения.

Сомнения не было, Бруно явно смотрел на Лизу. Лицо его как будто немножко прояснилось, стали видны рот и глаза.

— Кто вы?

— Я...

— Ну, вы еще успеете поговорить, для первого визита вполне достаточно, — сказал Денби. — Тебя посетили две очаровательные девочки. Такое не каждый день случается, правда, Бруно? Цветы и так далее. Мы же не должны переутомлять тебя, верно? Скажи «до свидания». Мы пойдем.

Как только сестры вошли к Бруно, Денби вдруг стало плохо, его подташнивало. Появление женщин у постели Бруно произвело на Денби угнетающее впечатление. Возможно, это был всего-навсего новый прилив жалости к Бруно, чувство стыда из-за того, каким предстает бедный старик перед посторонним взглядом, как выглядит его сумрачная, убогая, запущенная комната с обоями в потеках, с грязными простынями; умирающий старик с головой чудища, запертый в разящей вонью темной камере. Денби свыкся с Бруно. Он не видел в нем человека, дни которого сочтены. Но теперь ему захотелось тотчас вывести отсюда женщин и выйти самому. Он нащупал ручку двери и протянул к Диане руку, как бы защищая ее и выпроваживая в то же время.

— Денби, замолчи, Бога ради! — Они с Дианой застыли в дверях. — Не говори со мной так, точно я капризное дитя! Ты что, хочешь, чтобы они решили, будь я маразматик? Я пока еще в своем уме, и будь добр обращаться со мной соответственно. А вы сядьте сюда, *вы*. Пожалуйста.

Бруно смотрел на Лизу. Он с трудом выпростал из-под одеяла руку и, не отрывая ее от покрывала, указал на стул у кровати. Лиза села.

Денби почувствовал, что Диана толкнула его сзади локтем. Он вздрогнул и обернулся. Диана, бормоча что-то невнятное, хотела взять Денби за руку, но натолкнулась на его палец и потащила Денби из комнаты. Он пошел было за ней, однако в дверях замешкался, потоптался на месте, успокаивающе махнул ей рукой, когда она была уже на ступеньках лестницы, и остался в комнате, закрыв за собой дверь. К спертому воздуху примешивался теперь запах нарциссов. Лиза держала Бруно за руку.

Денби прислонился к двери, у него сильно кружилась голова. Чего он испугался? Теперь он видел профиль Лизы рядом с лицом Бруно. Ужасала ли его эта близость? Нет, ничуть.

— Вы ведь не боитесь меня, правда, милая?

— Нет, конечно нет. Я так рада вас видеть.

— И вы принесли мне цветы.

— Мы с сестрой. Они и от Майлза тоже.

— От Майлза... вы... конечно... Майлз был так жесток, так жесток со стариком отцом.

— Он просит прощения. Он был очень расстроен и растерялся. Теперь он раскаивается. Он надеется, что вы позволите ему снова прийти.

— Денби говорит, что не стоило мне встречаться с Майлзом, это было большой ошибкой. В конце жизни человеку требуется мир, покой. Майлз кричал на меня, страшно кричал. Понимаете, я хотел рассказать ему кое о чем, а он не стал слушать, сказал, что знать об этом ничего не желает. — Бруно перешел на доверительный шепот. Лиза слушала его с напряженным вниманием, отчего казалось, что в комнате очень тихо. Странно было видеть их головы, склоненные друг к другу.

— Не сердитесь на Майлза. Он просто растерялся.

— Он сказал, что прошлого больше не существует, но ведь оно существует, правда?

— Конечно, для нас оно существует.

— Именно. Вот вы меня понимаете.

— Вам нужно снова пригласить Майлза. Поговорите с ним о каких-нибудь пустяках. Это отнимет у вас совсем немного времени.

— У меня очень мало времени, моя милая. И я не могу тратить его на пустяки. Мне нужно решить самые неотложные вопросы. Денби!

— Да, Бруно.

— Налей нам шампанского.

На полу стояло несколько запыленных бутылок, и Денби взял одну из них. На столе было два стакана. Он стал откупоривать шампанское. Оно весело брызнуло в верхний угол комнаты, вспугнув tegenaria atrica, дремавшего там, и золотистым каскадом полилось в стакан. Оттого, что у Денби это получилось так неловко, всем стало легко. Он передал стакан Лизе, которая в свою очередь передала его Бруно. Денби наполнил другой стакан и протянул его Лизе, сидевшей по другую сторону кровати.

— Вы... выпейте тоже, из одного стакана с Денби. — Бруно отпил шампанского.

Лиза, которая продолжала держать Бруно за руку, с улыбкой вернула стакан Денби. Он тоже выпил. Все это было очень странно.

— Ты бы включил свет, Денби.

Небо за окном с бегущими по нему облаками померкло. Свет лампы под абажуром падал на огромный нос Бруно, торчащий среди седой щетины, которая кололась в глубоких складках и перед которой оказалась сегодня бессильной бритва Найджела, и осветил длинные руки Лизы;

156

Лиза подняла руку и высвободила из-под шарфа, упавшего на плечи, густые сбившиеся волосы.

— Понимаете, дорогая, в моем возрасте человек больше всего нуждается в любви.

— Так ведь вас любят. — Лиза взглянула на Денби, стоявшего напротив, по другую сторону кровати. Лицо ее оставалось в тени абажура.

— В моем возрасте живешь своими думами, будто во сне.

— По-моему, все мы так живем.

— На закате жизни ты уже ни к чему не пригоден. Остаются только мысли.

— Мысли — это не так уж мало.

— Превращаешься в этакое чудище. Люди пугаются меня, я расстраиваю их, привожу в ужас, я же знаю. И ничего на свете я уже не могу изменить.

— Нет, можете. Вы можете быть добрым в своих мыслях, вы можете написать Майлзу приветливое письмо. Напишите ему письмо.

— Письмо... Хорошо, можете сказать ему... я погорячился... Пусть забудет мои последние слова.

— Я очень рада.

— Вы думаете, страшно, если вас проклянут? Я совершил ужасную вещь... моя жена умирала, и я не пришел к ней... должно быть, она меня прокляла... я хотел сказать об этом Майлзу... понимаете, у меня была девушка... и даже пауки...

— Ох, Бруно, хватит, — сказал Денби. — По-моему, ты слишком утомился. Наверное, достаточно для первого визита. Не сердись на меня.

Бруно расслабился, откинулся на подушки, лампа освещала теперь его глаза, эти темные, влажные, ужасающе живые щелки на опухшем лице, на котором среди седой щетины зиял безгубый рот.

— Ну хорошо.

— Обычно он так рано не пьет шампанское.

— Вы еще придете, моя милая, вы придете навестить старика? Я хочу рассказать вам кое-что.

— Да-да, конечно, — сказала Лиза. — И Майлз придет. Я передам ему все, что вы сказали.

— А что я сказал? Ну хорошо, не важно. Выпейте еще, оба.

Денби сделал большой глоток и передал стакан Лизе. Она выпила, не отрывая взгляда от Денби, вернула ему стакан и снова склонилась к Бруно, поглаживая его тонкие, как палки, пятнистые руки с узловатыми пальцами.

— Ах, у вас такие прекрасные руки... и эти лунки, просто чудо.

Он еще продолжал говорить, когда Лиза нагнулась и быстро поцеловала его в щеку. Потом она выпрямилась, подняла руку, словно благословляя его, и пошла к двери.

— Я только провожу ее... и назад... — пробормотал Денби.

Он выскочил следом за Лизой. В полутьме на лестничной площадке, где, кроме них, никого не было, Денби внимательно взглянул на нее и осторожно, даже как-то робко потянул за рукав коричневого плаща, увлекая за собой в пустую комнату Найджела, которая находилась рядом с комнатой Бруно. Он смотрел на Лизу с высоты своего роста.

— Вы были очень-очень добры.

— Я умею обращаться со стариками.

— Вы и вправду снова придете к нему?

— Конечно, если он захочет. Но он может забыть об этом завтра же. — Она говорила уверенно и быстро, словно врач, только что осмотревший пациента. Она накинула на голову свой желтый шарф и, спрятав под него тяжелые пряди темно-каштановых волос, подняла воротник плаща.

— Он не забудет. Вы свободны по утрам?

— Я работаю все дни, кроме выходных. А по выходным я помогаю инспектору по надзору за условно осужденными в Попларе. На метро я добираюсь домой к половине шестого. А потом могу прийти.

— И завтра можете?

— Посмотрим. Я вам позвоню, когда буду уходить с работы. Кто-нибудь будет дома?

— Да-да, я постараюсь вернуться к этому времени. Безмерно вам благодарен...

Денби сбежал следом за нею по лестнице. Парадная дверь была открыта. Улица, над которой нависли стальные, тяжелые, подсвеченные солнцем облака, чуть повеселела. Денби увидел Диану, которая разговаривала с Уиллом Боузом, красившим железную ограду перед домом. Диана обернулась к Денби и помахала ему. Вокруг никого не было, и это выглядело так, будто Диана, сияющая среди улицы в своем пестреньком бело-розовом плаще, подает ему условный знак. Денби неуверенно махнул в ответ рукой и закрыл за Лизой дверь. Оставшись в печальной коричневой мгле своего дома, он сел на ступеньку лестницы. Неожиданно из глаз у него хлынули слезы.

ГЛАВА XV

Так как парадная дверь была открыта, Аделаида услышала, что кто-то спускается по лестнице, и попыталась высвободить руку. Уилл не отпускал ее, больно стискивал пальцы, напирая на Аделаиду своим крупным телом. Аделаида изо всей силы ударила его ногой по лодыжке и вырвалась. В дверях она столкнулась с миссис Гринслив, которая с улыбкой следила за исходом борьбы.

— Будьте любезны, скажите мистеру Оделлу, когда он спустится, что я на улице.

Аделаида ничего не ответила и спустилась по ступенькам в кухню, которая помещалась в полуподвальной части дома. В ней пахло сыростью. Отсюда Аделаида видела Уилла и миссис Гринслив и слышала, о чем они беседуют у ограды, вырисовывавшейся четким силуэтом в ярком свете солнца, выглянувшего из-за облаков. Аделаида изучала ноги миссис Гринслив.

— Какая приятная голубая краска для ограды, — сказала миссис Гринслив.

— Да, неплохая. Сезанновский цвет.

— О, вам известно о Сезанне? Недурно. Вы сами подобрали краску или мистер Оделл?

— Сам. Мистер Оделл в этом не разбирается.

— Ничего удивительного. Вы работаете здесь?

— Я здесь коротаю время, а не работаю.

— До чего точен этот плут![1]

— Это Шекспир. А я всего лишь маляришка по случаю.

— И притом ученый. Вы из какой-нибудь фирмы или сами по себе?

— Я, что называется, сам себе фирма. А так как это не очень надежная фирма, я по большей части безработный. На пособии.

— Вот беда-то какая.

— Да ну! Зато ничего не делаешь — что твой король.

— Я смотрю, вы еще и философ! Как вас зовут?

— Уилл.

— Может быть, вы и наш дом покрасите?

— Зачем?

— Я хочу помочь вам. И дом облупился.

— Я подумаю.

— Должно быть, вы знаете толк в этом деле, будучи поклонником Сезанна.

— Я знаю толк в делах и почище.

— В каких же?

— В живописи, в фотографии, в театре...

— В театре? Так вот чем объясняется ваше знание Шекспира!

---

[1] Шекспир У. Гамлет, акт V, сцена 1. *Перев. М. Лозинского.*

— Знание Шекспира объясняется моей высокой культурой.

— Прошу прощения, Уилл. Да, я представляю себе вас актером. У вас красивая голова. И по-моему, вам очень идут усы.

— И у вас прелестная головка. Я бы сумел сделать вам отличную фотографию. Вы бы вышли сногсшибательно.

— Я подумаю! Вы симпатичный парень, Уилл. Вы дружок этой... Прислужницы, как ее называет Денби? Как ее зовут?

— Аделаида. Аделаида де Креси.

— Боже, какое аристократическое имя.

— Шикарная девочка.

— Ну, всего хорошего.

— Так где ваш дом?

— Кемсфорд-Гарденс, рядом с метро Уэст-Бромптон. Сейчас я вам запишу.

— Может, я позвоню, а может, и нет.

— Позвоните, пожалуйста! Постойте-ка, Уилл, у вас волосы в краске. Дайте-ка я вытру их бумажкой. У вас такие прекрасные волосы, жалко их пачкать.

Аделаида приоткрыла в кухне окно и тут же с шумом его захлопнула. Затем выбрала одну из двух уцелевших чашек от старинного веджвудского сервиза и грохнула ее о каменный пол. Потом, хлопнув дверью, выскочила из кухни и отправилась к себе в комнату. И здесь обнаружила на юбке своего нарядного шифонового платья с оборочками, которое надела по случаю того, что Денби сегодня дома, длинную полоску голубой краски. Она сняла платье, скомкала его и швырнула в угол. Сняла ирландское эмалевое ожерелье и браслет.

Надела старый халат и легла на кровать. Из глаз у нее полились слезы.

Денби не оставался у нее ни этой ночью, ни предыдущей. Ничего особенного, необычного в этом не было, но она всякий раз расстраивалась. Позавчера он написал ей записку, что вернется очень поздно, а вчера смущенно сказал: «Пожалуй, сегодня я пойду к себе, Аделаида, мне хочется почитать». Она отлично знала — никогда он не читает, еле добирается до постели, усталый и пьяненький, и не способен уже ни на что, кроме как ласкаться с нею; частенько он засыпал в это самое время, а ей приходилось отпихивать его яростными пинками, отчего он все равно не просыпался. И вчера свет у него погас, как только он ушел к себе, и сразу же раздался его храп.

Аделаида жила в состоянии вечной тревоги, во всем улавливая какие-то тревожные признаки, смысл которых постоянно ускользал от нее. Она жила как зверек, который ясно видит только ближайшие предметы и ступает с опаской, принюхивается, прислушивается, выжидает. Ей дано было видеть кухню, краску на платье, разбитую веджвудскую чашку. Но даже Стэдиум-стрит была для нее загадкой, а уж такие два чуда, как Денби и Уилл, представлялись ей бесконечно таинственными и наводили на нее ужас. Чувство ужаса перед Уиллом не так угнетало ее, она знала его слишком давно. Уилл оставлял у нее на теле синяки, кричал на нее, выворачивал ей руки, и, хотя это было странно, он по крайней мере был каким-то родным. Но ленивые манеры Денби, его рассеянная улыбка, необъяснимые перемены в обращении с ней, хотя она должна была бы к ним привыкнуть, вызывали у нее содрогание; пытаясь понять Денби, она чувствовала себя как человек, который пытается прочесть на незнакомом языке свой смертный приговор.

Она задавалась вопросом, так же ли все у других людей, и приходила к выводу, что нет. Очевидно было, что Денби живет совершенно не так, как другие. Есть ведь на свете женатые люди, которые уверены, что они навсегда вместе, и если даже и случается что-нибудь гадкое или непристойное, то это только временно. Есть люди, которые занимаются какими-то важными делами, их имена фигурируют в печати. И есть очень богатые люди знатного происхождения. Они принадлежат к той части мира, о которой Аделаида вообще ничего не знает. Она ощущала себя крохотным муравьишкой, копошащимся на самом дне, который запросто может провалиться в щелку, и никто этого не заметит. Единственной ее опорой был Денби, и что это была за опора? Он говорил, что обеспечит ее в старости, однако мало ли что это могло значить? Любой может уволить прислугу с выплатой пенсии. Ее положение, ее существование были всецело в его власти. А она слишком плохо знала его. Она могла себе представить, как Денби скажет: «Давай-ка бросим это, Аделаида», тем же обыденным тоном, каким он говорит: «Пожалуй, сегодня я пойду к себе» — или как он сказал когда-то: «Ну, как насчет этого, Аделаида?»

Аделаида знала, что становится все более раздражительной и нервной. Знала она и то, что не нужно было разбивать веджвудскую чашку, даже жалела, что разбила ее. Когда Уилл пришел красить ограду, она решила не разговаривать с ним, дабы он не повел себя дурно, что мог заметить Денби, но уже с утра почувствовала, что ее тянет к Уиллу, хотя это и выражалось в том, что она просто не давала ему покоя. А потом была эта ужасная сцена, когда миссис Гринслив, как бы покровительствуя Уиллу, флиртовала с ним, а Уилл, самодовольно улыбаясь, отвечал, как развязный лакей, и даже позволил ей запустить руки в свои волосы. Это тотчас же вызвало у Аделаиды приступ ревности; она объяснила его себе тем, что возмущена Уиллом, принизившим свое достоинство, которое она особенно в нем ценила, потерявшим гордость, более, чем что-либо другое, делавшую его тем самым Уиллом, каким она его знала. Теперь он стал докучлив и опасен, однако он один видел в ней ту подлинную, прежнюю Аделаиду, хорошенькую девочку, которой два умных старших брата давали читать книжки и говорили комплименты в то время, когда она пребывала в счастливой неопределенности, гадая, кого же из них судьба предназначила ей в женихи.

Аделаида села и спустила ноги с кровати. В том месте на коленке, где был порван чулок, выпирало розовое тело. Наклонив голову, она вынула заколки из волос, и они свободно рассыпались по плечам. Она ощущала, что безобразно толстеет, и это воспринималось ею как признак приближающейся старости, необратимости. Она допустила в жизни какую-то ошибку, из-за которой все должно было быть чем дальше, тем хуже, а лучше — уже никогда. Если бы могло совершиться чудо, как в сказке, и по мановению волшебной палочки все бы изменилось и неожиданно обнаружились бы ее скрытые достоинства? Но у нее не было скрытых достоинств. Она медленно встала и небрежно откинула волосы. Открыла дверь.

Напротив, в комнате Денби, дверь была распахнута, и Аделаида увидела неприбранную смятую постель со свисающей до пола простыней. Пусть сам убирает, решила Аделаида, но потом передумала, вошла в комнату и принялась заправлять постель. Большая черная шкатулка с выдвижными ящичками, в которых хранилась наиболее ценная часть коллекции, стояла на туалетном столике. Бруно был сегодня слишком удручен и не попросил принести марки. Аделаида набросила на кровать выцветшее валлийское покрывало. Комната, кровать — все хранило запах Денби, родной, сладостный запах табака, пота, мужчины. Аделаида посмотрела на шкатулку. Обычно Денби, прежде чем спрятать на ночь коллекцию, наводил в ней кое-какой порядок, и Аделаида, которая заглядывала к нему иногда, чтобы проверить, нет ли на постельном белье клопиных следов, знала, как устроена эта шкатулка с ящичками. Нагнувшись над шкатулкой, она слегка выдвинула ящичек, достала гармошку прозрачных целлофановых пакетиков, в одном из которых лежали треугольные марки мыса Доброй Надежды. Она выхватила наугад одну из них и сунула в карман халата.

— Всего хорошего, Уилл. Не забудьте мне позвонить! И не пачкайте больше волосы краской.

Диана с Лизой пошли в сторону Креморнроуд. Диана надеялась, что Денби проводит их, но он, очевидно, остался дома, поскольку с ней была Лиза.

Диана была потрясена, ей сделалось дурно от этой убийственной комнатенки и ее жуткого обитателя. Ей никогда не доводилось видеть такую крайнюю степень телесного разрушения, человека in extremis[1], который почти уже и не человек. Она представляла себе Бруно седовласым старым джентльменом, трогательно похожим на Майлза, она задобрила бы, очаровала его, он стал бы говорить ей комплименты. Она ждала, что он слегка раздражителен, упрям и слаб, но тем не менее чрезвычайно общителен. Диана сразу же прониклась Лизиной идеей навестить Бруно и уже видела себя в привлекательной роли посланницы мира с цветком в руке, милосердие ее сгладило бы обиду, нанесенную мужем. Но, придя к Бруно, она сразу же поняла, что здесь требуется сведущий человек, специалист. Привычные слова «старый джентльмен» казались неуместными. Тут нужна была Лиза с ее опытом. Диана

---

[1] Перед самой кончиной (лат.).

же, как и после нескольких посещений вместе с Лизой ее ист-эндских приютов, расстроилась, испугалась, растревожилась. Она была рада, что со стариком осталась Лиза.

Спасаясь от гнетущего впечатления, которое произвела на нее нечеловечески распухшая голова Бруно, Диана выбежала на улицу. Пока она, почти не отдавая себе в этом отчета, флиртовала со смазливым черноволосым маляром, из головы у нее не выходил Денби. Сама того не замечая, Диана думала о нем все эти дни, отнюдь не усматривая в этом повода для тревоги. Ее успокаивали свойственные этому ставшему ей близким человеку безмятежность и непринужденность, за которыми она угадывала не ветреность, а чистосердечие и доброту. С таким, как Денби, знаешь точно, на каком ты свете. Его не сжигали неистовые страсти. Добродушные домогательства Денби смешили ее. Ему легко было отказать, поскольку он не морочил ей голову заверениями в безмерной любви. Она не очень опасалась, что, обманувшись в своих надеждах, Денби озлобится. Конечно, он, вполне возможно, еще долго будет уговаривать ее. Но, поразмыслив, она решила, что их препирательства вовсе не должны завершиться постелью. Свидания с Денби ничем ей не грозили, бояться было нечего. Она была уверена, что Денби так просто от нее не отступится. Но в самом ходе их препирательств и должна возникнуть та сердечная дружба, которой ей так хотелось и которая была ей так нужна. В конце концов, раз уж Денби сам считал себя человеком, приносящим счастье, оставалось только объяснить ему, в чем ее счастье. И Диана вдруг поняла, что, несмотря на все преимущества ее замужества, в каком-то отношении оно было не таким уж счастливым.

Диана рассказала Майлзу об обоих посещениях Денби, но о том, что они ходили танцевать, умолчала. Это событие в ее памяти было столь нереально, подернуто романтической дымкой, что, утаивая его, она едва ли могла упрекнуть себя во лжи. Такое уже никогда больше не повторится: она сумеет устроить все так, как ей нужно, и безо всякой лжи. А расскажи она сейчас всю правду Майлзу, он ничего не поймет, поскольку он вообще не представляет себе, чтобы кто-нибудь мог вынести общество Денби. Он посочувствовал жене, узнав, что ей пришлось принимать «этого придурка». Диана улыбнулась, и в ее улыбке сквозила нежность к ним обоим. Она не хотела обманывать Майлза. Со временем она бы намекнула ему на то, каково на самом деле ее отношение к Денби. «Он мне решительно нравится». «Он очень мил». «Угадай-ка, с кем я обедала? С Денби!» Майлз привык бы к этому, и если бы он так никогда и не поверил до конца в расположение Дианы к Денби — что же, наверное, тем лучше. Так бы она и примиряла их постепенно, пока не добилась бы того, чего страстно желала теперь всем своим существом, — дружеской, родственной любви Денби. И она бы любила Денби, и при этом никто бы не пострадал. Решив так, Диана почувствовала, что ее сердце вновь переполняется властной потребностью любить, и она глубоко вздохнула.

— Что, Ди?

Накрапывал дождик, и сестры, плотно повязав шарфы, торопливо шли по Эдит-Гроув.

— Бедный старик...

— Да, бедный Бруно.

— Может же превратиться человек в такое чудовище! Страшно быть в здравом уме и выглядеть так омерзительно. Надеюсь, он хотя бы не догадывается, какое производит впечатление.

— Каждый судит о своем лице по-своему, идеализирует его. Я думаю, Бруно представляется себе не таким, каким видим его мы.

— Может, ты и права. Подумать только, каково приходится Денби! Обращаться как с личностью с этим куском мяса!

— Бруно не настолько плох. Он говорил вполне здраво после твоего ухода.

— Ты молодец, мне бы такой быть.

— Я больше сталкивалась с человеческими страданиями.

— Что он говорил?

— Просил передать Майлзу, чтобы он забыл о его последних словах.

— Наверное, он принял тебя за жену Майлза.

— Не знаю.

— Во всяком случае, ты ему определенно понравилась.

— Жалко, что мы не знали его раньше.

— Ну, это Майлз виноват. Господи, надеюсь, я никогда не буду такая, лучше уж умереть.

Тебе не кажется, что это лишнее доказательство в пользу эвтаназии[1]?

— Не уверена. Никто не знает, чего надо человеку, когда он такой дряхлый.

— Неудивительно, что Майлз опешил.

— Майлзу снова нужно пойти к Бруно.

— Хорошо, скажи это Майлзу сама. Ты умеешь быть с ним твердой. Он был злой утром?

— Совесть нечиста!

— Денби сыт им по горло.

— Да.

Сестры свернули на Фулем-роуд. Они шли под моросящим дождем, наклонив головы.

— Лиза!

— Да.

— Знаешь, ничего особенного у меня с Денби нет.

— Я так и думала.

— Он человек беспечный, порывистый, но очень милый. Не суди его строго.

— Я его совсем не знаю.

— Ты, как и Майлз, такая же максималистка. Из-за этого ты порой не в меру сурова.

— Прошу прощения, если так.

— Денби очень любящая натура, и, по-моему, он немножко одинок. Подозреваю, он с женщиной лет сто не разговаривал. Ему кажется, что он влюблен в меня, но я знаю, как с ним управиться. Это я от неожиданности чуть-чуть растаяла. Конечно, он слегка ломает комедию,

---

[1] Облегчение смерти (*греч.*).

но человек он очень неглупый. Драмой здесь не пахнет.

— Я так и думала, Ди.

— Ну и хорошо. Ты ведь беспокоишься обо мне, Лиза, и ты не потакаешь глупостям. Вы с Майлзом очень похожи. Не могу понять, что вы оба находите во мне.

Лиза засмеялась, взяла сестру под руку и легонько стиснула ей локоть. Немного погодя, когда они, чтобы сократить путь, проходили Бромптонским кладбищем, Лиза сказала:

— Что-то этот визит напомнил мне о папе.

— О Господи, Лиза, я часто думаю об этом, но никогда не решалась тебя спросить. Ты в самом деле была с ним, когда он умирал?

— Да.

— Невыносимо думать об этом. Я такая трусиха. Мне повезло, что меня там не было. Ты боялась?

— Да.

— Расскажи, как все это происходило.

— В подобных случаях забывается, как именно это происходило.

— Ему было... страшно?

— Да.

— И как ты только выдержала!

— Это не просто страх. Тут бездна. Это перестает быть чем-то индивидуальным. Философы говорят, что у каждого своя собственная смерть. По-моему, это не так. Смерть опровергает и понятие личности, и понятие собственности. Если бы только все знали об этом с самого начала.

— Тогда все мы просто животные.

— В нас проявляется что-то и от животного. Это не совсем одно и то же.

— Папа всегда был терпелив, когда болел.

— Когда он не верил, что умрет, — так же, как и мы сейчас.

— Мы пытались обманывать его.

— Мы обманывали себя. Ужасно было видеть, что он все понимает.

— О Господи! Ну и что же ты делала?

— Держала его за руку, говорила, что люблю его...

— Наверное, это единственное, что, может быть, еще нужно.

— В том-то и вся трагедия, что ему это как раз было не нужно. Мы все привыкли к мысли, что любовь утешает, но рядом со смертью вдруг каждый чувствует, что даже любовь — ничто.

— Не может быть.

— Понимаю, что ты имеешь в виду. Не может быть! Мне кажется, человек постигает вдруг, чем должна быть любовь — словно гигантский свод разверзается над тобою...

— Он умирал трудно?

— Да. Это была самая настоящая борьба. Да, борьба, попытка что-то сделать.

— Наверное, смерть — тоже действие. Но я думаю, он уже ничего не сознавал.

— Не знаю. Да и кто может знать, что испытывают люди, когда умирают?

— Тяжелый разговор. Лиза, ты плачешь! Ах, дорогая, не плачь, ради Бога, не плачь!

ГЛАВА XVI

Денби стоял в густой траве Бромптонского кладбища. Было это в среду.

Весь день, да и предыдущие несколько дней он жил точно во сне. Своим чередом возникали все те же маленькие кризисы, которые он обычно с наслаждением преодолевал. Колумбийский пресс, на котором печатались малотиражные афиши и объявления, сломался, и один из новичков, взявшись устранить неполадки, доконал его. Заказчики карточек для бинго решили изменить формат, когда карточки находились уже в печати. Пришло в неисправность ограждение гильотинного ножа, но им продолжали пользоваться, нарушая технику безопасности. Машина, груженная свинцом, дав задний ход, задела кипу бумаги и опрокинула ее. Репродукция картины современного художника для одного из лондонских журналов оказалась напечатанной вверх ногами. Прибыл дорогостоящий новый шрифт для наборной машины, и в счете была проставлена сумма вдвое больше сметной стоимости. Девушка из упаковочного отделения упала на складе с лестницы и сломала ногу. Старый чудак, которому они печатали репродукции гравюр, звонил пять раз на дню по поводу японской бумаги. Художественное училище, где Денби хотел приобрести старый «Альбион»[1], прислало представителя для переговоров. Но Денби ушел, предоставив все Гэскину,

---

[1] Ручной печатный станок для изготовления художественных репродукций.

и тот изумился, ибо ждал, что Денби, уж во всяком случае, будет ликовать в предвкушении покупки, о которой давно мечтал.

Денби подумал, не пропустить ли ему для бодрости стаканчик в «Турнире» или в «Лорде Рейнлафе», которые как раз в это время гостеприимно распахивали двери, но предпочел все же остаться трезвым, что на этот раз не составило труда: пей не пей — никакой разницы. Все сверкало после недавнего дождя в неярких лучах выглянувшего к вечеру солнца. Был час пик, за высокой железной оградой на Олд-Бромптон-роуд мерно, будто в гипнотическом сне, двигались автомобили. Здесь же буйная трава делала кладбище похожим на луг, или, скорее, оно напоминало заросшие травой руины разрушенного города — Остии, Помпеи, Микен? Огромные, как дома, склепы, обители смерти, стояли вдоль центральной аллеи, которая вела к видневшемуся вдалеке, освещенному холодными лучами солнца полукружью колонн. Вдоль более скромных боковых аллей зеленели могилы победнее, без памятников и могильных плит, кое-где виднелись свободные участки земли, кое-где — огороженная цепью аккуратная могилка, гранитные плиты в человеческий рост, рядом с чьим-то именем увядали принесенные недавно цветы. Над кронами дымно-зеленых распускающихся лип возвышались вдалеке черные трубы электростанции Лотс-роуд. «... Вы приступили к горе Сиону и ко граду Бога живаго...»[1]

---

[1] Послание к Евреям, 12:22.

Денби не удивился, когда Бруно сказал после ухода Лизы: «Эта девушка чем-то похожа на Гвен». Денби уже и раньше уловил это сходство, глядя на их склоненные друг к другу головы — Бруно и Лизы. Он видел тяжелую копну темных волос, задумчивое, серьезное продолговатое лицо, сосредоточенный взгляд широко открытых глаз, большой, выразительный рот, глубокую бороздку над верхней губой. Он смотрел на Лизу во все глаза и размышлял о ее лице вечерами после очередного прихода Лизы, во время которого тихо, незаметно сидел в углу и вставал только затем, чтобы налить шампанского, пока Лиза беседовала с Бруно, совершенно не путаясь в лабиринте его излияний, — такого Денби никогда не доводилось слышать, сам он мало что понимал в разговоре. Он ожидал, что его попросят удалиться. Но никто ничего не сказал, и он остался. Когда Лиза ушла, они с Бруно посмотрели друг на друга, изумленные, опешившие. Казалось, Бруно порывался что-то спросить. Может быть, он хотел узнать, кто она? А может, он принимал ее за жену Майлза? А может, его интересовало что-то совсем другое? Во всяком случае, они не сказали друг другу ни слова.

Как только Денби осознал встревожившее его сходство Лизы с Гвен, он сразу вспомнил, какой непонятный страх охватил его, когда он увидел Лизу в окне на Кемсфорд-Гарденс, и ему стало ясно, что его испугало. Это была не просто серьезная, необыкновенно чуткая женщина с красивым ртом. В типографии он гнал от себя мысли о ней, старался отвлечься работой, не думать и не заглядывать в будущее. В крайнем смущении размышлял он о своем столь привычном образе жизни. Он был приветлив с Аделаидой, но сказался больным. Когда позвонила Диана, он назначил ей свидание, а потом отменил его. Он был рад, что Бруно по-прежнему погружен в себя и не заговаривает о Лизе. Денби надеялся, что как-нибудь все сгладится, забудется, и в то же время уже знал, что не сгладится и не забудется.

Денби и теперь казалось, что все связанное с Гвен было ниспослано ему свыше, помимо его воли. Он вполне понимал, чем было вызвано недоумение и недовольство Майлза. Их союз с Гвен казался невозможным. Они были людьми разного склада. Власть, которую имела над ним Гвен, проистекала скорее от полной ее чужеродности, а не основывалась на каких-то доводах разума. А может быть, это была просто власть безмерной любви. Оглядываясь назад, Денби видел в своем союзе с Гвен истинное торжество бога любви, некую случайность и вместе с тем абсолютную закономерность — они соединились по прихоти бога любви без участия каких-либо земных природных сил. Конечно, Денби, который за всю жизнь не прочитал ни одного учебника по психологии, все же понимал, что работа природы подчас скрыта от глаз и их влечение друг к другу в конце концов вполне объяснимо естественными причинами, но он знать не желал об этом. Денби предпочитал верить, что его жизнь не обошлась без вмешательства божества, причем вмешательства совершенно своеобразного и неповторимого.

После смерти Гвен, оправился от которой он очень не скоро, Денби чувствовал, что возвращается к свойственному ему куда более легкому образу жизни, какой он вел и до женитьбы. Но это не приносило ему облегчения. Гвен была для него постоянным источником нежданной радости, и даже непрерывная борьба со своим характером, осознанная лишь впоследствии, не тяготила Денби. Становясь понемножку самим собой, словно сила гравитации вновь опустила его на привычную почву, Денби через какое-то время начал даже успокаиваться. Это настолько волновало Денби, что он поделился своими сомнениями с Линдой, и вывод, к какому они пришли, его положительно утешил. Не то чтобы Гвен стала казаться ему сном. Денби свято верил в ее реальность. Зато вся дальнейшая жизнь без нее представлялась ему сном. Но Денби, не без помощи Линды, порешил на том, что он, как и большинство людей, не создан для реальности. Да и в любом случае выбора у него не было. Жизнь, которую он влачил теперь, без Гвен, представлялась ему не чем иным, как жизнью во сне homme moyen sensuel[1], каким он и был до кончиков ногтей.

Но с течением времени, когда после Линды, которая так ему помогла забыться, он здраво и спокойно пошел на связь с Аделаидой, Денби почувствовал в себе некое весомое активное начало, также свойственное его натуре, и стал сомневаться, ни в малейшей мере не кощунствуя, был ли он вообще когда-нибудь пробужден к иной жизни

---

[1] Человека с умеренной чувственностью (фр.).

даже самой Гвен. Она казалась чудом, постичь которое ему было не дано. Такая любовь бывает у человека лишь однажды, Гвен стала для него святыней, и размышлять о ней он мог до конца дней. Но жил ли он сам хоть когда-нибудь в том мире, о существовании которого узнал, полюбив Гвен? Постепенно он начал в этом сомневаться. У него не было сомнений относительно того, каким необыкновенным существом была Гвен. Но с годами, лучше познавая себя, он только удивлялся, как это человека вроде него занесло на подобный пир любви. Денби понимал, что все забывается. Но в общем-то считал, что Бог, должно быть, при всем его, Денби, энтузиазме, несколько в нем разочаровался. Денби любил всем сердцем, но сердцем слишком уж посредственным.

Диана вовсе не была для Денби загадкой. В ней сочетались черты Аделаиды и Линды, но она была привлекательней каждой из них в отдельности. Угадывался в ней и холодок Линды, и особая эротическая сладость, соблазнительность Аделаиды. Ему нравилось болтать с Дианой, нравилось прикасаться к ней. Ее очарование снова дало почувствовать Денби, как равнодушен он стал в последнее время к женщинам, даже мало с кем из них вообще виделся. И еще она дала ему почувствовать, что он по-прежнему способен нравиться. Танцуя с ней, он испытывал наслаждение, какого не знал уже много лет. Конечно, ему хотелось бы стать ее любовником. Однако Диана была женой Майлза, и если вначале ему и улыбалась мысль наставить Майлзу рога, то по здравом размышлении он натолкнулся на некоторое препятствие.

Денби, хотя он никогда не признался бы в этом, побаивался Майлза, который представлялся ему загадочной, выдающейся и заслуживающей всяческого уважения личностью. В конце концов, Майлз был братом Гвен, и здесь не место грязи. Денби не сомневался, что ему легко удалось бы победить мнимую щепетильность Дианы. Но, как следует поразмыслив, он пришел к выводу, что, может быть, и лучше, в конце концов, ограничиться сердечной дружбой, которой, по ее словам, ей так хотелось. Они и в самом деле оба были достаточно эгоистичны, чтобы рисковать своим спокойствием и благополучием. Во всяком случае, встреча с Дианой натолкнула его на мысль, что хорошо бы найти женщину, с которой не было бы осложнений, такую же милую, как Диана, и стать ее любовником. А о будущем Аделаиды он бы позаботился. И все было бы хорошо, и все были бы довольны. Так он думал до воскресенья. Однако теперь все переменилось.

Денби, который стоял возле участка, где были погребены пенсионеры Челси[1], подошел ближе к ограде, спотыкаясь о невидимые в траве камни. От лучей закатного солнца он почти ослеп, его глаза устали следить за бесконечным потоком людей, выходивших из Уэст-Бромптонского метро. Лиза сказала, что сегодня не придет к Бруно, потому что его не следует слишком уж приучать к ее посещениям. И вот в какой-то миг Денби почувствовал, как невыносимо, что он ее не увидит, и

---

[1] Речь идет о солдатах-ветеранах, живших в Челсийском инвалидном доме.

понял — хватит обманывать себя, заблуждаться насчет случившегося не приходится. Она сказала, что возвращается домой к половине шестого. Денби ждал с пяти, и вот уж теперь шел седьмой час. Может быть, он проморгал ее, может, она поехала еще куда-нибудь, а может, пошла другой дорогой, свернув с Уорвик-роуд на Кемсфорд-Гарденс. Денби продрог, у него слегка кружилась голова, словно от нехватки воздуха. По улице неслись машины, и люди шли нескончаемой вереницей, освещенные вечерним равнодушным солнцем. Здесь же, на кладбище, было пусто, просторно, тенисто. Денби не отдавал себе ясного отчета в том, зачем пришел сюда, да он и остерегался строить какие бы то ни было планы. Просто ему необходимо было видеть ее.

Денби бросился к кладбищенским воротам и выскочил на улицу. Лиза, которая только что прошла у самой ограды, остановилась на переходе. Когда Денби подбежал к ней, едва не сбив ее с ног, она обернулась, сощурившись от бившего в глаза солнца.

— Простите...

— А, здравствуйте.

Когда она взглянула на Денби, у него сжалось сердце и потемнело в глазах.

— Я... Э... тут увидел вас и хотел, если, конечно, вы не очень спешите, сказать вам...

— Пожалуйста. Как там у вас дела? Надеюсь, Бруно не стало хуже?

— Бруно... Нет... Все так же. Только он очень по вас скучает...

— Он знает, что я приду завтра?

— Да-да.

— Понимаете, у меня ведь не всегда есть время, иногда я бываю занята, и вообще — лучше не приходить слишком часто.

— Я все понимаю...

— Так что же вы хотите?

— Ну, я хотел поговорить о Бруно, о ваших посещениях, может быть... знаете, давайте зайдем на кладбище, здесь столько народу.

Денби легонько тронул ее за рукав. На Лизе был тот же коричневый плащ, но Денби не осмелился взять ее под руку. Он пошел к воротам, чувствуя, что Лиза идет следом. На кладбище он сразу же свернул на тропинку, ведущую к одной из боковых аллей, и остановился под липой у высокого прямоугольного замшелого обелиска, увенчанного урной.

Лиза подошла, коснулась пальцами обелиска, погладила его шершавую поверхность. Денби видел ее длинную руку с четкими лунками ногтей, про которые Бруно сказал, что они похожи на полумесяцы, и действительно они были похожи.

— Надеюсь, я не слишком утомляю Бруно?

— Нет, вы его успокаиваете.

— Бывает, человек поговорит с кем-нибудь по душам и потом раскаивается.

— Вы как раз то, что нужно Бруно. Ему необходимо было излить душу.

— Скоро мы станем говорить с ним о самых обычных вещах. Постепенно все уляжется.

— Вы замечательно беседуете с ним. Он рассказывает вам все как на духу.

— И ему уже не придется рассказывать это Майлзу.

Она сбросила на плечи свой желтый шарф и высвободила из-под него волосы. Выглядела она усталой.

— Вы устали?

— Ничего. Послушайте, чтобы Майлз навестил Бруно...

— У вас был трудный день?

— Очень, как обычно. Майлз говорил, он снова придет в воскресенье, если вы считаете, что Бруно готов к этой встрече.

— А вы тоже придете?

— Может быть...

— Было бы лучше всего, если бы вы тоже пришли вместе с Майлзом.

— Возможно. Я подумаю. Значит, в воскресенье в то же самое время?

— Конечно, конечно.

— Ну, договорились. Всего...

— Еще минутку, Лиза. Вы бы...

Она уже пошла было к выходу, но обернулась, снова внимательно посмотрела на Денби. Позади нее находились детские могилы, маленькие трогательные надгробные плиты, затерянные в траве. Дети, заснувшие вечным сном в могильной тишине. Люди, шум машин уже не имели к ним никакого отношения.

Денби споткнулся в высокой мокрой траве, пытаясь преградить ей дорогу к воротам. Он даже руки протянул, чтобы не дать ей уйти.

— В чем дело?

— А завтра вы придете?

— Ну конечно. Я же сказала.

— Можно мне называть вас Лиза?

— Да, конечно.

Она смотрела на него все с тем же преувеличенным вниманием, слегка надувшись и сощурясь от солнца.

— Лиза, когда вы придете завтра к Бруно, вы потом сможете уделить мне немного времени? Может быть, сходим куда-нибудь, посидим, выпьем.

— Вы хотите со мной о чем-то поговорить?

— Нет, да, то есть...

— Насчет Бруно и Майлза?

— Нет, не совсем. Простите, это трудно объяснить...

— Бруно стало хуже?

— Нет-нет, у Бруно все хорошо.

— О чем же вы хотите поговорить?

— Ну просто, я только хотел... Я думал, может быть, выпьем, может, пообедаем... Вы бы не отказались пообедать со мной завтра?

Она улыбнулась:

— Никакой благодарности мне не нужно. Я с радостью прихожу к Бруно. Вы совершенно не обязаны приглашать меня обедать.

Денби тяжело вздохнул. Ноги его, казалось, совсем запутались в траве.

— Вы меня не так поняли, речь не о Бруно, речь обо мне.

— А с вами что?

— Я попал в затруднительное положение...

— Что ж, мне очень жаль.

— Вы, наверное, подумаете, что я малость спятил...

Лиза нахмурилась и опустила глаза, теребя пуговицу на плаще. Она сделала шаг в сторону и попыталась обойти его, глядя на ворота.

— О сестре я говорить не хочу.

— О Господи...

— Я считаю... это... не мое дело. Так что прошу простить.

— О Боже! Ваша сестра тут совершенно ни при чем!

— Ну тогда я ничего не понимаю. Мне нужно идти.

— Лиза, так вы сможете завтра пообедать со мной?

— Я всегда занята во время обеда.

— Лиза, ну поймите же, мне просто хочется увидеться с вами.

— Сомневаюсь, что от меня вам будет какой-нибудь прок.

— Да не в том дело. Вы останетесь после того, как повидаете Бруно, поговорить со мной?

— Не вижу никакого смысла.

Она глядела на него теперь враждебно, подняв воротник плаща, стоя перед ним в виде этакого крестного знамения.

— Может, для вас и нет никакого смысла. А для меня...

— Мне нужно идти.

— Пожалуйста, поймите меня, пожалуйста...

Он умоляюще протянул к ней руки, преграждая путь к воротам.

— Я не знаю, что там у вас с моей сестрой, и уверяю вас, не желаю знать. И пожалуйста, дайте мне пройти.

— Вы не должны так думать обо мне. Это вовсе не так. Мы с Дианой просто... ничего такого... ничего.

— Послушайте, я не желаю в этом разбираться. Мне нужно домой.

— Ну, пожалуйста, Лиза, не отказывайте мне. Я вам напишу, не будьте такой жестокой.

— Я не жестокая. Просто ни к чему такие разговоры. Мне кажется, у вас весьма странный взгляд на...

— Я же вам ничего толком не объяснил. Позвольте объяснить вам. Давайте встретимся и поговорим, пожалуйста...

— Я очень занятой человек, и у меня своя жизнь, как и у вас. Вы мне дадите пройти?

— Я вас не могу просто так отпустить, я вам напишу, вы ведь придете завтра, правда?

Изогнувшись, Денби протянул руку, пальцы скользнули по рукаву ее плаща, но она шагнула в высокую траву и обошла его.

— Лиза!

Она быстро приближалась к воротам. Еще мгновение — и она была уже на улице и скрылась в мерно движущейся толпе. Денби проводил ее взглядом, повернулся и медленно побрел по аллее мимо надгробий.

ГЛАВА XVII

Возвращаясь с работы по Олд-Бромптон-роуд, Майлз внезапно остановился, увидев на кладбище, в лучах солнца, поглощенных беседой Денби и Лизу.

За оградой, среди тенистой густой зелени, их фигуры на фоне виднеющихся вдалеке колонн, озаренные прорывающимся из-за туч солнечным светом, вырисовывались крупно, отчетливо, многозначительно. Что-то необычное было и в их позах, и в их сосредоточенности, за которой угадывалось нечто серьезное, какие-то разногласия. Майлза охватило неприятное чувство, он вдруг испугался. Он остановился и стал наблюдать за ними. Он видел, как Денби вдруг театральным жестом протянул руку, удерживая Лизу. Майлз был поражен. Не теряя их из виду, он быстро направился к воротам. Между тем Лиза проскользнула мимо Денби, рванувшегося было к ней, и вышла на улицу. Лавируя в толпе, она подошла к перекрестку и, прежде чем Майлз успел догнать ее, пересекла дорогу.

Он перешел дорогу следом за нею и нагнал ее на углу Эдли-Креснт.

— Лиза!

— А, Майлз, это ты, привет.

— Лиза, что это все значит? Я видел, как этот дурак Денби... Чего ему надо?

— Да он просто... Мы говорили о Бруно.

— Но он не приставал к тебе?

— Нет-нет. У него какие-то свои неурядицы. Он... хотел пригласить меня пообедать.

— *Пообедать?*

— Сказал, что хочет видеть меня.

— *Видеть* тебя? Надеюсь, ты послала его к черту. Оказывается, у него вообще такая наглая манера — явиться и заграбастать...

— Ну хорошо, Майлз, оставим это.

— Нет, не оставим. Ты не согласилась с ним обедать?

— Нет.

— Подумать только, этот несчастный осел еще и сцены устраивает прямо на улице.

— По-моему, он это несерьезно.

— Наверное, пьян в стельку. Нет, ты только вообрази, он захотел с тобой пообедать!

— А что, это выглядит странно, если мужчина хочет со мной пообедать?

— Нет-нет, Лиза, конечно нет. Я хотел сказать... Ну и дрянь этот Денби, хватает же наглости замахиваться на таких, как ты. Пьянчуга несчастный. Одни шашни на уме.

— Может быть. Я думаю, этим все и объясняется.

— Скажи мне, если он снова начнет приставать.

— Ну, Майлз. Я же не девица викторианских времен. Я могу сама за себя постоять.

— Надеюсь, ты больше не пойдешь туда, на Стэдиум-стрит.

— Я пообещала навестить Бруно.

— Ну, сходи как-нибудь, когда Денби не будет дома. Работает же он когда-нибудь. Или пусть Диана сходит. Старик, наверное, вас и не отличит.

— Диана, да...

Они подошли к дому, Диана, которая поджидала у окошка, как она частенько делала, открыла им дверь.

— Входите, входите, бедные труженики, давайте я вас раздену. Лиза, у тебя плащ совершенно мокрый, что же ты утром не повесила его, негодница, чтоб он просох. Майлз, ты принес мне «Ивнинг стандард»! Вот хорошо, я забыла тебе напомнить об этом; пошли, я растопила камин в гостиной, а сейчас и солнышко показалось, так что можно погасить в нем огонь. Я купила на Фулем-роуд графин для хереса, восемнадцатый век, вам нужно пропустить по глоточку. Посмотрите, что за прелестный хрусталь! И к тому же совсем дешево. Усаживайтесь, у вас обоих такой измученный вид, вы в метро встретились?

— Нет, уже когда вышли из метро, — сказал Майлз.

Он сел. Солнце освещало пестренькую гостиную, которую Диана содержала в непостижимой чистоте. В камине весело горел огонь. На ярком скандинавском столике с керамической мозаикой стоял новый графин с хересом и три стаканчика. Это был его дом.

Диана разлила херес и протянула стаканчик Лизе, которая стояла на пороге гостиной, не сняв шарфа.

— Что-нибудь случилось? — Диана частенько так спрашивала, когда они возвращались вечером домой.

— Нет, все хорошо, — ответила Лиза и взяла стаканчик с хересом.

Майлз поднял на нее глаза, но Лиза уже скрылась за дверью, прихватив свой херес.

Он понял: лучше не рассказывать Диане о том, что он видел на кладбище, хотя Лиза ни словом ему на это не намекнула. Но в чем же тут дело?

«Бледный жемчужный луч утопает в зеркале стола и там — тускло-красное пятно, некрасная тень красного, отражение цветка. А деревянная поверхность стола — густо-коричневая, в разводах; она выше, намного выше этого отражения. Красный — краснейшее из слов. Коричневый — приторное карамельное слово. Но все же это самый одинокий цвет, изгнанный из спектра, цвет слова, цвет древесной коры, цвет земли, хлеба, волос».

Майлз закрыл свою «Книгу замет» и всмотрелся в красные и багряные анемоны, которые жена поставила у него на столе. Страница, которую он только что вырвал, скомкал и бросил в корзину для бумаг, распрямлялась там с тихим мышиным шорохом. Был поздний вечер, шторы задернуты. Женщины знали, что в этот час Майлза лучше не беспокоить. Ночь принадлежала ему.

Однако Майлзу не работалось. Он намеревался описать анемоны, продолжить то, что начал вчера, при дневном свете. Ему хотелось передать словами особенную размытую бледность их отражения на столе. Анемоны, крепость упругих стеблей которых так поразила его вчера, сегодня казались ему просто пучком каких-то пошлых цветов в ярких рюшах, с наглыми физиономиями. Диана поставила цветы в дешевую фарфоровую вазочку, которая усугубляла их вульгарность. Он уже не мог увидеть их в прежнем свете. На них сегодня и смотреть не стоило. Майлз был подавлен, огорчен.

Эта идиотская сцена на кладбище вывела его из себя, вызвала ощущение бессмысленности, знакомое ощущение, памятное еще со времен войны. Он знал свои уязвимые места. Посещение

Бруно, после которого все пошло вкривь и вкось, заронило в нем чувство вины, а чувство вины в свою очередь неизбежно повлекло за собой бессилие. Майлз не выносил неразберихи, смятения чувств. Если бы только он сохранил самообладание у Бруно и не позволил себе разнервничаться, распереживаться! Теперь-то он понимал, что ничего не стоило повести себя иначе. Но он был так потрясен и взволнован, увидев Бруно, что просто не успел взять себя в руки. Сейчас он сознавал, что умышленно не дал себе труда подготовиться к этой встрече, умышленно не дал воли воображению. Отец, которому он дважды в год писал вежливые письма, явно сам был виноват в том, что они не встречались, он давно уже отошел от жизни Майлза на задний план — этакая почтенная статуя в нише с лицом мудреца, напоминающего Блейка. Отвратительный больной старик в жалкой комнатенке на Стэдиум-стрит никак не вязался с этим образом, он предъявлял свои права, требовал думать о себе, страшил.

Еще до того, как Лиза передала ему слова отца о примирении, Майлз решил снова сходить к нему. Нельзя же было все оставлять в таком безобразном виде. Так или иначе, он не сможет работать: то, что произошло на Стэдиум-стрит, будет преследовать его воображение. У Майлза просто все внутри переворачивалось от жалости к отцу. Он не захотел выслушать излияний Бруно. Теперь он понимал — для Бруно ничего не кануло в Лету. Майлз ведь давно простил отца, то есть решил для себя не думать и не вспоминать об обидах, нанесенных ему Бруно. И он не желал возвращаться к прошлому в разговорах с ним. Прошлое было страшным, неприкосновенным, оно принадлежало лишь ему, Майлзу. Он готов был играть роль послушного сына, если бы только можно было играть эту роль, не теряя достоинства, не задевая ничего сокровенного, личного. Или, если угодно, он мог бы даже поболтать с Бруно, но о чем было болтать с чужим теперь для него человеком и к тому же умирающим? А вот вступить в живое, непосредственное общение с отцом, вспоминать прошлое — к этому Майлз был совершенно не готов. Невыносимо как раз то, что пришлось бы возвращаться к прошлому вдвоем с отцом, вместе. Сама мысль об этом вызывала у Майлза отвращение. Естественно, нельзя было ожидать, чтобы кто-нибудь его понял. Это было необъяснимо, но он ничего не мог с собой поделать. Он не мог разделить переживаний Бруно и, конечно, не мог вынести наставлений Денби. Все же нужно пойти туда и как-то все это выдержать, сыграть свою роль до конца. И когда он пытался теперь обдумать, как бы это осуществить, он говорил себе: мои боги здесь бессильны.

Сцена на кладбище не выходила у него из головы. Она тоже как-то была связана со Стэдиум-стрит, он чувствовал в ней дух все той же ужасной комнатенки Бруно. Конечно, Денби просто клоун, но сцена была жуткая. Денби каким-то образом тоже был виноват во всем. Впрочем, Майлз не думал, будто это Денби склонил Бруно позвать его. Появление Майлза на горизонте, скорее всего, мало устраивало Денби. Майлз вспомнил фразу Бруно, которую передала ему Лиза: «Пусть забудет мои последние слова...» Что она означает? Что отец снимает свое проклятье или что марки он завещает все-таки Майлзу? Майлз все эти годы и думать о них не думал. Он давно принял как должное, что они достанутся Денби. Однако, если бы вдруг он получил коллекцию, это было бы недурно. Это означало бы, что можно бросить службу и целиком отдаться творчеству.

Майлз прогнал от себя мелочные мысли о марках. Он порывисто встал и начал ходить по комнате. Несколько шагов туда, несколько обратно, мимо освещенного настольной лампой стола, который он содержал в образцовом порядке и на котором лежала его «Книга замет», ровная стопка голубых промокашек, стояли серебряная чернильница, подаренная Дианой, разноцветные авторучки, фарфоровая вазочка с красными и багряными анемонами. Он задержался на минуту перед небольшим квадратным зеркалом. Майлз привык считать, что похож на молодого Йейтса. Отражение, которое он увидел в золоченой раме, было слегка размыто, словно на картинах Сезанна, — мрачное, худое, неправильное лицо с длинным заостренным носом, тревожный, хмурый взгляд, редеющие, мелко вьющиеся волосы, тронутые сединой, искривленные, нервные губы. Не улыбнувшись, Майлз обнажил перед зеркалом неровные зубы. Какое теперь имеет значение, на кого он похож? Он снова принялся шагать по комнате. Он думал о Лизе и о сцене на кладбище.

Да, Лиза права: в том, как он прореагировал на эту сцену, было что-то викторианское. Конечно, Лиза способна постоять сама за себя. Она во сто крат тверже этого пьянчужки и пустомели Денби. Хотя Майлз и привык смотреть на Лизу глазами Дианы, которая видела в ней «птицу с перебитым крылом», ему теперь казалось, что, как ни странно, он с самого начала чувствовал в ней сильного человека. Лиза была личностью. Шуточное ли дело — работать в этакой школе! Майлз побывал там однажды, и то, что он увидел, произвело на него гнетущее впечатление: грязь, беспорядок, вонища, изможденные мамаши, дети, дерущиеся на улице. Лиза жила в реальном мире, который совершенно не походил на ту реальность, что силился он отразить в своих стихах. Жить среди людей и для них было ее призвание, и Майлз уважал его и преклонялся перед ним.

Почему же он так встревожился из-за того, что Лиза способна выносить дурачества Денби? И почему, как он совершенно ясно уловил, не следовало рассказывать об этом Диане? Лиза была частью его домашнего уклада, частью его жизни. Они с Дианой давно решили, что она уже не выйдет замуж и навсегда останется с ними. Диана спрашивала его, не против ли он. Нет, он был не против, он был даже рад, что Лиза останется с ними, даже очень рад. Ему доставляло удовольствие видеть ее. В ее обществе он находил то, чего не могла дать ему Диана: с Лизой он говорил о вещах, в которых Диана не разбиралась. Майлз считал Лизу самостоятельным, замкнутым, обособленным существом. У нее не было своего дома, но была своя работа. Она не походила на других женщин, жила отшельницей. Она ведь и в самом деле несколько лет жила в монастыре, и эти годы оставили на ней печать сдержанности, отстраненности. Не потому ли он был потрясен, увидев ее с Денби, — словно у него на глазах какой-то мужлан глумился над монашкой, схватив ее за рясу.

«А что, это выглядит странно, если мужчина хочет со мной пообедать?» Нет, совсем не странно. Лиза не такая хорошенькая, как Диана. Ее нужно узнать как следует, чтобы почувствовать ее притягательность. И Майлз чувствовал. Он видел ее красоту, потаенную красоту, проникновенность взгляда, выразительность рта. Посторонний вряд ли заметит это. Майлз мог себе представить, какой кажется Лиза со стороны: изможденная, не очень-то следящая за собой школьная дама в годах. Впрочем, и такая особа тоже может получить приглашение пообедать. Но только не Лиза. Эта выходка Денби, конечно, бессмыслица, пьяная блажь, но тут возникает вопрос, и Майлз вдруг понял, что этот-то вопрос и не дает ему покоя. А если бы выяснилось, что у Лизы есть поклонник, что тогда?

Кстати, он ведь ничего не знал о Лизе. Притча о птице с перебитым крылом могла служить прикрытием. Беседуя с ней, он никогда не касался ее прошлого. Неизвестно почему, у него сложилось впечатление, что она избегает говорить на эту тему. Он ничего не знал об интимной стороне ее жизни, не знал, существовала ли таковая вообще. Диана утверждала, что Лизу не интересуют мужчины, и Майлз тоже привык так считать. Когда он задавал Лизе обычный вопрос, как она провела день, ему никогда не приходило в голову, что в этом «дне» может присутствовать мужчина. В самом деле, он и вообразить не мог, чтобы у Лизы была какая-то тайная жизнь. Сцена на Бромптонском кладбище навела его на мысль, от которой ему уже некуда было деться, — за Лизой могут ухаживать. Она не замужем. Она свободна.

Майлз продолжал мерить шагами комнату — дотронувшись до дверной ручки, возвращался назад, к камину. И постепенно он начал постигать смысл того пророческого ужаса, который охватил его перед кладбищенской оградой. Он вдруг открыл в себе новое, стремительно растущее чувство, которое непредсказуемым образом угрожало его душевному покою и с которым ему предстояло теперь как-то жить. Глубоко таящееся у него в душе, оно было разбужено в этот злосчастный день. Лиза принадлежит дому на Кемсфорд-Гарденс. Он любит Лизу. Лиза принадлежит ему.

ГЛАВА XVIII

— ДЕНБИ!

Вкладывая в конверт письмо Лизе, которое он только что закончил, Денби чертыхнулся и придавил конверт электробритвой. В комнате не было стола, и он писал письмо, стоя перед комодом.

— ДЕНБИ!

— Иду, Бруно, иду!

Перескакивая через ступеньки, Денби взбежал по лестнице.

— Да не кричи ты так, Бруно.

— Денби! Пропала марка.

— Говорил я тебе: не разбрасывай их.

— Но она пропала из кармашка, она была в прошлый раз, я точно знаю, я не вынимал ее.

— Вынимал, наверное. Лежи, Бруно, не вставай с постели. Сейчас разыщем тебе эту чертову марку.

— Это «Треугольный Мыс», она стоит двести фунтов.

— Не вставай! И не волнуйся. Я поищу, Аделаида поищет. Наверное, на полу где-нибудь.

— Не может быть...

— Аделаида! АДЕЛАИДА!

Было уже поздно, Бруно в это время обычно укладывался спать. Дождь хлестал по стеклам. Свет от лампы падал на измятое выцветшее покрывало, на котором стоял поднос с недоеденным ужином Бруно, валялись разбросанные, как всегда, марки, «Популяция пауков Восточной Англии» и «Ивнинг стандард». Денби весь вечер не находил себе места. Сегодня у Бруно была Лиза, и он не застал ее.

С кровати упал на пол стакан и разбился. Пришла усталая, раздраженная Аделаида и принялась собирать осколки.

— Аделаида, у Бруно потерялась марка, такая треугольная. Она, должно быть, где-то здесь, на полу. Посмотри-ка там, а я — здесь.

— Ее не может быть на полу, я точно знаю, она была в кармашке...

— Помолчи, Бруно. Аделаида, посмотри под ковром. А я поищу в книгах. Не порежь коленку осколком. Привет, Найджел, у Бруно потерялась марка, треугольная. Помоги нам разыскать ее. Она, должно быть, на полу.

Стоя в дверях, Найджел с сонным видом наблюдал, как Денби и Аделаида медленно ползли по полу навстречу друг другу.

— Под кроватью я сам посмотрю. Здесь дырка в ковре, может, она туда провалилась.

— Бесполезно искать ее, Денби. Я же знаю, ее нет в комнате...

— Ну а где же она может быть?

— Не знаю, но только я знаю...

— Перестань болтать чепуху. Ну, ты и помощник, Найджел. Бруно — в постель. Да, на полу ее как будто не видно. Я еще посмотрю в шкатулке и на полках. Можешь идти, Аделаида, только прибери эти чертовы осколки, да не оставляй их в корзине для бумаг. И поднос захвати. Не хлопай так зверски дверью!

Слышно было, как Аделаида с шумом спустилась по лестнице. Найджел наблюдал за Денби, который обыскал комод, отодвинул его от стены, вытащил книги из книжного шкафа.

— Может, она в какой-нибудь книге. Тогда черта с два ее разыщешь. Ну и Бог с ней! Бруно, отнесись ты к этому философски.

— Это лучшая марка в коллекции. Она стоит двести фунтов.

— Ну и на что они тебе? Господи, Бруно, да не принимай ты все так близко к сердцу, у меня сегодня и без того гнусный день. Только твоей марки еще не хватало. Найджел, ты или помогай, или уматывай. Бруно, извини, ну не смотри ты так.

— Я знаю, вы только и ждете моей смерти, только и ждете.

— Бруно, перестань! Я еще проверю на лестничной площадке, на ступеньках поищу, внизу. Может быть, она потерялась, когда я уносил к себе шкатулку. Успокойся. Ты даже не открыл «Ивнинг стандард».

— Мне эта марка нужна.

— Не капризничай. Я поищу ее. Почитай ради Христа газету. Темза выходит из берегов. Нам грозит наводнение. Сразу забудешь про марку.

Денби вышел, Найджел — вслед за ним. Закрыв дверь, Денби принялся обследовать линолеум на лестничной площадке. Найджел тронул его за плечо.

— Найджел, проваливай. Спишь на ходу.

— Можно вас на секундочку?

— Нельзя.

— Насчет марки.

Денби выпрямился. Найджел пошел к себе в комнату, Денби — за ним.

Комната Найджела была унылой и неприбранной. Мебель сдвинута к стенам, туалетный столик выставлен за дверь, на лестничную площадку. Верхний свет падал прямо на потертый коричневый ковер посреди комнаты; дощатый пол, крашенный давным-давно дешевой краской, облупился. Какие-то разноцветные индийские деревянные зверушки стояли на комоде, и среди них — две банки из-под варенья с нарциссами и анемонами; увядшие нарциссы словно сделаны из пожелтевшей папиросной бумаги. Найджел стоял посреди ковра, заведя одну ногу за другую, опустив голову, его длинные волосы мягкой дугой сходились у подбородка. Он сделал Денби знак, чтобы тот закрыл за собой дверь.

— Ты что здесь, танцуешь, что ли? — спросил Денби.

— Я знаю, где марка.

— Ну! И где же она?

— А что мне будет, если я скажу?

— Ничего.

— Будете моим должником.

— Не болтай. Где марка?

— Ее взяла Аделаида.

— Аделаида?

— Да.

— Не может быть, — сказал Денби. — Ты выдумываешь, дряни какой-то перебрал.

— Нет, правда. Она ее не себе взяла, а для Уилла. Это он ее подучил.

— Для Уилла Боуза? Чего ради?..

— Он хотел купить фотоаппарат.

— Господи! Но зачем Аделаиде идти на такое ради Уилла?

— Спросите у нее.

— Найджел, это правда?

— Да-да. Вот вам крест.

Денби выскочил из комнаты и бросился вниз по лестнице.

— Аделаида!

Аделаида была в своей комнате, она сидела на кровати, неподвижно глядя перед собой. Видно было, что она недавно плакала.

— Аделаида, Найджел говорит, ты взяла марку, но это нелепый...

— Это правда.

Денби сел на кровать рядом с нею.

— Он говорит, ты взяла ее для Уилла.

— Да.

— Но почему?

Аделаида медленно покачала головой, по щекам у нее покатились слезы. Она продолжала глядеть прямо перед собой и молчала.

— Ну ладно, — сказал Денби, — какие бы там ни были у тебя причины, неплохо бы вернуть ее назад, а если твой негодяй братец успел ее загнать, неплохо бы вернуть деньги. Или я заявлю в полицию. Я напишу Уиллу письмо, и ты передашь его сейчас же. Бруно нужна эта марка. Я скажу ему, что она нашлась. И как ты могла поступить так со стариком?

Аделаида начала всхлипывать.

— Ох, перестань, Аделаида. С меня на сегодня хватит. Извини, если я был с тобой резок, но это уж чересчур.

Аделаида зарыдала. Она сидела оцепенев, все так же глядя прямо перед собой на дверь, и давилась клокочущими в горле рыданиями. На губах у нее выступила пена, слюна текла по подбородку.

Денби повернул ее лицом к себе и похлопал по щеке.

Аделаида умолкла и вдруг с такой силой вцепилась Денби в плечи, что тот едва не слетел с кровати. Аделаида пинала его, щипала, кусала. Она придавила его всем своим телом, Денби потерял равновесие и не мог защищаться. В следующий миг он почувствовал, что она впилась зубами ему в шею. Они грузно упали на пол.

Денби встал на ноги. Аделаида, опираясь на локоть, приподнялась с пола, лицо ее было искажено, волосы разметались, она смотрела на него заплаканными глазами.

— Аделаида... пожалуйста... что с тобой, ты с ума сошла!

— Ты меня презираешь! — закричала она. — Я для тебя служанка. Ты обращаешься со мной как с рабой. Ты не подумал жениться на мне! О нет! Я для тебя подстилка, гожусь только для постели. Конечно, это легко, дешево, удобно. Обо мне ты и не думаешь вовсе. Я тебя ненавижу, ненавижу, ненавижу!

Денби весь дрожал.

— Аделаида, не говори так, ну пожалуйста. Забудь про эту марку. Завтра что-нибудь придумаем. Ложись-ка лучше в постель. Давай согрею тебе воды, дам аспирин или еще какое-нибудь лекарство.

— Я тебя ненавижу!

Денби постоял на пороге. Потом закрыл дверь. Поднялся в прихожую и вышел из дому, во мрак, под мелкий, колючий дождик.

Аделаида поднялась с кровати. Она чувствовала себя измученной, разбитой, лицо у нее опухло от слез. Я убью себя, думала Аделаида. Она посмотрела в зеркало и, увидев, как ужасно выглядит, заплакала снова. Она прислонилась к стене, ее душили рыдания.

Было уже около трех часов ночи, а Денби все не возвращался. А может быть, он приходил и ушел снова. Аделаида прорыдала в подушку два или три часа, не помня себя, не замечая ничего вокруг. Кажется, ее звал Бруно. Теперь же слышен был только дождь.

У нее не укладывалось в голове, как это все случилось. Она же понимала, что было безумием украсть марку, еще и до того, как отдала ее Уиллу. По дороге в Кемден-Таун с маркой в сумочке она еще не решила, отдать ли ее Уиллу или положить назад, в шкатулку. Когда тетя ушла спать, они с Уиллом начали ссориться, как обычно. Аделаида отпустила несколько саркастических замечаний насчет заигрываний Уилла с миссис Гринслив. Ее все еще мучило воспоминание об этой сцене. Особенно возмущала ее легкость, с какой миссис Гринслив завела разговор с Уиллом. Самой Аделаиде разговаривать с ним было трудно, даже флирт их был неуклюжий, бессловесный, рискованный. А миссис Гринслив, казалось, ничего не стоило с ним болтать. Аделаида сказала Уиллу, что он вел себя, как развязный лакей, и скалился, как глупый мальчишка. Уилл страшно разозлился. Аделаида заявила, что если он позвонит миссис Гринслив, то ее, Аделаиду, он больше не увидит. Уилл ответил, что эта угроза его абсолютно не тревожит и он сейчас же позвонит миссис Гринслив. В конце концов, разразившись горькими, беспомощными слезами, Аделаида в отчаянии швырнула марку на стол. Уилл пришел в восторг, сделался ласковым, внимательным и пообещал больше не иметь дела с миссис Гринслив.

Вспоминать об этом было стыдно, мерзко. Она плакала все дни напролет. И вот разразился скандал, и она потеряла Денби на веки вечные. Хоть он и был добр с ней, теперь он станет смотреть на нее как на чокнутую, всегда будет настороже, ожидая от нее подобных диких выходок. Она и сама себя испугалась. И все-таки она знала, что она не сумасшедшая, просто у нее уже не было сил терпеть.

Аделаида выглянула из комнаты. Дверь напротив, к Денби, была открыта, и там было темно. Аделаида вошла и включила свет: кровать убрана, на нее не ложились, занавески не задернуты, поблескивали черные, залитые дождем оконные стекла, в комнате — никого. Аделаида снова заплакала. Она подошла к окну и задернула занавески. Сняла с кровати уэльское покрывало, откинула одеяло, роняя на него слезы. Оглядела комнату.

И тут она заметила лежащее на комоде письмо. Сначала Аделаида подумала, что, пока она рыдала у себя в комнате, Денби вернулся и оставил ей записку. Она подошла и отодвинула в сторону электробритву. Письмо было адресовано мисс Уоткин и не запечатано.

Аделаида прислушалась. Ни единого звука, только дождь. После минутного колебания она вынула письмо.

Дорогая Лиза!

Извините, что я плохо вел себя на Бромптонском кладбище и, наверное, напугал Вас. Я не умею писать писем, но мне необходимо написать Вам. Я хочу объяснить Вам, как это серьезно. Не потому, что питаю какие-нибудь надежды — откуда им взяться? Но только мне нелегко. Вам, может быть, это и непонятно. Мы виделись всего несколько раз. Но Боже, Лиза, поверьте, это серьезно, и очень. Я люблю Вас и хочу видеть Вас, хочу узнать Вас, и, пожалуйста, отнеситесь к этому серьезно. Я буду вести себя очень хорошо и делать все, что Вам захочется. Только не говорите заведомо, что в этом нет смысла. Как это можно сказать заранее? Я понимаю, что я по сравнению с Вами ничто, но я Вас очень люблю, и поверьте мне, такими вещами не шутят. Я знал такую любовь когда-то. Это совсем другое, нежели обычные пустячные увлечения, сводящиеся к постели. Я чувствую, что Вы — моя судьба. Вы должны выслушать меня, Лиза. То, из-за чего Вы могли плохо подумать обо мне, как о человеке легкомысленном (например, когда увидели меня впервые), не имеет значения. Да, я легкомысленный человек, но не по отношению к Вам, и если Вы в конце концов обратите на меня внимание, то, быть может, простите меня: ведь благодаря Вам я уже стал другим. Не думайте, что это пьяный бред или пустая болтовня. Я пишу то, что подсказывает мне сердце, а это бывает только в определенном случае. Пожалуйста, поверьте и, осмелюсь просить, отнеситесь с уважением к тому, что я Вас люблю, и давайте встретимся, Лиза. Это необходимо. Этого не избежать. Я буду писать Вам снова и снова и просить о встрече. Пожалуйста, думайте обо мне серьезно. Я люблю Вас, Лиза, а всего остального просто не существует.

Ваш раб Денби

Аделаида вложила письмо обратно в конверт и придавила его электробритвой. Выключила свет, вернулась к себе в комнату, закрыла дверь. Она лежала неподвижно, без слез, пока за окном не забрезжил рассвет.

ГЛАВА XIX

Майлз в темноте тихо открыл дверь в комнату Лизы. Это было в субботу, примерно в два часа ночи. В предшествующие два дня он ходил на службу, работал, ел, как всегда, разговаривал с Дианой и Лизой. Просматривая утренние газеты, отпускал обычные свои едкие замечания, вовремя выходил из дому, чтобы успеть на службу, вовремя возвращался. Он вел привычный, давно заведенный образ жизни, но в душе у него все волновалось и кипело. Он не выпускал Лизу из поля зрения. В пространстве, разделяющем их, витало что-то новое, необыкновенное, значительное. Случайное сближение рук за завтраком, переданная книга, движение, каким она брала чашку, встреча на лестнице — все причиняло боль. Уютного жилья, которое он называл своим домом, как не бывало. Вместо этого были лишь ее взгляды, жесты, приходы и уходы, и все это терзало его, точно орудия пытки.

Майлз не мог оторвать от Лизы глаз. Он смотрел и смотрел на нее, и ему казалось, что и она отвечает тем же. Магнетическая сила, устоять перед которой он не мог, приковывала к ней его взгляд, который действовал на нее гипнотизирующе. Он никак не мог удержаться от этих взглядов, исполненных значения. Он призвал на помощь все свое здравомыслие, чтобы обуздать себя и не нарушить покой в доме. Он не делал никаких попыток остаться с нею наедине, и, поскольку они обычно уходили по утрам на работу и возвращались вечером в разное время, а Диана всегда была дома и двери комнат не закрывались, чтобы в любую минуту можно было окликнуть друг друга, он и не оставался с нею наедине.

Но существуют импульсы, которые способны передаваться и, безусловно, передаются без слов. В пятницу вечером Майлз уже знал — Лиза все поняла; поняла она также и то, что Майлз знает, что она все поняла. У него не было ни малейшего представления о том, как она к этому относится, ибо он был слишком поглощен собственными ощущениями. Он не был готов к тому, чтобы признать трагичность происходящего. Чувство любви или, как казалось сейчас Майлзу, открытие в себе этого чувства само по себе преисполняет и болью, и радостью. Тут возрастают все жизненные силы, обостряется сознание своего «я». Захлестнутый темной волной радости, он не мог думать о будущем и строить какие бы то ни было планы. Он рассуждал так: она не захотела рассказывать Диане о Денби. Но скорее всего, и даже вне всякого сомнения, она сделала это из осторожности, из соображений такта — едва ли она могла предвидеть, как повлияет на ее зятя сцена на кладбище.

В пятницу вечером, когда сестры, которые ложились спать раньше Майлза, собирались расстаться на ночь, произошел какой-то перелом. Лиза и Диана разговаривали внизу у лестницы, Майлз стоял в гостиной у окна, которое он только что закрыл. Лиза вернулась в гостиную за книгой, и на какое-то время они остались вдвоем, невидимые Диане. Майлз смотрел на Лизу, Лиза, беря книгу, замешкалась и подняла на него глаза. Майлз умоляюще поднял руки — жест, которым сдаются на милость победителя и значение которого невозможно было истолковать превратно. Лиза окинула его непроницаемым взглядом и вернулась в прихожую, чтобы ответить на вопрос Дианы.

Майлз, как обычно, поднялся к себе в кабинет. Шло время. Мука была все нестерпимее. Наконец, тихо ступая, он подошел к двери Лизиной комнаты.

Спальня Дианы и Майлза выходила на ту же лестничную площадку, что и кабинет. Комната Лизы находилась ниже, на другой площадке. Майлз не боялся, что разбудит Диану, которая засыпала быстро и спала крепко.

Не постучавшись, Майлз тихонько повернул ручку двери и переступил порог погруженной во тьму комнаты.

Во мраке и тишине замкнутого пространства ему показалось на какое-то мгновение, что он задыхается, и Майлз схватился за горло. Сердце яростно билось, ноги подкашивались, его тошнило. Опустив ручку двери, он застыл в темноте, стараясь отдышаться. Сначала он ничего не мог разобрать, но потом услышал тихое дыхание спящей Лизы. Он медленно двинулся вперед, вытянув руки, осторожно ступая, чтобы ничего не задеть. Он видел уже белеющую постель, смутно различал Лизину голову с темными, разметавшимися по подушке волосами. Она спала на спине, одна рука лежала на одеяле. Майлз протянул руку к кровати. Он так дрожал, что задел ногтем простыню — раздался легкий царапающий звук. С глубоким вздохом он опустился на колени перед кроватью. На фоне окна был виден Лизин профиль. Майлз коснулся ее волос.

— Майлз! — Лиза быстро приподнялась в постели.

Майлз стал искать в темноте ее руки, она стремительно обняла его за шею, прижала к груди его голову.

Майлз не мог потом вспомнить, сколько времени они просидели так, не двигаясь. Вероятно, очень долго. Это было мгновение блаженной смерти. Но еще это было и мгновение полной несомненности ее любви.

— О Господи, — сказала она.

— Я люблю тебя, Лиза.

— Я знаю. Я тоже тебя люблю.

— Лиза, дорогая...

— Прости меня, Майлз.

— Не нужно. Все так чудесно.

— Я никогда не ждала... Но почему вдруг сейчас, Майлз, что произошло?

— Не знаю. Наверное, я любил тебя давно, только не понимал этого. Ты ведь всегда была мне нужна.

— Может быть. Но ведь все было по-другому.

— Да, я знаю. Это вдруг нахлынуло на меня. И, о Господи, Лиза, до чего же это нестерпимо. Я этого не выдержу, я умру.

— Потому что ты увидел меня с Денби?

— Я дурак, дурак, Лиза. Ты столько лет была рядом. Я принимал это как должное. Не мог понять, что мне нужно...

— Так ли уж и нужно?

— Да, я думаю, да. Не то чтобы я решил, будто этот кретин... но только я вдруг понял, что ты ведь свободна.

— Я не свободна, Майлз. Я никогда не была свободна. С тех пор, как узнала тебя.

— Лиза, ты хочешь сказать...

— Да. Я полюбила тебя с первой встречи, со дня вашей свадьбы.

— Любимая...

— Прости меня. Какое облегчение все тебе рассказать. И в то же время — ведь это смертный приговор. Я сама во всем виновата, Майлз. Я не должна была приезжать к вам. Я и вообразить не смела, чтобы ты мог проявить ко мне хоть малейший интерес, идущий дальше наших философских разговоров. Я только потому приехала, что любовь моя была безнадежной и я никак не собиралась ее обнаружить.

— Лиза, прости меня.

— Оставь, пожалуйста.

— Все эти потерянные годы. Дорогая моя...

— Ты не должен так думать...

— Можно, я включу свет?

— Нет, ради Бога, не надо. Диана спит?

— Да.

— Майлз, но все так чудесно, пусть даже это смерть. Никогда, в самых дерзких мечтах, я и вообразить себе не смела, что из-за меня ты будешь так взволнован.

— О Лиза, я даже выразить не в силах... Подумать только, ведь ты страдала... А я мог никогда и не узнать об этом.

— Теперь ты знаешь, и мне придется уехать.

— Нет-нет-нет. Ты никуда не уедешь. Я не отпущу тебя. Ты хочешь меня убить?

— Майлз, это же безнадежно, неужели ты не понимаешь? Боже мой, вдруг обрести тебя, держать в своих объятиях и в то же время знать, что это смерть...

— Лиза, не надо, не плачь, моя любимая. Мы должны что-то придумать, просто обязаны. Мы найдем выход. Это только в первый миг...

— На самом деле это последний миг, Майлз. Надо смотреть правде в глаза, мой дорогой. Мы не должны обманывать самих себя. В особенности ты... Это ведь у тебя все так необыкновенно, внезапно, как мимолетная буря. А реальность — это Диана, все эти годы совместной жизни...

— Лиза, Лиза...

— Нужно смотреть правде в глаза, Майлз. Не беспокойся обо мне. Я тебе бесконечно благодарна, это останется со мной на всю жизнь, как величайшая драгоценность, и я всегда-всегда буду теперь несусветной богачкой. Я счастлива, Майлз, и я благодарна тебе, что ты пришел. Наверное, если бы ты не пришел вот так, прямо среди ночи, я бы никогда тебе не призналась. Я счастлива, что теперь ты все знаешь, хотя это и очень больно. Но ничего, ничего тут не поделаешь, ничего не придумаешь, ничего не изменишь.

— Я не понимаю тебя, Лиза. Я и слышать ни о чем таком не хочу. Нас одарила сама судьба. Вот о чем мы должны думать.

— Ни одной минуты нельзя об этом думать. Это нас погубит.

— О Господи!

— И ты это понимаешь, Майлз.

— Лиза, я слишком мало знаю о тебе.

— И слава Богу.

— Ты говоришь, это внезапная, мимолетная буря. На самом деле не такая уж она внезапная. Все внезапное зреет исподволь. Ты знаешь, я давно уже заметил, что мы похожи, даже внешне.

— Да. Я тоже заметила, что мы похожи. Это потому, что я много думала о тебе.

— Нет, это потому, что ты создана для меня. Ты — моя единственная.

— Нет-нет, Майлз. Ты чересчур взволнован, и сейчас слишком поздний час. Ты сам не знаешь, что говоришь. Это богохульство.

— Парвати?

— И Диана.

— Диана — совсем другое. Ты же знаешь, с Дианой ничего подобного у меня не было. Да и никогда ничего подобного не было.

212

— Это сейчас тебе кажется, но...

— Мне бы хотелось рассказать тебе о Парвати. Тебе я смог бы это рассказать. О ней я ни с кем никогда не говорил.

— Я много думала о Парвати. Мне хотелось увидеть ее фотографию, но я стеснялась попросить ее у тебя.

— Она была беременна, когда погибла.

— О Майлз...

— Я никому не говорил об этом, даже Диане.

— Это еще не зажило в тебе?

— Порой мне кажется, что это был сон и что он еще длится. Давно следовало все забыть и убедить себя, что ничего не вернешь, но я не могу. Словно кошмарное наваждение преследует тебя постоянно. Я написал поэму о Парвати.

— И тебе стало легче?

— Да. Мне было необходимо... отпраздновать... ее смерть. Не знаю, понимаешь ли ты меня.

— По-моему, да.

— Иногда мне кажется, Лиза, что я так никогда и не пережил по-настоящему ее смерть. Я ее опоэтизировал, возвел в нечто нереальное, в нечто прекрасное. Я обязан был выстрадать все до конца, а не уходить в стихи.

— Мы бы все поступали так, если б могли.

— Кто знает. Но осталась какая-то неопределенность, какая-то фальшь. Мне кажется, я из-за этого не способен писать. Будто на мне проклятие. И в то же время мне кажется, что по-настоящему пережить ее смерть для меня слишком невыносимо, даже теперь.

— Возможно, тебе это еще предстоит — когда придет время.

— Ты могла бы помочь мне. Я бы мог пережить все заново, с тобой.

— Нет-нет, я не подхожу... Мне нельзя этого касаться... По совсем другим причинам.

— Лиза, ты единственная, кого я способен сравнить с Парвати... Это всему придало бы смысл.

— Нет. Тут я тебе не помощник.

— Лиза, ты не можешь бросить меня теперь, когда ты обрела меня, это непостижимо. Мы же умные люди. Все в наших силах. Ты мне обещаешь, что не уедешь?

— Нет, я не могу обещать этого, Майлз.

— Ну пообещай хотя бы, что ты не уедешь завтра же!

— Завтра я не уеду, обещаю.

— Слава Богу. Завтра мы как следует все обсудим. Мы должны стать хозяевами положения, Лиза. Нам нельзя отступаться.

— Ну, иди, Майлз, пожалуйста. Диана проснется.

— Хорошо. Дай мне поцеловать тебя. Господи, я же ни разу в жизни не поцеловал тебя!

В темноте они неуверенно, неловко нашли губы друг друга.

— Ну, иди же, иди.

— Милая, не измени, не предай.

— Ну, пожалуйста, уходи.

— Пообещай, что будешь стараться все преодолеть. Мы вместе будем стараться. Мы победим.

— Иди, Майлз.

— До завтра, Лиза. Скажи: «До завтра».

— До завтра.

Майлз, спотыкаясь, вышел. Его переполняла радость. Он опустился на колени прямо на ступеньках между площадками и закрыл глаза, голова у него кружилась, он задыхался от счастья.

Через несколько минут он встал, на цыпочках поднялся по лестнице и открыл дверь спальни.

Шторы были раздвинуты, комнату слабо освещал уличный фонарь. Диана лежала на спине, вытянув руки по бокам поверх одеяла. Входя, Майлз увидел, как поблескивают ее открытые глаза. Он подошел к кровати, посмотрел на Диану. Дотронулся рукой до ее щеки. Она была мокрой от слез.

— Привет.

— Привет.

— Никогда уже не будет как раньше, Майлз. Никогда, никогда, никогда.

Майлз разделся и лег. Он лежал на спине рядом с женой так же неподвижно, как и она, вытянув по бокам руки. Никогда, никогда, никогда. Темная волна радости вновь захлестнула его и разлилась сладкой болью по всему телу.

ГЛАВА XX

Бруно держал Лизу за руку. В комнате был полумрак — шторы не пропускали сияющего за окном солнца.

— Видите ли, мне бы хотелось понять, что же я за человек.

— А может, этого вообще нельзя понять, Бруно.

— Я хочу разобраться в своих чувствах, собрать их в фокус.

— Вряд ли можно ясно судить о прошлом. В каждом человеке столько всего намешано.

— Да, во мне, старике, ох как много всего намешано, дорогая, столько грязи, неразберихи.

— Да это у всех так. А если и пытаются отчетливо что-то вспомнить, то за этим всегда стоит определенная цель: месть, или самоутешение, или еще что-нибудь такое.

— Все проходит.

— Пусть проходит.

— Но что же было на самом деле? Как поступила Джейни с Морин?

— Вам не дано этого знать. Возможно, вы были только эпизодом в жизни Морин.

— Да, наверное.

— Вы, кажется, разочарованы! Зачастую человек — лишь слепое орудие в руках других.

— Но в жизни Джейни я ведь не был эпизодом. Я разбил ей жизнь.

— В мире все происходит как происходит. Только подумайте, насколько все случайно.

— Вы считаете, я могу себя простить?

— Да ведь и вопрос так не стоит. Все произошло как произошло. Мысль о греховности человека просто удобна.

— Я был ее злым демоном.

— Человек не может быть демоном. Он гораздо сложнее.

— Я должен был прийти к ней, когда она умирала.

— Есть вещи, которых уже не изменишь. Постарайтесь забыть об этом.

— Но я не могу об этом забыть. Это во мне. Здесь. Это я сам.

— Вы слишком погружены в себя.

— Ну а как же еще я мог бы жить, дитя мое?

— Живите окружающим. Отвлекитесь от себя. Не будьте рабом своих переживаний. Обратите свои мысли на что-нибудь другое, на что-нибудь хорошее.

— Рабом своих переживаний? Да, я так измучен тем, что все кручусь и кручусь вокруг одного и того же.

— Размышляя о прошлом, мы обычно пытаемся представить себе, как все могло бы сложиться к лучшему, и досадуем, что не сложилось. И вот эту-то досаду мы чаще всего и принимаем за раскаяние.

— И знаете, что мучит меня даже больше, нежели то, что я не пошел к Джейни?

— Что?

— Насмешки соседей.

— То есть?

— Когда Джейни вошла к Морин и захлопнула за собой дверь, помните, я вам рассказывал... а, нет, я не стал вам рассказывать, очень уж это было унизительно. Так вот, когда Джейни заставила меня повести ее к Морин, она вошла в квартиру Морин и заперла передо мною дверь. Я слышал, как Морин заплакала, и стал стучаться, тогда и выглянули соседи. Они смеялись надо мной.

— Бедный Бруно.

— Самое несущественное вдруг становится самым важным.

— Демон не проявил бы такой чувствительности. Вот видите, разве можно тут что-нибудь прояснить?

— Если бы существовал Бог, это следовало бы предоставить ему.

— Да, конечно, если бы существовал Бог, это следовало бы предоставить ему.

— Вы верите в Бога?

— Нет. Послушайте, Бруно. Майлз придет навестить вас. Будьте с ним поспокойней, он вам ничего плохого не сделает.

— Наверное, я хотел совершить вместе с ним некий ритуал, нечто вроде заклинания духов. Забавно, я ведь уже забыл, совершенно забыл, как он взбесил меня!

Они рассмеялись.

— Будьте с ним помягче.

— Вы любите Майлза?

— Да.

— Ему повезло. А та женщина, что приходила с вами, это ваша сестра?

— Да.

— Она живет с вами?

— Да.

— Майлз не возражает?

— Нет.

Лиза провела своей прохладной рукой без обручального кольца по мягкому, влажному, изрытому глубокими морщинами лбу Бруно и по лысому, блестящему, костистому черепу, дотронулась до полукружья тоненьких шелковистых волос у самой шеи.

— Я не пугаю вас, моя милая?

— Ну что вы!

— Знаете, я даже в зеркало не решаюсь посмотреть. И запах от меня, наверное, отвратительный.

— Нет.

— Вы слышали, даже глубокие старики продолжают испытывать влечение.

— Да, я знаю.

— Мне так приятно прикоснуться к вашей руке.

— Я рада это слышать. Я вам сейчас кое-что скажу, вы даже не поверите.

— Что?

— Вы еще очень привлекательны.

Слезы хлынули по неровным, бугристым щекам Бруно, омочили седую разросшуюся бороду, которая уже более походила на мех, чем на щетину. Пока росла щетина, она больно кололась внутри глубоких морщин и вмятин на уродливом лице. Однако Бруно больше не настаивал на том, чтобы Найджел брил его. Это уже не имело для него значения.

— Мне пора, Бруно.

— Вы разминетесь с Денби. Он должен быть через полчаса.

— Что поделаешь. Ничего, что я пришла без предупреждения?

— Нет, это такой приятный сюрприз. Прекрасное видение.

— Да, привидение.

— Небесное видение.

После того как Лиза ушла, Бруно откинулся на подушки и потрогал бороду. Когда-то он носил усы, это было очень давно, он тогда ухаживал за Джейни. Бороды он не носил никогда. Она колется и щекочет. Но, в конце концов, она тоже имеет свои преимущества. Борода удлиняла его круглую, как луна, голову и придавала ему более человеческий вид. Конечно, Лиза ему солгала, но это так приятно. Ее неожиданный приход оставил столько радости, теперь у него столько новых и приятных тем для размышлений. Замечательно, что его еще радуют сюрпризы и будоражат новые мысли. Может быть, доктор и прав, решил Бруно, может быть, я еще и протяну немного. Он потянулся к «Паукам России».

— Я убью Найджела!

— Его нет дома.

— И скажи этому свинье Денби, пусть теперь обходится без меня. Я еще доберусь до него, вот только разделаюсь с Найджелом.

— Не ори, Уилл.

— Написать мне такое унизительное письмо! «Будьте так добры вернуть марку, и, если небольшая ссуда могла бы решить ваши проблемы, я был бы рад вам ее предоставить!»

— Ты мне так и не отдал марку.

— На тебе твою паршивую марку. Лучше б ты с ней не связывалась.

— Это же была твоя идея.

— Ну хватит!

— Осторожнее, фотоаппарат разобьешь об стол.

— Пошел он, этот аппарат. Все из-за него.

— Ты тут, конечно, ни при чем.

— Заткнись, Ади, а то я тебе сейчас врежу.

— Уилл, перестань орать, уходи, ради Бога. Ты же знаешь, мне ни к чему, чтобы ты здесь торчал.

— Если так будет продолжаться, ты меня вообще больше не увидишь.

— Господи, ты сведешь меня в могилу.

— Туда тебе и дорога. Ну что ж, привет!

Уилл снял через голову ремешок от футляра и в бешенстве швырнул фотоаппарат на каменный пол. Затем выскочил из кухни, взбежал по ступенькам и с грохотом захлопнул за собой дверь. Аделаида разрыдалась.

Потом она вытерла стакан, стоявший в сушилке, и направилась к буфету. Утром она купила в «Шарике» полбутылки джина. Джин немного ее подкрепил.

С Денби она не виделась. Дверь своей комнаты, так же как и дверь кухни, она самым решительным образом держала на запоре. Она слышала его шаги за дверьми. Денби дважды стучался и звал ее, но она не откликнулась. В ней все росла отчаянная потребность поговорить с ним, но вынести снова его испуганный, сочувственный взгляд она была не в силах. Увидеться с Денби она смогла бы, если б у нее было что ему противопоставить, если бы у нее имелся план, существовала бы позиция, но у нее не было ни плана, ни позиции, одни только слезы и безысходное горе. Она обрадовалась Уиллу, но, конечно, в итоге они опять поругались.

Наплакавшись и выпив джина, Аделаида подняла с пола фотоаппарат. Наклонясь, она ощутила, какое у нее негнущееся, тяжелое, постаревшее тело. Интересно, разбился фотоаппарат или нет? Должно быть, разбился. Тем не менее, когда она его потрясла, в нем ничего не гремело, может быть, он еще был цел. Аделаида повесила фотоаппарат на шею и снова заплакала.

Через некоторое время она услышала, как кто-то спускается по ступенькам. Еще раньше, днем, она слышала, что кто-то, поднявшись по лестнице, вошел к Бруно, и решила, что это Найджел, хотя потом благоразумно сказала Уиллу, что Найджела нет дома. Аделаида вышла и остановилась возле лестницы. Может, предупредить Найджела?

В прихожую спустилась Лиза Уоткин и вышла на улицу. Поколебавшись какой-то миг, Аделаида устремилась следом за нею.

Она нагнала Лизу, когда та уже поворачивала на Ашбернхем-роуд.

— Мисс Уоткин...

— А, здравствуйте.

— Можно вас на минутку?

— Да, конечно. Надеюсь, вы не сердитесь, что я прямо поднялась к Бруно? Я не стала звонить у дверей, потому что боялась разбудить его, если он спит.

— Я не об этом. Я хочу вам кое-что сказать.

— Да, пожалуйста. Насчет Бруно?

— Нет, насчет Денби.

— Насчет Денби?

— Да. Видите ли, я все о вас с ним знаю.

Лиза слегка ускорила шаг, лицо у нее приняло холодное, напряженно-недоумевающее выражение, которое привело Аделаиду в ярость.

— Понятия не имею, что можно знать обо мне и Денби.

— Да уж будто бы. Вам прекрасно известно, что он готов сделать вам предложение. Он написал вам письмо.

— Вот как?

— Или вы отрицаете это?

— Не смейте говорить со мной в таком грубом обвинительном тоне.

— Ну, это уж вам придется стерпеть.

— Я терпеть ничего подобного не намерена. Вы явно заблуждаетесь. Я не собираюсь с вами об этом говорить.

— Просто нос дерете, а самой небось до смерти хочется узнать, что я скажу.

— Если у вас есть что сказать, говорите.

— Ну вот видите! Так вот, прежде чем начать крутить с Денби, не вредно вам кое-что узнать о нем.

— Вы обратились не по адресу, полагая, будто я собираюсь «крутить» с Денби. Я с ним едва знакома.

— Хватит врать-то. Как бы то ни было, держитесь от него подальше. Денби мой любовник. Я с ним живу. Уже несколько лет.

— Не могу понять, с чего вам вздумалось оповестить меня об этом. Меня это совершенно не касается и нисколько не интересует. Я вижу, вы расстроены, и очень сожалею, что говорила с вами резко. Пожалуйста, возвращайтесь домой. Вы можете понадобиться Бруно.

— Я вам не прислуга, мадам. Вы что, не верите? Спросите у Денби, спросите-спросите.

— Я не собираюсь видеться с Денби. Вам не из-за чего огорчаться. У меня нет ни малейшего намерения вмешиваться в ваши дела. И будьте добры не беспокоить меня больше всей этой чепухой. До свидания.

Они вышли на Кингз-роуд. Лиза быстрым шагом направилась к уличному перекрестку и перешла дорогу, оставив Аделаиду на тротуаре. Аделаида постояла минуту-другую и побрела обратно. Потом остановилась, сняла фотоаппарат, который болтался у нее на шее, и в бешенстве швырнула его оземь. На этот раз он разлетелся вдребезги, и осколки угодили в сточную канаву. Там они и остались.

ГЛАВА XXI

Было воскресенье, Майлз брел под дождем по наводненной людьми Фулем-роуд. Уклоняясь от встречных, он шел сквозь толпу, рассеянно глядя перед собой. Голова его была непокрыта, мокрые волосы слиплись, капли дождя сбегали по лицу, словно слезы. Поравнявшись с неприметным входом в церковь сервитов[1], он машинально вошел в нее. Нужно было где-то посидеть и подумать.

---

[1] Сервиты — члены религиозного ордена, основанного флорентийцами в 1240 г.

Майлз побывал у Бруно. На этот раз все кончилось благополучно. Майлз повинился и почти не покривил при этом душой. Бруно рассказал какую-то путаную историю о том, как потерялась марка и как Денби нашел ее под половиком на лестнице. О женщинах речи не заходило. Они говорили с Бруно о чем придется, перескакивая с одного на другое, что Бруно, кажется, находил вполне естественным. Поговорили об их бывшем доме на Фосетт-стрит, Майлз сказал, что он сдается сейчас внаем. Поговорили о типографии, о работе Майлза, о состоянии экономики. Вспомнили о собаке по кличке Самбо, которая жила у них, когда Майлз был маленьким. Майлз спросил, не хочет ли Бруно завести кошку, а то у одних знакомых как раз прелестные котята, но Бруно отказался, потому что к кошке очень привязываешься, а она или сбежит, или ее задавят. Они обсудили различие между собакой и кошкой. Потолковали о пауках. Этакий легкий, непринужденный разговор. Бруно судил обо всем здраво, держался естественно и выглядел не столь устрашающе. Они не касались тяжелых событий прошлого, а предавались лишь самым невинным воспоминаниям, от которых веяло легкой печалью. Майлз и думать забыл о Самбо. Он ушел от Бруно взволнованным, с каким-то странным чувством острой жалости к себе.

Майлз отвлекся от мыслей о Бруно. Он прошел через коридор, вступил в залитое холодным светом помещение церкви и услышал меланхоличный, заунывный псалом, но, постояв немного у входа, сообразил, что это не служба как таковая. Должно быть, где-то в дальнем конце церкви репетировал невидимый хор. Церковь была почти пуста, лишь кое-где за темно-красными гранитными колоннами молящиеся стояли на коленях перед гробницами в темных сводчатых нишах. Однообразное пение смолкло, сменившись глубокой тишиной. Майлз хорошо знал эту церковь. Он и раньше заходил сюда подумать. Он снял мокрый плащ и повесил его на спинку передней скамьи... Сел, отер платком лицо и волосы.

Как же быть с Лизой? В субботу она уклонилась от встречи с ним, уехав на работу рано утром и вернувшись поздно вечером. Сегодня утром ему удалось застать ее в саду, и она сказала только:

— Я должна уехать. Не нужно ничего начинать, не нужно.

Но это ведь невозможно, все уже и так началось. В субботу вечером, когда Лиза демонстративно обосновалась с Дианой в гостиной, Майлз ушел к себе в кабинет. О чем они там говорили? А может быть, и не говорили вовсе. Перед тем как отправиться спать, он тронул ручку Лизиной двери. Дверь была заперта.

После того краткого разговора с Дианой, когда он явился в спальню под утро, Майлз больше ни словом не обмолвился о случившемся. Конечно же, Диана поняла, что произошло между ним и Лизой. Все это было в высшей степени очевидно: взгляды, вздохи, многозначительные прикосновения. Диана сказала:

— Я всегда знала, что в один прекрасный день это случится.

Майлз ей не поверил. Он не верил, что Диане когда-нибудь могло прийти в голову такое.

— Она гораздо больше подходит тебе, чем я. Вам нужно уйти вместе, — добавила Диана.

— Чепуха, — ответил Майлз. — Я женат на тебе. Не болтай.

Они лежали друг подле друга неподвижно, без сна, пока не рассвело.

Сначала Майлз размышлял так: поскольку абсолютно невозможно представить себе, что с кем-нибудь из сестер придется расстаться, то об этом и думать нечего. Вопрос сводился к тому, как все устроить, как обставить. А вовсе не к тому, можно ли и нужно ли что-то устраивать. К счастью, скрывать было уже нечего. В субботу днем он пребывал в уверенности, что все очень просто, что он выбрал единственно верный путь, и его переполняла сумасшедшая радость. Он был даже доволен, что ему пришлось пойти на работу; исполняя привычные служебные обязанности, он размышлял о Лизе мечтательно, отвлеченно, не строя никаких планов.

Однако субботний вечер, особенно когда сестры остались вдвоем в гостиной каждая со своей книжкой, дал ему почувствовать, что для них все не так просто. Он постоял в дверях, глядя на их опущенные головы — темную и светлую, но ни одна из сестер не подняла на него глаз. Обе женщины самым демонстративным образом склонились над своими книгами. Прошагав в своем кабинете с километр на пространстве длиной в три шага, Майлз подумал было: а что если спуститься потихоньку и послушать, не говорят ли они обо мне? Но мысль эта показалась ему отвратительной, точно дурной сон.

И понемногу он стал осознавать всю безысходность положения. Он понял, что до сих пор все казалось ему просто только потому, что он подходил к решению вопроса со своими мерками, словно дело заключалось в нем одном. Ему надлежало уяснить себе, с какой из женщин он намерен остаться, а какую бросить, и действовать соответственно; и хотя у самого у него не было намерений на сей счет, его, вне всякого сомнения, ставили перед необходимостью на что-то решиться. Будь он хозяином положения — ему припомнились эти слова из разговора с Лизой и снова вдруг показалось, что все хорошо, — будь он хозяином положения, он бы ничего не менял, он удержал бы в объятиях любви и Лизу, и Диану. Это было бы триумфом любви.

Только теперь он вдруг понял, что переживали обе женщины, и заскрежетал зубами от боли и ужаса. Диана любила его глубоко, безраздельно, она была его женой, многие годы делила с ним супружеское ложе. Они столько говорили о Лизе, точно были ее родителями. Участливо, снисходительно толковали о неудачливой монашке, о птице с перебитым крылом. Они беспокоились о ней и рассуждали об интимной стороне ее жизни, задавались вопросом, уж не лесбиянка ли она, размышляли, как позаботиться о ней и как ей помочь. Могла ли вынести Диана внезапное чудовищное изменение домашнего статута Лизы? Ведь они были так привязаны друг к другу. Чем же все это кончится? И Лиза, с ее твердыми понятиями о долге, с ее бескомпромиссностью, разве может она разбить жизнь сестре? В своих зыбких представлениях о возможности их всеобщего счастья Майлз попросту не учитывал законных прав Дианы и принципов Лизы. Какие блаженные были дни, подумалось ему, когда мы просто жили под одной крышей, ни о чем таком не ведая. Но Лиза все это время страдала.

Полная неразрешимость. Он не мог оставить Диану. Он не имел ни малейшего желания ее оставить. Он любил ее, она была нужна ему, она спасла его от одиночества, она была ему предана и верна, его связывали с ней прочные узы долга и по-настоящему глубокой супружеской любви. Сестры были совершенно разные. Он любил их обеих, но любил по-разному. Почему не существует установления на такой вот, по сути дела, обыкновенный случай? Однако и тогда, и сейчас для него было несомненно то, что он сказал Лизе: «Ты — моя единственная». Это не было кощунством по отношению к Парвати. Ей было двадцать три, а Майлзу теперь — пятьдесят пять. Парвати бы поняла его, Лиза действительно близка ему, близка по духу, с Дианой у него такой близости не было. Конечно, с болью подумал он, встреться он с Лизой раньше, чем с Дианой, он бы женился на Лизе.

Предположим, он снимет Лизе квартиру в другом районе Лондона. Он смог бы одну часть недели проводить у нее, другую — у Дианы. Сначала это выглядело бы странно, но потом они бы привыкли и это стало бы казаться естественным. Но как только Майлз начал представлять себе все в деталях, он понял, что это низкая мысль.

Он не мог просить Диану, которая жила заботами о нем, ждать его, по нескольку дней терпеть его отсутствие, хотя она уже знала бы то, о чем предпочла бы не знать, — что он у Лизы. К тому же он понял, что и Лизе предлагать не все, а только половину — чудовищно. Ведь еще в самом начале он решил, что сердце его принадлежит ей безраздельно. В его воображении подспудно начали вырисовываться катастрофические последствия, к которым все это могло привести. Майлз не выдержал и подумал в отчаянии: а что если я просто возьму и убегу вместе с Лизой?

— Kyrie eleison, Kyrie eleison, Kyrie eleison, — снова запел хор, утомляя Бога своей молитвой, резкой, назойливой, пронзительной, точно птичий грай. Или, скорее, это пение напоминало какую-то работу, тяжкий, изнурительный, скрупулезный труд. Счастлив, кто верит, что стоит помолиться — и тебе помогут или если не помогут, то хотя бы ты будешь услышан. Если бы и в самом деле существовал всеведущий разум, с которым он мог бы поделиться своими проблемами, пусть бы даже этот разум молчал; одно сознание того, что верное решение существует, могло бы успокоить его. И он догадался, что решения, видимо, нет и все его попытки найти выход напрасны, как напрасны попытки править лошадьми в упряжке с опрокинутой телегой. Майлз неожиданно увидел привычный мир, повергнутый в хаос, стоит только упразднить в нем привычные обязательства. А может быть, все привычные обязательства — фикция и вся наша суетная жизнь зиждется на условностях?

Майлз наклонился, закрыл руками глаза. Ему вспомнилось — или, скорее, явилось, точно галлюцинация, — как он получил известие о смерти Парвати. Кто-то из знакомых принес ему газету, в которой были опубликованы имена погибших. Майлз тотчас же выпроводил этого человека. Остался один в прихожей, с газетой в руках. Он поверил сообщению сразу. Надеяться на ошибку было бы слишком мучительно. И, как теперь казалось Майлзу, его ум с первой же минуты начал изобретать уловки, дабы увильнуть от ясного понимания того, что произошло. Его извиняло одно: это была защитная реакция, чтобы не лишиться рассудка. Он поступил, как поступают в подобных случаях и другие, но только более утонченно: не прошло и трех дней, как он сел за поэму. Он работал над ней больше года. Он изливал свою боль.

Странно, что через всю жизнь, которая по большей части казалась теперь такой тусклой, он пронес глубокую веру в свое поэтическое призвание. Перед самой смертью Парвати он опубликовал книжку своих юношеских стихов. Время от времени он печатал стихи в журналах. Потом выпустил еще один небольшой сборник. Его стихи вошли в антологии. Но он всегда чувствовал, что все это только прелюдия. Он никогда не переставал верить в то, что его Дуино[1], приход великого Бога, еще впереди, даже вопреки тому,

---

[1] Название замка на Адриатическом море, где австрийский поэт Райнер Мария Рильке (1875—1926) написал свой знаменитый цикл стихов «Дуинские элегии» (1923).

что это казалось все несбыточнее. С годами ум его притупился, он стал склонен к сибаритству, потерял целеустремленность. По возвращении с работы его ждал дома обед, херес, расставленные повсюду цветы. Даже появление Лизы не пробудило его. И только позже, когда он начал вести «Книгу замет», смутная вера в свои поэтические силы переросла в отчаянную надежду. Но не обманывался ли он опять? Не был ли он обязан проснувшейся в нем жизнью, обостренным постижением бытия появлению в доме Лизы, подспудной своей дремлющей любви к ней? Может быть, Лиза, а вовсе не поэзия — главное его предназначение?

Kyrie eleison, Kyrie eleison, Kyrie eleison, Christe eleison, Christe eleison, Christe eleison[1].

Не ошибаюсь ли я в себе, думал Майлз. Любовь — l'amour fou[2] — в высшей степени духовное состояние. Платон считал, что любовь приобщает нас к духовной жизни; только влюбленные способны испытывать всю силу и власть любви как таковой — о ней не ведают те, кто влачит обычное, серое существование. Но любовь также вызывает к жизни и вдохновляет жадное, страстное «я». Любовь способна вынести страдание, любые лишения, разлуку, боль, от всего этого она только усилится; но чего она не может вынести, так это смерти, полной утраты. Смерти ей не вынести никогда, она всегда отшвырнет ее прочь, преобразит, завуалирует. Майлз напрягся: ключ

---

[1] Христос, помилуй (греч.).
[2] Безумная любовь (фр.).

к решению, должно быть, следует искать где-то здесь, сказал он себе, но где? Как все это связать воедино? Я уже не понимаю, о чем я. Это какая-то бессмыслица, бред.

Он опустился на колени, как будто кто-то надавил на его плечо. В последние годы, случалось, он становился на колени в церкви, всегда отдавая себе отчет в том, что это потребность скорее чисто эмоциональная и, следовательно, куда больше связанная с чувственностью, нежели с благочестием. Но сейчас он не осознавал своих действий. Эрос и Танатос столь же несовместимы, сколь и нераздельны. Употребив свой талант, который он почитал священным, на то, чтобы преобразить смерть Парвати, пережить ее, он поступил, как свойственно человеку, и это простительно; но все же ему казалось, будто неотвратимое преступление направило всю его жизнь по ложному пути. Конечно, он действительно любил Парвати, это была всепоглощающая любовь и в то же время первая страсть молодости. Но такая любовь не готова устоять перед смертью, она потерпела полное поражение. Только почему это волнует его до сих пор, кажется столь живым и близким, столь важным? Неужели ему предстоит пережить все еще раз? Бред, думал Майлз, сущий бред.

Он сознавал, сознавал с отчаянием и страхом, что настоящее искусство невозможно без мужества, смирения и целомудрия, и порой, в самые отчаянные минуты своих долгих бдений, он со всей безжалостностью понимал, что постоянные неудачи — закономерное следствие его лени, посредственности, врожденной любви к удобствам. Он ясно видел перед собой моральный барьер, который нужно было преодолеть и который преодолеть он был не в силах. Оставалась ли у него еще хоть какая-то возможность выкроить лучшую половину души и избавиться от худшей? Майлз знал — этого очень трудно достичь, почти невозможно. Человеческая душа — топь, болото, джунгли. Только из запредельных далей, как мечта, как неотвязное видение, мог явиться человеку образ истинной любви, любви, что приемлет смерть, любви, что живет после смерти.

Лиза, Лиза. Я не могу отступиться от тебя и не отступлюсь. Но как, как жить со всем этим, станет ли видение истинной любви его союзником, поможет ли решить его сложные, мучительные проблемы? Kyrie eleison, Kyrie eleison, Kyrie eleison. Помоги мне, помоги, молился Майлз, в отчаянии прижимая руки к глазам. В этот момент он не чувствовал, что молитва его остается неуслышанной, но в глубине души с безнадежным отчаянием понимал, что божеством, которому он молился, был его собственный поэтический бог, и помочь ему сейчас этот бог бессилен.

ГЛАВА XXII

Денби шел по Кемсфорд-Гарденс. Было воскресенье, около десяти часов вечера. Лил дождь, врываясь в свет уличных фонарей плотными, блестящими и шипящими, как множество граммофонных игл, струями. Денби шел, ничего не замечая вокруг; плащ на нем был расстегнут, дождь струился по волосам, стекал за воротник. День он провел в каком-то исступлении, ничего не мог есть, ему хотелось заболеть, но заболеть он был не способен. Денби был вне себя оттого, что не застал Лизу, он чуть не застонал, когда Бруно безмятежно сообщил ему, что она приходила. Денби отправил ей еще два письма. С Аделаидой он не виделся, мысль о ней вызывала у него страх и чувство вины. Он испытал облегчение, когда она не открыла дверь на его стук. Он написал ей записку, в которой выразил надежду, что ей уже лучше, а потом нашел на лестнице эту записку, разорванную на мелкие кусочки. В субботу и воскресенье, поскольку Лиза предупредила Бруно, что не придет, Денби с утра до вечера бесцельно слонялся по городу, то и дело заглядывая в питейные заведения. И теперь он был уже пьян в стельку.

Сидя в «Шести колоколах» на Кингз-роуд, он попытался написать письмо Диане. Вот что у него получилось:

Дорогая Диана!

Ты решишь, что я спятил, но я влюбился в твою сестру. Я не могу тебе всего объяснить. Но поверь, что это по-настоящему. Пожалуйста, прости мне мои заигрывания. Я вел себя несерьезно и жалею об этом. А то, другое чувство очень серьезное. Прости меня и забудь.

Денби.

Он некоторое время смотрел на письмо, возя по нему стаканом. Потом порвал его. Он не мог написать такое Диане. Слишком уж это отдает дешевкой. Какая глупость — просить забыть его! Потом он подумал еще об одном важном обстоятельстве: а вдруг письмо попадет к Майлзу? Майлз и так о нем невысокого мнения, и без этого дополнительного свидетельства его любви к развлечениям, тем более что на сей раз речь шла о собственной жене Майлза. Лучше уж Майлзу ничего не знать. Майлз, вне всякого сомнения, относится к Лизе как брат. Он и теперь будет против Денби, и по тем же самым причинам. И он опять-таки совершенно прав, думал Денби, он совершенно прав; но я люблю Лизу, а это меняет дело.

А почему, собственно, меняет? Любовь не сделает Денби более подходящей парой для Лизы, он не обратится в трезвенника, не станет респектабельнее. Разве кому-нибудь объяснишь, что эта любовь излечила его от легкомыслия? Если б только Лиза не застала их с Дианой! Письмо Диане потому и отдавало дешевкой, что и на деле все происшедшее между ними было дешевкой. Снедаемый самоуничижением, Денби таскался по улицам под проливным дождем, ожидая, когда откроются вечерние бары. Немыслимая дерзость с его стороны влюбиться в эту женщину. В нем нет ничего, что могло бы ее заинтересовать. Хотя Денби давно уже начал терять свою несколько вызывающую, чисто внешнюю привлекательность, в глубине души он по-прежнему был убежден в своей неотразимости. Благодаря любви к нему бедняжки Аделаиды он воображал, что помани он пальцем — и любая женщина будет его. Он оплыл, постарел, волосы его поседели, лицо задубело от постоянных возлияний. Он был смешон, жалок, дурно одет, так что рассчитывать на успех ему совершенно не приходилось, и, продолжая домогаться Лизы, он только длил бессмысленную пытку.

Но любовь всегда глуха к подобным доводам, и самоуничижение странным образом уживалось в нем с удивительной самонадеянностью. Через час-два после открытия вечерних баров ему уже казалось, что впереди у него что-то чудесное и неожиданное. Это чувство, подкрепленное еще несколькими стаканчиками виски, и привело его теперь на Кемсфорд-Гарденс.

Денби стоял под дождем, слегка покачиваясь, снова и снова пытаясь определить, тот ли это дом. Света в окнах не было. Вряд ли все уже легли спать. У него было смутное представление о том, который теперь час, но, судя по тому, что бары были еще открыты, не такой уж поздний. Он взошел по ступенькам и взялся за ручку двери. Но тут же испугался и от волнения даже слегка протрезвел. Что же он такое делает, черт возьми? Денби спустился на ступеньку ниже и осторожно заглянул в щелку для почты. В прихожей виднелась полоска света, выбивающаяся из-под закрытой двери. Денби выпрямился, погладил крашеную дверь. Протянул руку к звонку, но нажать на кнопку не решился.

Наверное, не стоит показываться ей на глаза, подумал он. Я слишком пьян. Она только рассердится, если я предстану перед ней в таком виде. И потом, там Майлз и Диана. Что-то подсказывало Денби: пусть Лиза еще немножко подумает. Нужно подождать, пока она ответит на его письма. И опять что-то подсказало ему: сейчас я могу еще надеяться, давать волю воображению. А если я увижусь с ней, она может отнять у меня всякую надежду. Он отошел от двери. Но сознание того, что она рядом, точно магнитом притягивало его к этому дому, удерживало, словно невидимая цепь. На глаза ей показываться не стоило. Но и уйти было невозможно. Он постоял немного в нерешительности. Только взглянуть бы на нее незаметно, только взглянуть.

Участки на Кемсфорд-Гарденс спускались террасами, проходов между ними не было. Денби свернул на Олд-Бромптон-роуд. Оттуда, наверное, можно подойти к дому сзади. Он миновал гаражи и увидел тот же ряд домов с обратной стороны, их окна неровно светились в мерцающем дождливом сумраке. Огороженные каменными заборами сады примыкали к садам по Эрдли-Кресит; ни проходов, ни калиток видно не было. Денби прикинул высоту ближайшего забора. Не долго думая, взобрался на него. Сейчас ему было все нипочем, он мог бы запросто вскарабкаться и на собор Святого Павла. Он соскользнул вниз, весь перепачкавшись. Тяжело ступая, пересек темный сад и взобрался на следующий забор. С минутку он посидел на нем верхом. Так что же он хотел сделать? Ах, да. Только нужно снова установить, где их дом. Он уже сбился со счета. Кто-то открыл окно у него за спиной, и он свалился в густые колючие кусты

238

другого сада. Выбираясь, он услышал треск, порвались брюки. Здоровенная колючка вонзилась ему в ногу. Кое-как продравшись сквозь кусты, Денби огляделся. Там, где свет от незашторенного окна падал на поникшую от дождя траву, виднелся забор, за ним мог быть еще забор, а потом — еще и еще.

Денби был с головы до ног в кирпичной пыли, осколки кирпича набились ему в башмаки, карманы. Он споткнулся о какой-то предмет, опрокинул его и только тут разобрал, что разбил хитро ухмыляющегося гномика в красном колпаке. В саду у Майлза ничего подобного быть не могло. Куда же он попал? На следующий забор он вскарабкался, уже слегка отдуваясь, и спустился с него по толстому стволу глицинии, который громко под ним затрещал. Он вдруг почувствовал усталость и слабость, ему уже не хотелось штурмовать собор Святого Павла. Саднило колено, которое он, должно быть, где-то ушиб. Денби стоял посреди лужайки, тяжело дыша и пытаясь вытащить из ноги колючку. Но вот в скудном свете, падавшем из окон ближнего дома, он различил тисовую арку, неровные очертания невысокого кустарника и блестящую от дождя асфальтовую площадку. Колючку наконец удалось вытащить.

Освещенная изнутри балконная дверь была плотно зашторена. Денби, боясь, что слишком расшумелся, стал потихоньку продвигаться вперед; он перешел с травы на асфальт. Подошвы его башмаков прилипали к мокрому асфальту, отчего шаги сопровождались легким причмокиванием. Но этот негромкий звук заглушался шумом дождя. Шторы наглухо закрывали балконную дверь, но посредине оставался узенький просвет. Денби нетерпеливо притронулся к стеклу и вздрогнул, ощутив его непрочность: для пущей устойчивости он широко расставил ноги и наклонился, изо всех сил стараясь хоть что-нибудь увидеть в щелку между шторами. Он осторожно подался еще чуть-чуть вперед, и ему удалось заглянуть в комнату. Перед ним предстала мирная картина. Майлз, Лиза и Диана сидели, склонясь каждый над своей книгой. Майлз и Диана устроились в креслах по обе стороны камина, в котором едва горел огонь. Чуть поодаль на тахте сидела Лиза лицом к окну. Денби затаил дыхание и крепко прижал руку к груди, как бы пытаясь успокоить сильно бьющееся сердце.

Майлз, сидевший вполоборота к Денби, поднял голову от книги. Он взглянул сначала на склоненную голову Дианы, потом на склоненную голову Лизы. Диана подняла голову, и Майлз тут же уткнулся в книгу. Диана посмотрела сначала на склоненную голову Майлза, потом на склоненную голову Лизы. Лиза подняла голову, и Диана тут же уткнулась в книгу. Лиза посмотрела сначала на склоненную голову Дианы, потом на склоненную голову Майлза. Как только Майлз снова поднял голову, Лиза тут же уткнулась в книгу. Все молчали. Денби не сводил глаз с Лизы. Она сидела, подобрав под себя ноги, ее густые каштановые волосы падали на книгу. На ней было темно-синее прямое платье с отложным воротником, из-под которого выглядывал зеленый шарфик. Денби пришло в голову, что он впервые видит Лизу без плаща. Впервые видит ее в платье. Впервые видит очертания ее фигуры, ноги в нейлоновых чулках, изгиб ее коленей. На ногах у нее были мягкие домашние тапочки в сине-зеленую клетку. Денби вбирал в себя взглядом линии ее тела, округлость груди под темно-синим платьем, покатую выпуклость бедра, стройность лодыжки, и ему захотелось опуститься перед ней на колени и тихонько погладить ногу в клетчатой тапочке. Он закрыл на мгновение глаза. Открыв их снова, он увидел, что Диана испуганно смотрит в щелку между шторами.

Денби выпрямился и поспешно отошел от балконной двери, топча мягкую землю и влажные побеги. С асфальта он побыстрее перебрался на лужайку и большими неслышными шагами устремился прочь из сада. Перед ним выросла тисовая изгородь, и он, продравшись сквозь нее, очутился в узеньком промежутке между тисами и забором. Здесь он с шумом наступил на кучу сырых веток — должно быть, остатки от костра. Освещенные окна укоризненно глядели теперь на него со всех сторон. В неясном свете он различал забор, очертания крыш с трубами и деревьев, едва заметные полосы дождя на фоне красноватого зарева в ночном лондонском небе. Он принялся карабкаться на забор. Ему показалось, что забор стал выше. Денби попытался подтянуться на руках, но они были как ватные, и он рухнул все в тот же ворох обгоревших веток. Перед ним возник чей-то силуэт.

— Денби, это ты?

— Диана!

— Тсс. Тебя никто, кроме меня, не видел.

— Диана, прости, ради Бога...

— Говори тихо, не кричи. Как ты сюда попал?

— Через забор.

— Ну что ж, придется и обратно через забор.

— Да, конечно, Диана. Я так и хотел, а тут ты подошла.

— Ты что, совсем с ума сошел? Разве можно являться так поздно?

— Диана, я хотел написать тебе.

— Хорошо хоть Майлз тебя не видел. Потише ты, ради Бога. Ты что, на забор не можешь залезть?

— Да, трудновато что-то. Понимаешь, Диана, я хотел написать...

— Не надо ничего писать, идиот ты этакий. Ты же всегда можешь увидеться со мной днем. Позвони, и мы обо всем договоримся.

— Диана, я хочу объяснить...

— А я-то понять не могла, что с тобой. Думала, ты простудился или еще что-нибудь стряслось. А ты тут как тут!

— Диана, я должен...

— Ты пьян?

— Да.

— Ну так убирайся. Денби, дорогой, я вовсе не сержусь на тебя. Я все понимаю. У тебя сделалось вдруг тяжело на душе. Тебе нужно было повидать меня во что бы то ни стало. Я понимаю. А теперь, ради Бога, уходи!

— Диана, я...

— Давай не будем шуметь. Сейчас же уходи.

— Хорошо. Только я что-то ослаб. Не могу влезть на этот проклятый забор.

— Нужно подставить что-нибудь. Здесь где-то был ящик. Подожди минутку.

— А как я выберусь из следующего сада?

— Не знаю, черт побери. Ты выберись, главное, из этого.

— Ты не будешь возражать, если я захвачу с собой ящик?

— Ох, Денби. Вот...

— Тсс, Диана, по-моему, сюда кто-то идет.

— Нет там никого. Никто не видел, как я вышла. Помоги мне достать ящик.

Денби наклонился. Он увидел совсем близко мокрый рукав бело-розового плаща. Ящик, оказалось, был наполовину засыпан землей. Они начали вытаскивать его, он скрипел, из него с шумом посыпались камни.

— Тсс!

Денби подтащил ящик к стене. Влез на него.

— Ах, Денби, все это сущее безумие.

— Боюсь, это еще большее безумие, чем ты думаешь, дорогая.

— Осторожней, не сломай ногу.

— Ты вся промокла, Диана. Ступай домой. Я теперь выберусь сам.

— Дай руку.

Денби протянул ей в темноте руку, и Диана горячо сжала ее обеими руками. Он ответил на ее пожатие и побыстрее вырвал руку.

Вдруг в проходе между тисами вспыхнул луч фонарика и выхватил из темноты Денби, который как раз заносил ногу на забор.

— Что здесь происходит? — раздался голос Майлза.

Диана быстро отошла в сторону. Денби снял ногу с забора, но остался стоять на ящике. Яркий свет фонарика ослепил его, и он прикрыл глаза.

— Что это за комедия? — спросил Майлз. — За каким дьяволом ты залез в мой сад?

Денби не спеша спустился с ящика.

— Не слепи меня, пожалуйста.

Майлз опустил фонарик, его луч высветил нити дождевых струй, кружок потоптанной травы, разбросанную землю, остатки костра. И Денби увидел Майлза, который стоял перед ним с большим черным зонтом в руке.

— Прошу прощения, — сказал Денби.

— Ты не ответил на мой вопрос. Что ты тут делаешь?

— Я только хотел посмотреть...

— То есть подсмотреть?..

— Нет. Понимаешь, я не решился позвонить в дверь, поэтому полез через забор и...

— Хам паршивый, лазает через забор, ломает розы!

— И тут меня увидела Диана и...

— Где тебя увидела Диана? Что ты порешь?

— Он заглянул в окно, в просвет между шторами, — сказала Диана из темноты ровным, спокойным голосом.

Майлз направил на нее фонарик, посмотрел на ее забрызганные грязью ноги в домашних тапочках.

244

— Так какого черта ты мне ничего не сказала?

— Я не знала точно, кто это.

— И выскочила сюда одна, чтобы скрутить бандита?

— Ну, я, конечно, знала, что это Денби, но...

— Кажется, тут все с ума посходили.

— С вашего позволения, — сказал Денби, — я, пожалуй, пойду.

Он снова влез на ящик.

— Нет уж. Теперь я скажу тебе несколько слов.

— У меня нет настроения разговаривать, — сказал Денби.

Он занес ногу на забор.

— Да ты пьян!

— Ну да. И мне пора идти.

— Я знаю, зачем ты сюда приходил.

— Майлз... — произнесла Диана.

Денби опустил ногу на ящик.

— Майлз, — сказала Диана, — думаю, нам лучше спокойно объясниться...

Денби тяжело слез с ящика.

— Не стоит, Диана, *ничего* не объясняй. Скоро все само выяснится.

— Да, Диана, ты лучше иди, — сказал Майлз. — Ступай, пожалуйста, домой. И ничего не говори Лизе. Я сам разберусь с этим полоумным.

Диана слегка махнула рукой, как бы прощаясь, и бело-розовый плащ растаял во тьме.

На земле, между Майлзом и Денби, ярко выделялся кружок света от фонарика.

— Мне нужно сказать тебе кое-что, и я надеюсь, у тебя достанет порядочности сделать из этого должные выводы.

— Что? — спросил Денби.

— Ты ведь хотел увидеть ее?

Денби попытался собраться с мыслями. Кого Майлз имеет в виду?

— Да. То есть нет.

— Ты напился до безобразия. Ничего удивительного, что тебе стыдно было позвонить в дверь.

— Я никого не хотел тревожить, — сказал Денби. — Никого.

— Не беспокойся, встревожить ты никого и не сможешь. Хотя, должен признаться, что-что, а надоедать ты горазд.

— А почему это ты говоришь, что я никого не смогу встревожить?

— Потому что ты сейчас уйдешь и больше здесь не появишься.

— Может быть, мы не вполне понимаем друг друга? — спросил Денби. — Я хотел видеть Лизу.

— Знаю. Так вот, оставь ее в покое. И перестань донимать ее своими нелепыми письмами.

— Господи! Она тебе что, показывала их?

— Нет. Но она говорила, что ты написал ей уже несколько писем.

— Ну и что? Разве преступление — кого-то любить? И почему ты говоришь со мной таким тоном? Это не твое дело. Ты ей не отец. И даже не брат. Она взрослая женщина. Она свободна.

— Она не свободна. В том-то все и дело.

— Что ты хочешь этим сказать?

— Она связана. Ее сердце занято. Она любит другого.

Денби прислонился к забору. Дождь хлестал его по лицу, стекал за воротник холодными струйками, которые постепенно согревались на спине.

— Ты уверен?

— Да, я уверен. Жестоко говорить тебе такое, но ты должен это знать. Так что придется тебе оставить ее в покое.

Денби глубоко вздохнул. Он глядел на освещенный лиловый кружок мокрой золы, оставшейся от костра.

— Послушай, Майлз, я тебя понял. Но я ее люблю. Я не могу только потому, что ты мне сказал...

— Люблю!

— Она что — действительно помолвлена?

— Это тебя вообще не касается. Даже если бы она и не была связана, тобою она все равно не заинтересуется. Ты только раздражаешь ее. Надеюсь, теперь это прекратится.

— По-моему, ты не имеешь права мне приказывать, ты...

— Я знаю, как она относится к подобным вещам. Я просто сообщаю тебе об этом. Наверное, у тебя всю жизнь одна забота — пить да за женщинами волочиться. Но с Лизой ничего не получится. Советую тебе найти другое увлечение.

— Но у меня это серьезно, черт побери.

— Нет, ты несносен. Послушай, уходи. Убирайся из моего сада. Так же, как и пришел.

Кружок света на земле сместился, потом метнулся вверх, и Денби снова прикрыл глаза. Майлз опустил фонарик и выключил его, остался виден только зонт.

— Послушай, ну пожалуйста...

— Нам не о чем больше говорить. Я уйду, только когда ты перелезешь через забор.

— Черт возьми, я не просил тебя докладывать мне, что думает Лиза. Я буду делать то, что нахожу нужным.

— Если ты еще хоть раз увидишься с ней, это будет свинство с твоей стороны.

— Она не нуждается в твоей опеке! Ты-то тут при чем, Господи помилуй?

— Майлз, что там такое?

Между тисами мелькнул силуэт, приблизился к Майлзу и снова растворился в темноте живой изгороди. Дождь припустил с новой силой. Денби раскинул руки, прижался ладонями к шершавой поверхности забора.

— Лиза!

— С кем это ты разговариваешь?

— С Денби.

— А-а. Значит, я не ослышалась.

— Я велел ему уходить. Возвращайся-ка домой, Лиза.

— Подожди, Майлз.

Потоки дождя наполняли сад протяжными вздохами.

— Майлз, мне хотелось бы кое-что сказать Денби. Не оставишь ли ты нас на минутку?

— Лиза, не городи ерунды. Он пьян.

— Пожалуйста, Майлз!

— Этот дурак, того и гляди, что-нибудь вытворит.

— Нет-нет, — сказала Лиза.

— Ну, тогда идите в дом. Что за бессмыслица мокнуть тут и разговаривать в потемках?

— Ничего. Мы недолго. Уйди, Майлз, пожалуйста.

— Ты вся промокнешь. Мне очень не хочется оставлять тебя.

— Всего на минутку, Майлз, ступай.

— Ну хорошо. Я отойду к веранде. Позовешь меня, если я понадоблюсь. Держи-ка зонт и фонарик.

— Не нужен мне ни зонт, ни фонарик. Только уйди на одну минутку.

Майлз медленно пошел прочь, опустив зонт, вдоль тисовой изгороди. Слышно было, как удаляются его шаги.

Денби отлип от стены, подался вперед и то ли свалился в грязь, то ли упал перед Лизой на колени прямо в мокрую золу, перемешанную с землей.

— Лиза...

— Встаньте, пожалуйста. Зачем вы сюда пришли?

— Я хотел увидеть вас. Я смотрел в окно. О Господи!

— Вы очень пьяны?

— Нет.

— Тогда поднимитесь.

— Лиза, я хочу сказать вам, что это серьезно. Это такая мука, это настоящее.

— Мне очень жаль...

— Лиза, Майлз говорит, вы кого-то любите, говорит, вы помолвлены.

— О Боже!

— Это правда?

— Да, правда, — помолчав, сказала она.

Денби медленно поднялся на ноги. Это было нелегко. Очень болело ушибленное колено.

— Я все равно буду надеяться, — глухо произнес он.

— Не нужно. Я только хотела поблагодарить вас за письма. Я вам очень благодарна. И, видит Бог, я не хочу вас обидеть. Но пожалуйста, постарайтесь не думать обо мне. Мне нечем вам ответить, все это ни к чему. Пожалуйста, поверьте. Я не хочу, чтобы вы тратили время на что-то бесплодное. Это совершенно ни к чему.

— Не нужно больше ничего говорить! — вскричал Денби. — Не надо! Простите меня!

— Пойдемте через дом. Нет никакой необходимости...

Но Денби был уже на заборе. Как он выбрался из остальных садов, он не мог потом вспомнить. Может быть, перелетел через них. Кто-то кричал ему вслед. Но это была не Лиза. С последнего забора он прыгнул в проход между гаражами, оступился и упал. Стукнулся о дверь гаража и тяжело покатился по земле. Отполз, поднялся на ноги и вышел на освещенный мокрый тротуар.

Ошалелый, с тяжелой головой, едва держась на ногах, Денби постоял немного под дождем в темноте между двумя фонарными столбами, посмотрел назад, на Кемсфорд-Гарденс.

Потом медленно побрел к Олд-Бромптон-роуд. Остановился еще раз. Снова оглянулся. Всмотрелся попристальней. Какая-то темная фигура, вынырнувшая следом за ним из проулка, тихо скользила в противоположном направлении, в сторону Уорик-роуд. Денби напряженно вглядывался в нее сквозь потоки дождя. Было что-то знакомое в этой стройной фигуре, в скользящей походке.

Денби быстро пошел назад. Человек ускорил шаги. Денби побежал. Тот — тоже. Денби побежал быстрее, нагнал его у самой Уорик-роуд, под фонарем, и крепко схватил за ворот.

— Найджел!

Найджел вырывался, извиваясь и изворачиваясь, но Денби крепко держал его.

— Найджел, ах ты свинья, ты шпионишь! Ты был там, в саду?

— Вы меня задушите, отпустите!

— Ты был там, в саду?

— Да-да, только отпустите меня...

— Ты все слышал!

— Вы меня убьете!

— Шпион проклятый!

— Не надо, не надо, не надо...

Денби тряс и тряс обмякшее, не сопротивлявшееся больше тело и наконец отпихнул его от себя. Найджел пошатнулся и, поскользнувшись на мокром тротуаре, упал, сильно ударившись головой о фонарный столб. Он лежал неподвижно. Денби пошел было прочь, но потом

остановился, подождал, пока Найджел очнулся
и начал подниматься на ноги. Тогда Денби повернулся и, выйдя на середину шоссе, нетвердо
побрел навстречу ветру и дождю.

ГЛАВА XXIII

Найджел стоял на коленях у постели брата.
Уилл крепко спал. По стеклу чердачного окна
бесшумно стекал дождь. Жидкий свет от уличных фонарей падал на латунную спинку старой кровати и большую круглую голову Уилла,
утопавшую в подушке, на раскрасневшееся и
чуть припухшее во сне лицо с подрагивающими
усами.

Одеяло сбилось, из-под него высовывалась
толстая ножища в пятнистой красно-белой пи-
жамной штанине, правая рука свешивалась с кровати. Найджел, вооруженный веревкой с незатя-
нутыми петлями на концах и гладко обструганной
полуметровой палкой, тщательно исследовал положение руки и ноги Уилла.

Он решил начать с ноги. Тихонько положив
на пол палку, он поднес веревочную петлю к
заскорузлой благоухающей братниной ступне, которая словно нагло ему ухмылялась. Петля была
заботливо выложена изнутри перфорированной
резиной. Найджел начал с величайшей осторож-
ностью надевать петлю на торчащую нахальную
ногу, стараясь не коснуться ступни. Резина слегка задела пятку, и Найджел быстро взглянул
на Уилла. Тот лишь едва заметно улыбнулся и

продолжал спать, только стал слегка посапывать. Потом Уилл пошевелился, двинул ногой, и как раз в этот момент Найджел, держа одной рукой петлю за верхний край, другой сильно придавил матрас и легко надел петлю на лодыжку Уилла. Затем осторожно натянул петлю поверх штанины и снова взглянул в лицо Уиллу, но тот продолжал улыбаться и храпел как ни в чем не бывало, слегка вздрагивая во сне.

Бесшумно встав с колен, Найджел поднял с пола другой конец веревки с такой же петлей, осмотрел спинку в изножье кровати, продел веревку между прутьями, обмотал ее для верности еще раз вокруг двух последних прутьев и вокруг ножки кровати. Потом, высоко держа свернутую веревку, он крадучись подошел к изголовью, так же пропустил свободный конец с петлей через прутья спинки и зацепил ближайшую ножку кровати. С запястьем Уилла больших осложнений не возникло, поскольку рука свешивалась с кровати. Не выпуская из левой руки среднюю часть веревки, правой Найджел накинул петлю на запястье Уилла и затянул ее немного, так, чтобы она легонько обхватила обшлаг рукава.

Орудие пытки было почти готово. Найджел перекинул среднюю часть веревки через плечо, снова подошел к изножью кровати и осторожно затянул петлю чуть повыше лодыжки брата. Он расправил веревку в головах и в изножье, сместив ее книзу, к самому матрасу, и отошел подальше от кровати. Подобрав с пола палку, он начал аккуратно, неспешно наматывать на нее оставшуюся веревку.

Уилл проснулся, резко дернулся и вскрикнул. Найджел еще отступил от кровати, натянул веревку и стал быстрее вращать палку. Петли затянулись, резиновые кандалы сжали руку и ногу Уилла, он оказался накрепко приторочен к кровати. И громко закричал.

— Тсс, Уилл, ты разбудишь тетушку.

— Опять ты за свое, черт тебя побери.

— На этот раз я куда лучше все устроил, — сказал Найджел. — Отсюда ты уже не выберешься.

— Сволочь!

— Резина — самая подходящая штука для этого дела. И как я раньше не додумался?

— Ослабь Христа ради веревку, ты сломаешь мне руку.

— Ну уж. Подожди, пожалуйста, минутку, я только пододвину стул.

Найджел, зажав в одной руке палку с веревкой, другой дотянулся до стула, стоящего у стены. Он наклонился и засунул палку под сиденье, прочно закрепив ее между деревянными планками. Потом уселся на стул сам.

— Найджел, ослабь веревку, кретин недоношенный, эта проклятая железяка пропорет мне вены.

— Все это мы уже слышали, я бы не вертелся на твоем месте, от этого только хуже.

Уилл, растянутый между спинками кровати, извивался, изо всех сил пытаясь ухватиться левой рукой за прутья спинки, чтобы освободить привязанную правую. Пальцы его бессильно соскользнули с туго натянутого резинового наручника.

— У меня кровь остановится от этой штуки. Ты что, прикончить меня собрался?

— Не совсем. Не сопротивляйся, Уилл, так будет лучше.

— Отпусти веревку, ты разорвешь меня на части.

— Скажи «пожалуйста».

— Пожалуйста, мразь ты этакая.

Найджел немножко придвинулся к нему вместе со стулом.

— Еще чуть-чуть.

— Лежи спокойно, расслабься и слушай.

— Как я могу слушать, терпя такую адскую боль?

— Да не терпишь ты никакой адской боли. Это все пустяки. Слушай.

— Пошел ты к дьяволу.

— Тем, что с тобой так обходятся, ты обязан только своему бешеному характеру. Ты бы давно это сообразил, если б умел думать. Что поделаешь — тем, кто похладнокровнее и поумнее, приходится сажать бешеных в клетку или растягивать их на дыбе. Только так можно заставить их выслушать, чего от них хотят.

— Я не собираюсь тебя выслушивать, даже если буду криком кричать. Ослабь веревку, ты сломаешь мне ногу.

— Ничего подобного. Ты уже кое-что выслушал, Уилл. Бешеным в конце концов приходится кое-что выслушивать, потому что это им во благо. Помнишь, когда нам было по десять лет, я подвесил тебя за руки на лесах, на стройке, потому что ты не хотел сделать то, о чем я тебя просил.

— А я помню, как я тебя разукрасил, когда ты меня развязал!

— Ну и пусть, зато ты сделал то, о чем я тебя просил.

— И свалял дурака. Ты всегда был чокнутым извращенцем.

— Ну вот ты и забыл про свою адскую боль!

— Ничего я не забыл. Ты меня прикончишь когда-нибудь очередным своим изобретением. Кажется, у меня кровь течет по руке. Посмотри-ка.

— Меня этим не купишь, Уилл. Если ты не против, я включу свет. Интересно взглянуть на тебя.

Найджел слегка откинулся вместе со стулом и щелкнул выключателем. Голая лампочка над кроватью осветила Уилла, который извивался, привязанный за ногу и за руку. Пижама на нем расстегнулась, видна была напрягшаяся блестящая грудь с черными завитками волос, сгущающимися посредине. Уилл рванулся снова, схватил свободной рукой привязанное запястье. Потом затих и повернул к Найджелу покрасневшее лицо; он тяжело дышал, глаза его выкатились, и, скрежеща зубами, он произнес:

— Ты снова натянул веревку, будь ты проклят.

— Да, немножко. Вот так.

— Если ты еще раз выкинешь такую штуку, я тебя убью.

— Ну-ну. Согласен — в прошлый раз я немного переборщил, но ты сам виноват. Лежал бы себе спокойно, выслушал бы меня, и все было бы хорошо.

— Я запихну тебя в мусорный ящик.

— Не глупи. Ты всегда, с самого детства, размахиваешь кулаками. Только моя смекалка и помогает мне как-то сквитаться с тобой. Я хотел сказать тебе что-то очень важное, причем важное именно для тебя, а поскольку я знал, что ты кинешься на меня как бешеный, если не принять мер предосторожности, мне пришлось тебя еще разок привязать.

— Тебе доставляют удовольствие подобные штучки.

— Пусть так, Уилл. Это проявление братской любви.

— Бог ты мой!

— Ведь кровь людская не водица, Уилл, особенно у близнецов. Ты — часть меня самого, грубая, животная, чуждая мне и, конечно же, худшая, однако мы неразрывно связаны друг с другом, и это мало назвать любовью.

— Ты всегда меня терпеть не мог, Найджел.

— Ты просто дурак, ты ничего не понимаешь.

— Ты меня продал с этой чертовой маркой.

— В порядке наказания, дорогой. Должен же я пресекать твои бесчинства.

— Ты всегда не давал мне проходу.

— В порядке самозащиты. А еще отчасти потому, что я тебе необходим. Как ангел — закоснелому негодяю, как плеть — изнеженному телу, как топор — склоненной голове. Любое соприкосновение грубой материи с духом сопряжено со страданием.

Найджел немного отодвинул стул, и Уилл вскрикнул:

— Кончай, Найджел, я сейчас сознание потеряю.

— Пустяки. Ну вот, так-то оно лучше. А теперь перестань крутиться и слушай внимательно.

— Кто это тебя отдубасил? С удовольствием пожал бы ему руку.

Подбитый глаз Найджела заплыл громадным лиловым отеком.

— Денби.

— Денби? За что это он тебя? Впрочем, мне какое дело. Я тебе еще один фингал поставлю, только дай мне вырваться.

— Ладно. Слушай, Уилл. Ты меня будешь слушать или ты хочешь, чтобы я натянул веревку?

— Валяй-валяй, педераст несчастный, я тебя слушаю. Только ослабь веревку.

— ПОЖАЛУЙСТА.

— Пожалуйста.

— Ну вот и хорошо. Теперь слушай. Речь идет об Аделаиде.

— Об Аделаиде? Что с ней?

— Ты ведь любишь Аделаиду?

— А если бы и так, не твое собачье дело. Знаю я, ты за ней ухлестывал. Пытался ее охмурить, когда вернулся в Лондон.

— Ничего подобного.

— Держись от нее подальше, а то я тебя точно прикончу. Это моя девушка, она будет принадлежать мне. Она будет моей, даже если мне придется ее убить. К тому же она меня любит.

— Так ты воображаешь. А если у нее кто-то есть?

— Как это — кто-то есть? Никого у Ади нет, она никого не видит, нигде не бывает.

— А ей и не нужно бывать. Все происходит дома.

— Что ты хочешь сказать? Господи, неужели ты...

— Нет, не я. Денби.

— Что Денби? Не мучь ты меня!

— Денби — любовник Аделаиды. Аделаида — любовница Денби. Уже несколько лет. По-моему, тебе пора узнать об этом.

Уилл лежал неподвижно, тяжело дыша. Потом еле слышно произнес:

— Развяжи меня, Найджел. Клянусь, я тебя не трону.

Найджел встал и вытащил палку из-под стула. Раскрутил веревку, и она ослабла. Уилл неловко повернулся и стал приподниматься. Застонав, он начал стаскивать резиновый наручник. Найджел помог ему, потом высвободил лодыжку. Постанывая, Уилл массировал то затекшую руку, то ногу.

— Не верю я тебе, Найджел, — сказал он.

— Это правда.

— Докажи.

— Спроси у Аделаиды. Между прочим, взгляни-ка. Тебе ведь знаком почерк Денби?

Найджел протянул Уиллу склеенные скотчем обрывки записки. «Аделаида, моя сладкая, — говорилось в ней, — я к тебе не приду, буду спать у себя, потому что вернусь поздно. Спокойной ночи, малышка. Твой Д.».

Уилл внимательно изучил послание. Потом издал протяжный душераздирающий вопль и повалился лицом в подушку.

— Тсс, не шуми...

Уилл сел, лицо у него было перекошено, челюсть дрожала, от гнева и боли он скрипел зубами.

— Я убью его. И ее тоже.

— Не бесись, Уилл.

— Убью. Говоришь, несколько лет. Несколько лет! И все это время она водила меня за нос, клялась, что у нее никого нет, позволяла мне делать ей подарки, целовать руки.

— Да, я знаю, но послушай, что я еще...

— Говорила, что она не создана для замужества! Конечно, она не создана, она просто дрянь, шлюха! И я бросил свою жизнь к ее ногам! Я ее растерзаю. И его убью. Сейчас же пойду и накрою их в постели. «Моя сладкая»! О Боже, я этого не переживу. Где мои брюки?

— Прекрати, Уилл, прекрати сейчас же и выслушай меня. Все равно я спрятал твою одежду, тебе ее не отыскать. Слушай...

— Пойду голый. Прочь с дороги, Найджел! Ты видишь, ты меня довел.

— Дверь заперта. Сядь, да сядь же.

Уилл перестал греметь дверной ручкой. Он вдруг выпрямился, застыл, закатил глаза и со стоном рухнул на кровать, закрыв лицо руками.

— О Аделаида, Аделаида! Я любил тебя, я так тебя любил!

Найджел придвинул стул ближе. Он гладил черные растрепанные волосы, плечи, сотрясавшиеся от бесслезных рыданий.

— Перестань, Уилл. Что сейчас сделаешь, ночь на дворе. Нужно все обдумать. Ты знаешь правду, а значит, они в твоей власти. Обдумай это. И не мсти Аделаиде. Бог ей судья, с нее хватит шипов в собственном сердце. А что касается Денби, мы подумаем, как его наказать. Я помогу тебе. Мы вместе его накажем.

Уилл перестал рыдать и сидел, крутя и потирая запястье, с пустым, помутившимся от горя взглядом; из полуоткрытого рта текла слюна.

— Подумать только, что она...

— Да, и она тоже. Я не повредил тебе руку?

— И это после того, как мы выросли вместе, после всего, всего... Это все равно что родная мать предала бы тебя...

— Мать всегда предает.

— Я ей полностью доверял. Никак не думал, что у нее была другая жизнь. Говоришь, несколько лет. С этим жирным боровом! Я его прирежу. В детстве она меня любила. Она была такая хорошенькая, такая невинная. Мы были счастливы.

— Да, все трое.

— Да, все трое. Мы всегда ходили, взявшись за руки. Помнишь?

— Да, а она посередке.

— И играли в перетягивание каната у фонарных столбов. И ты всегда побеждал.

— А ты помнишь, как мы рассказали ей, откуда берутся дети?

— И она не хотела нам верить!

— Господи, будто вчера все это было!

— И стройка, и пустырь, на котором мы собирали одуванчики.

— И как мы лазали на леса...

— И воровали кирпичи...

— И играли в англичан и французов...

— И в три шага...

— Аделаида — это наше детство, когда все у нас было прекрасно...

— До нашего побега...

— До театра.

— До всех этих гадостей — ну, ты понимаешь меня.

— Да. А она — словно из другой жизни, из другого мира. У меня было чувство, будто она хранит в себе те наши годы, детство, хранит его для меня...

— Во всей свежести, во всей чистоте...

— Ты что, смеешься надо мной, Найджел?

— Нет-нет. Ну ты же обещал...

— Аделаида приходила к тебе, ну, туда, где ты жил, когда вернулся в Лондон?

— Нет.

— Что-то у нее с тобой было. По-моему, ты за ней приударял.

— Да нет же.

— Хорошо, зачем тогда ты мне все это рассказал? Какой тебе от этого прок? Ты любишь ее, ты хочешь вбить клин между нами, вот!

— Нет!

— Значит, у тебя у самого ничего с ней не вышло, и ты хочешь, чтобы у меня тоже...

— Нет, клянусь тебе.

— Хорошо, тогда зачем тебе все это? Просто придурь? Или тебе хочется мне напакостить? Или напакостить Денби?

— Идиотская мысль!

— Ты ненавидишь Денби. У тебя на него зуб. Да? А за что это он тебе врезал, между прочим?

— Нет, Уилл, это совершенно тут ни при чем.

Усилившийся дождь стучал по чердачной крыше, сбегал сплошным потоком по темному оконному стеклу. Близнецы сидели под яркой голой лампочкой лицом к лицу и пристально смотрели друг другу в глаза.

ГЛАВА XXIV

Бутылка виски была почти пуста.

Денби сидел на кровати, закрыв лицо руками. На полу, прислонившись спиной к комоду, сидела Аделаида. Лицо ее опухло от слез. Глаз почти не было видно. Она ловила воздух широко открытым ртом, время от времени ее плечи вздрагивали, крупные слезинки выкатывались из заплывших глаз. Она была в одной кофте и нижней юбке.

Было девять часов вечера, за окном с не задернутыми до конца занавесками давно стемнело. Безудержно, яростно лил дождь. Струи его, подхваченные сильными порывами ветра, неслись почти горизонтально, с шумом хлестали в окошко, будто в него швыряли пригоршнями мелких камешков.

— Денби! — донеслось издалека.

Денби застонал и еще крепче прижал ладони к лицу.

— Денби!

263

Денби поднялся, не взглянув на Аделаиду, переступил через ее ноги и пошел наверх. Он чувствовал себя совершенно разбитым. У него все болело.

— ДЕНБИ!

Денби толкнул дверь в комнату Бруно, зажмурился от яркого света, приложил руку козырьком ко лбу и пригляделся. Лампа освещала неопрятную постель со сбившимися простынями, которую за весь день никто не поправил.

— Денби, что случилось?

— Ничего не случилось. Ты зачем меня звал?

— Почему ты так смотришь на меня?

— Как?

— Как-то странно.

— Я пьян. Тебе чего?

— Где Найджел?

— Не знаю.

— Его не было целый день. И прошлую ночь тоже.

— Ну и что. Спи, Бруно.

— Спать еще рано. Я еще не пил чаю. Зову-зову, а никто не идет.

— Сейчас я приготовлю чай.

— Денби, не уходи, пожалуйста, закрой-ка дверь. Ты ведь простишь Найджела, правда? Ты не рассердишься на него?

— По-моему, Найджел смылся.

— Найджел? Не может такого быть. Он никогда, никогда меня не бросит! — воскликнул Бруно дрожащим голосом. Он весь утонул в сбившейся постели, виднелась только его огромная голова да клешнеобразная рука, лежавшая на

264

одеяле. Денби, стоявший в изножье кровати, хмуро смотрел на него поверх каркаса для ног. Мысли его, казалось, были далеко.

— Пойду приготовлю чай. Принести тебе чего-нибудь поесть?

— Не уходи, Денби. Дождь хлещет как из ведра, ветер сумасшедший. Мне показалось, будто кто-то кричал внизу.

— Наверное, так оно и было.

— Что же там случилось?

— Аделаида визжала от смеха. Хочешь чего-нибудь к чаю? Я принесу тебе «Ивнинг стандард».

— Как зовут эту женщину?

— Какую еще эту женщину?

— Ну ту, что приходит сюда. Майлза...

— Лиза.

— И она сегодня не пришла.

— О, забудь ее, Бруно!

— Почему забудь?

— Все это больше не имеет смысла.

— Почему не имеет смысла? Тебе что-нибудь доктор сказал, ты звонил ему?

— Да нет, никому я не звонил.

— Наверное, он сказал, что дела мои плохи, и ты уволил Найджела и велел этой женщине больше не приходить?

— Прекрати, Бруно, ничего такого доктор не говорил.

— Конечно, все это не имеет смысла, если я уже умираю...

— Бруно, замолчи. Не болтай чепухи. Пойду приготовлю тебе чай.

— Не надо мне никакого чая.

— Ну, тогда спи. Я выключу свет.

— Не могу я спать при таком шуме, вон как стекла тарахтят. Там что, град?

— Нет, дождь. Просто шум, будто от града.

— Денби, не уходи. Посиди немножко со стариком. Я весь день был один. Ты только сунул мне поднос с обедом.

— Извини меня.

— Пожалуйста, посиди со мной, Денби, ну пожалуйста.

— Не могу, я пьяный.

— Ну пожалуйста...

— Свет тебе оставить или выключить?

Денби с трудом различал голову на подушке, прикрытый простыней обросший подбородок, едва угадывающиеся под одеялом очертания исхудавшего тела, изможденную темную руку, которая слабо, умоляюще шевельнулась.

— Денби, поправь мне, пожалуйста, постель. Взбей подушки.

Денби на негнущихся ногах подошел к Бруно, кое-как взбил подушки и вернулся к двери.

— Свет тебе выключить или оставить?

— Денби, мне страшно, не уходи.

Из глаз Бруно побежали слезы, заливая покрасневшие морщинки и припухлости под глазами.

— Хватит, Бруно, спи.

Денби выключил свет и закрыл за собой дверь. Постоял немного на верхней ступеньке лестницы, прислушиваясь, но из комнаты старика не доносилось ни звука.

266

Денби спустился к себе в комнату. Аделаида сидела все на том же месте.

Денби взял бутылку и вылил в стакан остатки виски. Тяжело опустился на кровать.

— Шла бы ты лучше спать, Аделаида.

Дождь словно пулеметными очередями бил в окно. Ветер ревел, завывал, опять ревел.

— Я тебя люблю, люблю, люблю.

— Аделаида, перестань, будь умницей.

— Ты разве подумал на мне жениться, хоть раз в жизни тебе пришла в голову такая мысль?

— Не знаю. Перестань, прекрати, хватит с меня.

— Ты знал, что я нужна тебе лишь на время. Ты просто развлекался со мной, пока не подвернулось что-то получше, женщина твоего сословия, к ней-то ты относишься серьезно.

— Да при чем тут сословие?

— При чем? Почему же тогда ты обращаешься со мной как со швалью? Захотел — пришел, захотел — ушел?

— Ты была очень даже не против, когда я пришел.

— Свинство с твоей стороны так говорить.

— Ладно. Согласен. И давай закончим на этом.

— Ты никогда не считался со мной.

— Считался, Аделаида. Но я же не знал, что будет потом, я не думал об этом.

— Ты не думал! Конечно, ты не думал! Ты только брал, что хотел.

— Ну, если тебе от этого легче, хорошо, я знаю, я мерзавец.

— Что же, желаю тебе с ней счастья после того, как ты погубил меня, разбил мне жизнь.

— Я ведь сказал тебе, я ее вообще не интересую, она любит другого, я ей не нужен, она послала меня к черту.

— Не верю ни одному твоему слову. Ты все придумал, чтобы отделаться от меня. Ты меня завтра же уволишь.

— Не говори глупостей, Аделаида. Не начинай все сначала.

— Я не говорю глупостей. Я ведь служанка, я твоя служанка. Или ты забыл? Ты мне платишь жалованье.

— Это я уже слышал.

— И я рада была тебе служить, да, рада.

— Иди спать, Бога ради.

— Подумать только, я тебя боготворила! Просто представить себе невозможно.

— Ну и дура!

— Ты пользовался моей любовью, я приносила тебе радость, а теперь ты говоришь, что я дура!

— Извини, я не хотел...

— Во всяком случае, я ей сказала, я ей все сказала.

— Что ты ей сказала?

— Сказала этой заносчивой суке о нас с тобой. Она ведь этого не знала, не так ли? Я сказала ей, что мы с тобой любовники, сказала, что мы уже несколько лет вместе. И чтобы она отстала от тебя подобру-поздорову.

— Господи Боже мой! — Денби встал. Он стоял сгорбившись, глядя на пустую бутылку. — Когда это было?

— На прошлой неделе.

— И что она ответила?

— Притворилась, будто ей плевать.

— Как жаль, Аделаида, что ты это сделала.

— Очень рада, если тебе жаль.

— Дело не в том, что она могла плохо подумать обо мне... Она решила... Хотя какое это имеет теперь значение.

— Ты ведь помалкивал обо мне, правда? Думал, всегда можно эту мошку вытряхнуть, вымести...

— Да это не важно, не важно. Это не имеет значения. Теперь ничто не имеет значения.

— А я тебя так любила...

— Да не плачь ты опять. Я не в состоянии этого вынести.

— Я тебя любила... Я была счастлива... Да, счастлива. — Аделаида зарыдала.

— Иди спать, или я сам уйду...

— Я убью себя. Я не могу больше жить. Я убью себя...

Денби направился к двери.

Неожиданно среди шума дождя раздался новый резкий звук. В окно настойчиво, решительно стучали. Денби застыл на месте. Аделаида перестала плакать. Под завывание ветра стук повторился снова — громкий, настойчивый, грозный. Аделаида с Денби переглянулись, посмотрели на окно. Между незадернутыми занавесками ничего не было видно, только слепо поблескивали стекла. Денби подошел к окну, отдернул занавеску и, наклонившись, вгляделся во тьму. К стеклу была прижата чья-то ладонь. Аделаида вскрикнула. Теперь Денби различал уже и грузную фигуру, стоящую прямо перед ним в темноте. В следующее мгновение послышался звон стекла, и, едва Денби успел отскочить, в комнату посыпался град осколков.

Денби быстро повернулся, перешагнул через ноги Аделаиды и, перепрыгивая через две ступеньки, взбежал по лестнице. Рывком открыл дверь на улицу. Сквозь неровную завесу дождя он увидел, как кто-то торопливо повернул за угол и скрылся. Денби с минуту постоял перед стеной воды, ветер обдавал его брызгами, сердце сильно стучало. И, только закрывая дверь, он заметил, что наступил на конверт. Он подобрал его и медленно спустился по лестнице.

Аделаида уже поднялась с пола. Она стояла, стараясь закрыть горло воротником кофты. Холодный ветер дул в комнату сквозь разбитое окно.

— Кто это?

— Не знаю. Кто бы это ни был, вероятно, письмо бросил он. Адресовано мне.

Денби вскрыл конверт и прочитал:

Я знаю, что ты живешь с Аделаидой. Она была моей, но я избавился от этой швали. Можешь оставить ее себе. Только скажи ей, суке паршивой, пусть не попадается мне на глаза, если не хочет, чтобы я спустил с нее шкуру. Для тебя же у меня есть наказание. Я тебя вызываю на дуэль. Оружие — пистолеты. Место выбирай сам. Если откажешься драться, я заклеймлю тебя как труса и пропечатаю в газетах о твоей преступной связи с прислугой, я буду преследовать тебя везде — дома, на службе, всеми способами, какие только смогу придумать, я превращу твою жизнь в ад. Если же ты примешь вызов, я приложу все усилия, чтобы убить тебя или изувечить.

Уилл Боуз

Денби прочитал это странное письмо, высоко подняв брови. Затем протянул его Аделаиде.

Аделаида пробежала его глазами. Письмо выпало у нее из рук. Она прикусила пальцы, чтобы сдержать крик. Потом пробормотала:

— Я потеряла его, потеряла, это был единственный человек, который любил меня по-настоящему!

ГЛАВА XXV

На пороге гостиной в своем коричневом плаще с поднятым воротником стояла Лиза. На полу в прихожей был виден большой клетчатый чемодан. Солнце, выглянувшее после дождя, заливало комнату ярким светом. У окна стоял Майлз.

— Закрой дверь, Лиза.

Вопрошающе глядя на Майлза, Лиза показала рукой назад, на прихожую.

— Диана наверху, — сказал Майлз. — Не думает же она, что ты уедешь, не попрощавшись со мной.

— Я не хочу усугублять...

— Ее боль? Тут уже ничего не изменишь. А как быть с нашей болью?

— Давай не говорить об этом, — сказала Лиза. Она закрыла дверь.

— Как же не говорить? Ведь мы сказали уже самое главное.

— Возможно. И хорошо, что мы на этом остановились.

— Ты решила покончить со мной одним махом.

— Это единственный выход.

— Может быть, даже и правильный. Хотя не уверен. Но уж, конечно, не единственный. Это насилие над природой.

— То, что правильно, чаще всего и есть насилие над природой.

— Господи, Лиза, у меня кровь стынет от того, что ты говоришь.

— Я знаю. Я люблю тебя, Майлз, — произнесла она сухо.

— И я люблю тебя. Очень люблю. Я буду любить тебя всю жизнь. Я всегда буду думать о тебе.

— Не всегда, Майлз.

— Если, по-твоему, все кончено, ты ошибаешься. Нельзя столь хладнокровно распорядиться чувством.

— Совсем не хладнокровно, Майлз. Пойду позову Диану.

— Нет-нет, подожди.

Майлз подошел и стал в дверях. Лиза отступила в комнату.

— Сними плащ, Лиза.

— Нет.

— Еще не поздно придумать что-нибудь. Никогда не поздно, тем более сейчас.

— Не затевай этого разговора, — сказала Лиза, — не надо. Чем больше мы скажем друг другу, тем больше будем мучиться. И я и ты — мы оба прекрасно знаем, что другого выхода нет.

— Но мы ничего не обсудили.

— Ты же прекрасно понимаешь: мы ни к чему не придем.

— Мы ведем себя как безумцы, Лиза.

— Пойми, Майлз, это безнадежно, пойми. Пока ты не полюбил меня... хорошо, пока ты не понял, что любишь меня, я могла еще жить здесь. Я страдала, но мне было хорошо. Выносимо. Но теперь жизнь стала мучением и для меня, и для Дианы. Ты ведь знаешь, с Дианой ты не расстанешься. Ты любишь ее. А жить на два дома немыслимо. Я этого не выдержу, даже если выдержишь ты и выдержит Диана. Пойми ты, пойми, так уж оно все устроено. Ничего не поделаешь.

— Может, есть еще что-нибудь, что-нибудь такое, до чего мы не додумались?

— Нет.

— Я бы расстался с Дианой. Мы ведь и не говорили...

— Нет, не расстался бы, Майлз. Это как раз то, чего нам не следует обсуждать. Мы должны оставаться людьми. От любви не умирают. Сейчас в нас все до безумия обострено. Но пройдет полгода, и нам станет легче, хотя, когда ты влюблен, это трудно себе представить.

— Мне не станет легче через полгода, Лиза. Кажется, ты не понимаешь всей серьезности случившегося. Я ждал такую, как ты, всю жизнь.

— Я понимаю, Майлз. Ведь я люблю тебя. Я тоже ждала, я жила любовью эти годы. Я не думала, что все так кончится. А если бы даже и думала, я бы все равно любила и ждала. Нельзя идти к цели напролом, губя всех — Диану, тебя, меня. Разве, бросив ее, могли бы мы жить вместе? Мог бы ты писать стихи, а я — делать все то, что я делаю для людей?

— Ты говоришь, мы все преувеличиваем. А не преувеличиваем ли мы страданий Дианы? Может, ей как раз будет хорошо, лучше, чем...

— Она твоя жена, она отдала тебе жизнь. Этого ни преувеличить, ни преуменьшить нельзя.

— Господи, я понимаю, что нельзя...

— Сейчас ты думаешь обо мне. А если б ты ушел со мной, ты бы думал о Диане.

— Лиза, сейчас происходит то, чего я не в состоянии выдержать. Я никогда не верил в твой отъезд. Вот почему я спокойно выслушивал твои доводы. Но и теперь, когда происходит самое невыносимое и мы расстаемся, я знаю только одно — ты не права. Должен же быть какой-то выход. Я только чувствую, что тебе нельзя уезжать, нельзя уходить из моей жизни.

— И все-таки тебе придется смириться с моим отъездом, Майлз. Вот, смотри — у меня билет на самолет Лондон—Калькутта.

Лиза открыла сумочку, достала красный авиабилет и показала его Майлзу, держа в поднятых руках.

— Когда ты летишь?

— Этого тебе лучше не знать, Майлз. Я тебя безнадежно люблю. Даже сильнее, чем раньше.

И мне очень трудно расстаться с тобой. Сейчас, когда я вижу, что ты начинаешь верить в то, что я уезжаю, я тебя особенно люблю. Мы должны сохранить любовь, не опорочить ее, даже если мы ее и убиваем. Понимаешь?

— Любовь и смерть. Мне это представляется не столь романтичным, Лиза.

— Ничего романтичного тут нет. Это действительно смерть. *Мы забудем друг друга.*

— Нет-нет. Ты слишком многим жертвуешь — ради меня с Дианой...

— Я жертвую не ради тебя с Дианой. Я приношу жертву своей любви. Эта любовь столь велика, что я не могу поступить по-другому.

— Не можешь пойти ни на какой компромисс?

— Ни на какой. Только если бы я встретила тебя первой, раньше Дианы, но это уже непоправимо.

— Господи, Господи, раньше, первой... Что же тут непоправимого, это вполне поправимо...

— Я сюда больше не вернусь.

— Мы с тобой еще встретимся.

— Не встретимся.

— Значит, ты едешь на родину Парвати...

— Я всегда хотела туда.

— Так это там ты будешь работать?

— Да. Я обо всем договорилась в Комитете защиты детей. Я еду в их Калькуттское отделение, а потом уже в какое-то конкретное место. Придется изучать хинди. Я буду очень занята.

— А я не буду занят. Я остаюсь здесь один со своим горем. Я буду тосковать по тебе.

— Ты будешь писать стихи. Поверь, Майлз, пойми меня и смирись.

— Я не могу писать. Твой отъезд тем более не вдохновит меня, а убьет.

— А твои боги, Майлз? Они тебя вознаградят.

— Они не вознаграждают за отказ от любви.

— Кто знает?

— Ты будешь мне писать?

— Нет.

Майлз протянул руку, погладил рукав ее плаща, сжал теплое запястье. Затем медленно притянул ее к себе. Она вяло повиновалась, только склонила голову ему на плечо. Проговорила, уткнувшись в пиджак:

— Я сделала ошибку, приехав сюда, Майлз, нельзя было мне у вас жить. Есть тайны, которые сами себя выдают.

— Я люблю тебя. Это была и моя тайна.

— Я заразила тебя любовью.

— Это не проказа, Лиза, хотя так же неизлечимо. Пожалей меня... — Он стал осыпать поцелуями ее лицо.

Лиза мягко отстранилась.

— Мы зря затеяли с тобой этот разговор, Майлз. Ты ведь постараешься утешить Диану, правда? Вот что требуется от тебя сейчас, этим ты и займешься. Ты должен поддержать Диану. Ее боль — совсем другая, чем наша. Уж я-то знаю.

— У тебя такой тон, будто ты приговариваешь нас к смерти.

— А теперь мне нужно идти. Я позову Диану.

— Нет, нет-нет, подожди, пожалуйста... Лиза, нам нужно многое сказать друг другу... Мы ни о чем не договорились... Я не знаю, где ты, что ты... Встретимся через несколько дней, за это время мы все обдумаем. Я не могу вот так отпустить тебя.

Лиза открыла дверь и позвала:

— Диана!

Диана медленно спустилась по лестнице. Она была тщательно, даже нарядно одета: голубой твидовый костюм, в ушах — серьги. Видно было, что она недавно плакала.

— Я уезжаю, Ди. Не сердись на меня. И не забудь навестить Бруно.

— Бруно тоже нужна ты, а не я, — натянуто произнесла Диана, глядя на сестру.

— И ты станешь нужна. Возьми его за руку и погладь, только с любовью...

— Хорошо-хорошо.

— Ди, ты не проводишь меня до метро? Нет, Майлз, ты оставайся дома. Диана меня проводит... Надень плащ, Ди, на улице дождик.

Лиза пошла к двери, и Диана медленно последовала за нею, не взглянув на Майлза. Он стоял на пороге гостиной и смотрел, как они уходят. В открытую дверь видна была улица, сияющая в голубой дымке дождя.

— До свидания, Майлз.

Дверь закрылась. Они ушли. Майлз вернулся в гостиную, опустился в кресло. Это не конец, сказал он себе. Теперь мне нужно просто все обдумать. Проснувшаяся в нем надежда заглушила боль. Он взглянул в окно на мокрый сад, на светло моросящий дождик. Она не сказала, где она будет жить, но он найдет ее. Возможно, это известно Диане. Да и в любом случае можно даже полететь в Калькутту. Она же не умерла, она не ушла навеки. Нет-нет, думал он, я не смирюсь, не приму ее смертного приговора.

ГЛАВА XXVI

Бруно спал. Огромная голова, которая из-за косматой бороды казалась еще крупнее, неудобно свесилась набок, рот был открыт, нижняя губа влажно блестела среди тусклых седых волос. Он глубоко, прерывисто дышал. Темные пятнистые руки с опухшими суставами подрагивали, пальцы нервно теребили светло-желтое покрывало. Может, ему снится что-нибудь, подумала Диана.

Бруно спросил про Лизу. Диана сказала, что она уехала. Он спросил, когда она вернется и уехал ли Майлз тоже. Кажется, он считал, что Лиза — жена Майлза. Диана ответила ему неопределенно. Он расстроился, сделался рассеян и, словно не замечая ее присутствия, произнес: «Бедный, бедный Бруно». В конце концов ей удалось вовлечь его в разговор, они поговорили о домах, в которых ему довелось жить раньше, о преимуществах различных районов Лондона. О том, как меняется Лондон, так же ли он красив, как Рим или Париж. Бруно немного оживился. Диана не могла заставить себя погладить его, как велела Лиза, но, сделав над собой усилие, взяла его за руку, и Бруно не отнял руки, время от времени он даже безотчетно сжимал ей пальцы. Он не вызывал у нее прежнего отвращения, но трудно было вынести запах в комнате и мучительно ощущать этот внутренний распад, обреченность. Было что-то странное и горестное в худеньком, изможденном теле, которое едва угадывалось под одеялом, словно оно ссохлось до предела и все жизненные соки отдало голове. Разговаривали они после обеда. Диана побаивалась встречи с Денби, к которой была сейчас не готова; и только собралась сказать, что ей пора, как Бруно неожиданно, продолжая держать ее за руку, уснул.

Диана растерялась и подумала: а вдруг он умирает? Она осторожно высвободила руку. Бруно дышал спокойно и ровно. Едва она отодвинула стул и встала, как сразу же ощутила, что Бруно отвлек ее от горя, нахлынувшего теперь снова при воспоминании о Майлзе и Лизе. Она стояла и смотрела на Бруно, пока все не расплылось у нее перед глазами. Она повернулась, пошла к двери и по дороге увидела, отчетливо и ясно, как деталь на картинах фламандцев, большой стеклянный пузырек с таблетками снотворного, стоящий на мраморной столешнице книжного шкафа. Она знала, что это такое, так как Бруно упомянул об этих таблетках, отвечая на ее вопрос, хорошо ли он спит. Диана застыла, глядя на пузырек.

С Майлзом она не обсуждала происшедшее. Он сделал несколько вялых попыток завести с ней разговор, но, казалось, испытал облегчение, когда она просто отвернулась от него, как побитая кошка, и ничего не ответила. Дня два после ухода Лизы они жили с Майлзом как два маньяка, с головой ушедших в бурлящую бездну своих дум. Вместе с тем внешне в их поведении не было ничего необычного. Диана ходила за покупками, Майлз — на службу. Они спали в одной постели, точнее, всю ночь молча и неподвижно лежали бок о бок. Диана беззвучно плакала, слезы падали на подушку, она не отирала их. Днем они были подчеркнуто вежливы друг с другом, внимательны и предупредительны, соблюдая все приличия. Единственное, что изменилось в распорядке дня, — это еда. Словно по молчаливому уговору, они избегали совместных трапез. Диана время от времени приносила в столовую тарелки с бутербродами, и они порознь съедали их в течение дня, смущенные тем, что вообще в состоянии есть.

С Лизой Диана тоже ничего не обсуждала. Она не выказала сестре ни малейшего недовольства; и Лиза не пыталась объясниться с нею, хотя дважды взяла руку Дианы, сжала ее и приложила к своей щеке; Диана же молча, с недоумением посмотрела на нее. Она предполагала теперь, что Лиза решила уехать в Индию сразу же после ночного визита Майлза и ничего не сообщала об этом, пока не договорилась о работе. Она объявила, что уезжает, в самый день своего ухода из дому, утром, и Диана видела, что Майлз был ошеломлен не меньше, чем она. По дороге к станции метро Лиза говорила торопливо, холодно и деловито, а Диана молчала. Лиза внушала Диане, что Майлза нужно удерживать от всяких попыток разыскать ее, пока она не уедет в Индию, и что, конечно же, ничего у него не выйдет, даже если он и будет пытаться найти ее. Куда она направлялась, Лиза не сказала. Уже у самого метро она снова заговорила о Бруно. Они обнялись, постояли, закрыв глаза и крепко прижавшись друг к другу. И Лиза ушла.

Диана бродила по улицам весь этот день, и следующий тоже, сидела на скамейках в парках и в церковных двориках. Она бесконечно обдумывала все с самого начала, пытаясь найти что-нибудь утешительное для себя, но не находила. Первое время у нее не было никаких сомнений, что Майлз и Лиза уйдут вместе. Теперь у нее не было никаких сомнений, что ради нее они окончательно и бесповоротно решили убить свою любовь. Она не могла понять, что хуже. Предполагая, что они уйдут вместе, она оставила в стороне вопрос об их порядочности, а исходила только из того, какой великой и страстной была их любовь. Диана сразу же оценила силу этого чувства, поняв, что произошло нечто невероятное и что жизнь ее полностью перевернулась. Увидев однажды за обедом, как они смотрят через стол друг на друга, она тут же поняла, насколько всепоглощающее, огромное, зрелое чувство владеет ими. Диана никогда не ожидала ничего подобного. Ей и в голову не могло прийти, что сестра, которую они жалели вместе с Майлзом, способна пленить его.

В смятенном, испуганном воображении Дианы возникали картины ее будущей жизни, и все они были одинаково безотрадны. Как только страх, что Майлз от нее уйдет, уменьшился, ей стало казаться, что гораздо хуже и труднее принять жертву от них. Лучше уж самой принести себя в жертву. Тогда по крайней мере была бы оправдана и стала бы выносимей та жгучая ревность, смешанная с обидой, которую она все равно продолжала чувствовать и которая не уменьшилась ни на йоту, а только увеличилась теперь, когда она видела, как Майлз с обезумевшим взглядом мечется в четырех стенах на Кемсфорд-Гарденс, словно зверь в клетке. Для нее тоже и дом, и сад сделались неузнаваемы, представлялись теперь местом безысходного одиночества, тюрьмой. Майлз не мог ожидать от нее благодарности, даже если считал, что ведет себя с ней безупречно. Именно это его отношение к ней, возможно, и мучило ее больше всего. Решение Лизы и Майлза вроде бы обязывало Диану к благодарности, но оно и безмерно унижало ее. Интересно, что они говорили о ней? Она старалась не следить за ними. Может быть, они проводили целые дни вместе, пока она сидела и ждала их приговора. «Ты не можешь бросить бедняжку Диану». — «Бедняжка Диана, это разобьет ей сердце». — «В конце концов, она твоя жена. У нее нет никого, кроме тебя». — «Она не такая сильная и независимая, как ты, Лиза». Странно, они поменялись с Лизой ролями. Теперь Диана — птица с перебитым крылом, и ей никогда уже не взлететь.

Если бы они ушли, думала Диана, мне бы легче было это вынести. Конечно, мне было бы очень тяжело. Она пыталась представить себе опустевший дом, лишившийся вдруг привычного тепла и уюта. Они сжились за это время, словно зверята в берложке. И душа ее тонула в омуте горя, куда безвозвратно кануло ее семейное благополучие. «Никогда уже не будет как раньше, никогда». А вот если бы они ушли, думала она, у меня достало бы сил, самолюбия и гордости, чтобы пережить это. Я бы постаралась доказать им и всему миру, что очень даже распрекрасно могу это пережить. Мне было бы не так горько. Я нуждалась бы в поддержке, конечно, и нашла бы ее в ком-нибудь или в чем-нибудь. А теперь мне, победившей, удержавшей свои позиции, абсолютно не на кого опереться, я раздавлена. Тут я проиграла по всем статьям. Она отняла у меня Майлза, разрушила мою семью, у меня нет никаких надежд на новую жизнь, я осталась среди руин прошлого. Майлз с Лизой поступили правильно, и именно поэтому мое положение столь плачевно. Моя боль, моя беда навеки замурованы у меня в душе. Мне неоткуда взять сил, нечему пустить во мне ростки; я не могу продолжать жить в этой ненавистной роли жены, которой они решили принести в жертву свою великую любовь. Они унизили меня, уничтожили. Рано или поздно Майлз заговорит. Он будет говорить мягко, вкрадчиво, пытаясь внушить, что все-таки любит меня. Но я же видела, что такое их любовь. У нас с Майлзом никогда не было ничего подобного.

Они отказались от мысли уйти вдвоем. Ну а если бы она сама ушла, предоставив их друг другу? Она понимала в глубине души, что это было бы избавлением от неуемной боли. Она могла бы уехать куда-нибудь за границу, не оставив адреса. Но они вряд ли поверили бы, что она уехала навсегда. Они стали бы преданно, вместе разыскивать ее. Ведь у нее не было ни профессии, ни средств к существованию. Она подумала даже, не уйти ли ей к Денби, но тут же осознала, что это безумная мысль. Если бы она ушла к Денби, почувствовали бы Майлз и Лиза свою вину или это было бы для них освобождением? Диана во все это время тягостных своих раздумий не забывала, что у нее в запасе есть еще Денби. В душе у нее по-прежнему жило чувство симпатии, благодарности к нему, она продолжала воспринимать его как отдохновение от Майлза. Здесь по крайней мере была почва для новой любви. Ей показалось очень странным, что Майлз не обмолвился ни словом по поводу пьяного визита Денби. Вне всякого сомнения, собственные страдания затмили для него истинный смысл поведения Денби. И все же был ли резон уходить к Денби? Не исключено, что он просто не знал бы, что с нею делать. Все это закончилось бы неразберихой и выявило бы окончательно ее безнадежную, рабскую привязанность к Майлзу. Неужели нет никакого выхода?

Диана посмотрела на таблетки, потом на Бруно. Он лежал в том же положении, в каком разговаривал с нею, слегка приподнявшись, голова повернута набок. Нелегко было понять, даже глядя прямо ему в лицо, открыты у него глаза или нет. А вдруг он потихоньку следит за ней? Диана вернулась, подошла к кровати.

Затаив дыхание, наклонилась над ним. Его глаза, почти неразличимые на опухшем лице, были плотно закрыты. Он тихо дышал, красная нижняя губа выпячивалась и спадала в такт дыханию.

Диана стояла посреди комнаты и смотрела в окно, на серые набухшие облака, которые, клубясь, проносились мимо труб электростанции. Мучительный страх охватил ее. У нее достаточно сил, чтобы вычеркнуть из жизни все эти постылые годы. Она любила Майлза и продолжает его любить до умопомрачения. Но не обернется ли теперь будущее серой вереницей лет на пепелище любви? Он никогда не простит ей своей жертвы. И она никогда не простит его. Они будут наблюдать воочию, как растет между ними стена отчуждения. Но если она уйдет со сцены, исчезнет, исчезнет совсем, она сохранит любовь: любовь Майлза, свою, Лизину. Не это ли самый простой выход, выход для них для всех, единственный выход?

У Дианы перехватило дыхание, голова кружилась. Она пошла к двери и взяла таблетки. Потом отворила дверь.

Прямо перед нею на лестничной площадке стоял долговязый черноволосый молодой человек.

— Ой, — сказала Диана. Что-то зловещее, жуткое было в этой неподвижной, внезапно представшей перед нею фигуре.

— Прошу прощения, если я испугал вас, — мягко сказал молодой человек, — я только хотел узнать, есть ли кто-нибудь у Бруно.

Диана закрыла дверь и спрятала пузырек с таблетками в сумочку.

— Мы с ним разговаривали, но он уснул.

— Меня зовут Найджел. Я сиделка. Сиделка Найджел. Почему-то не существует этого слова в применении к мужчине, а ведь есть же слова — писатель и писательница. Наверное, потому, что женщин-писательниц гораздо больше, чем сиделок-мужчин. Вы не находите?

— К сожалению, мне нужно идти, — сказала Диана. Она стала спускаться по лестнице.

Однако Найджел быстро обогнал ее и встал лицом к ней перед дверью на улицу.

— Подождите, не уходите.

— Я спешу, — сказала Диана.

— Одну минутку.

Она остановилась в нерешительности и взглянула на него. У Найджела было очень бледное, словно бы сонное лицо, он стоял, лениво прислонившись к двери и раскинув руки. Диана была смущена и испугана.

— Позвольте мне пройти, пожалуйста.

— Нет, миссис Гринслив.

— Вы меня знаете...

— Я прекрасно вас знаю. Зайдемте-ка сюда, мне нужно вам кое-что сказать. Пожалуйста.

Он взялся за ремешок ее сумочки и мягко увлек ее в комнату напротив. Комната имела нежилой вид, в ней пахло пылью и сыростью, шторы были наполовину задернуты.

— Это гостиная. Но сюда никто никогда не заходит, как видите. Присядьте, пожалуйста.

Он слегка подтолкнул Диану, она опустилась на коричневый плюшевый диван, подняв облако пыли, и чихнула. Найджел раздвинул шторы, и в комнату хлынул холодный свет пасмурного дня.

— Чего вы хотите от меня?

— Вам необходимо кое о чем узнать.

— О чем же именно?

— Денби любит вашу сестру.

Диана изумленно взглянула на Найджела, который стоял у окна, покачиваясь из стороны в сторону.

— По-моему, вы ошибаетесь, — сказала Диана. — Денби почти ее не знает.

— Он знает ее достаточно, чтобы потерять от нее голову.

— Должно быть, вы перепутали меня с сестрой. Не потому, что Денби... Впрочем, это вас не касается.

— Ничего я не перепутал. Вы ему нравились. Но потом он встретил и полюбил Лизу.

— Вы ошибаетесь, — сказала Диана поднимаясь.

— Взгляните-ка. — Найджел протянул ей кусочки бумаги, склеенные скотчем. Это было одно из незаконченных писем Денби к Лизе.

Диана пробежала письмо глазами, и оно выпало у нее из рук. Она снова опустилась на диван, глядя прямо перед собою. Конечно же, это знамение свыше. Теперь она знала, знала со всей очевидностью, что любовь Денби могла бы спасти ее от самоубийства. Но вот — Лиза отняла у нее и Денби. Диана сжала сумочку, нащупала лежащий там пузырек с таблетками. Пойду домой, подумала она, нет, пойду в гостиницу и сейчас же это сделаю. Все кончено. И с Денби тоже... Лиза завоевала весь мир. Слеза поползла у нее по щеке. О Найджеле она забыла.

Он сидел рядом с нею.

— Я решил, что вам следует об этом знать, если это что-то меняет.

— Ничего это не меняет, — сказала Диана, отирая слезу. Она снова попыталась встать.

— Подождите. Мне нужно вам еще кое-что сказать.

— О чем?

— О Майлзе с Лизой. Вам не стоит отчаиваться.

— Откуда вы все знаете?

— Потому что я Бог. Может быть, в наше время он вот так и приходит в мир, немножко сумасшедший, незаметный человек, все его отталкивают, сбивают с ног, топчут. Или пусть я псевдобог, или даже один из бесчисленных псевдобогов. Это не важно. Псевдобог все равно истинный Бог. Любая религия возвышает душу.

— Отпустите меня, — сказала Диана.

Найджел положил руки ей на плечи.

— Не нужно на них обижаться. Не нужно сердиться. Здесь не место обиде, не место злобе. Это испытание, испытание. Чтобы обрести новые небеса, новую землю. Это под силу лишь вам. Вы сможете, сможете все преодолеть.

— Отпустите меня. Это не ваше дело.

— Мое. Я люблю вас.

— Не говорите глупостей, я вас первый раз вижу.

— Не первый. Это я красил ограду. Это я запачкал волосы краской...

— Но там был... совсем другой... — Диана поднесла руку к лицу. Ей показалось, что она сходит с ума.

— Кроме того, я люблю всех.

— Тогда это не любовь. Уберите руки, пожалуйста.

— Не любовь? Я же вам сказал, что я Бог.

— По-моему, вы сумасшедший. Или наркоман.

— Какая разница. Диана, можно мне называть вас Дианой? Знаете, вы очень красивая.

Руки Найджела скользнули по ее плечам и сомкнулись на спине. Она стала сопротивляться, но он оказался на удивление сильным.

— Хотите, чтобы я подняла крик?

— Вы не поднимете крик. К тому же, кто придет вам на помощь? Бруно? Я просто хочу удержать вас своей любовью, пока не скажу вам все.

Диана, которая не могла пошевелить руками, попыталась оттолкнуть его коленом. Снова взметнулось облако пыли. Диана опять чихнула, а Найджел еще крепче стиснул ее в объятиях. Горестные, беспомощные слезы хлынули у нее из глаз. Она перестала сопротивляться.

— Ну-ну, не нужно бить бедняжку Найджела, он вас любит. Вы должны простить Майлза и Лизу.

Диана дала волю слезам. Она не могла их вытереть, потому что Найджел не отпускал ее. Наконец она сказала:

— Как?

— Дайте им переступить через вас. Может быть, они выбрали верный путь, пусть даже гордыня правит их норовистыми конями. Это можно понять. Поймите же и простите.

— Но и у меня есть гордость, — сказала Диана.

— Отбросьте ее. Избавьтесь от этого тяжкого груза.

— Но мне совсем не легче оттого, что они пошли правильным путем, — сказала Диана. — Они принесли мне большую жертву. Я бы должна быть им благодарна. Но я не могу. Они безумно любят друг друга.

— Каждый еще больше любит себя. Любовь к себе, к своей жизни толкнула их на этот путь. Они ничем не пожертвовали. Они выбрали то, что лучше для них.

— Я не могу обсуждать этого с вами, — сказала Диана. Она уже больше не пыталась вырваться.

— Но вы уже обсуждаете это со мной, милая. И самое удивительное, что все будут живы-здоровы. Майлзу будет хорошо, вы будете добры к нему, будете ходить за ним, как за ребенком.

— Им нужно было уйти вместе. Он станет презирать меня. Между нами больше не может быть любви. Представить себе страшно, что он думает теперь о ней и обо мне.

— Едва ли люди думают друг о друге. Они созерцают в уме плод своего воображения, имеющий сходство с тем, о ком они якобы думают, и обряжают его себе на потребу. Майлз не может думать о вас. Майлз думает о Майлзе. И это вы тоже должны понять и простить. Он еще будет доволен собой, и вы увидите улыбку у него на губах.

— А я как же?

— Вот оно! Все пекутся о себе! Смягчитесь. Отдайте им всю себя. Отбросьте гнев и ненависть. Любите. Отдайте себя всю. Любите Майлза, Денби, Лизу, любите Бруно, Найджела.

Диана склонила голову Найджелу на плечо. Слезы у нее на щеках высохли и больше не капали на пиджак Найджела.

— Я не знаю, как это сделать.

— А вы попробуйте, стоит ведь только захотеть.

— С ума сойти, еще и Денби с Лизой. Словно сон, наваждение, ничего нельзя понять.

— Это и есть сон, Диана. Понять можно лишь малую толику, вот и не сходятся концы с концами. Когда мы страдаем, мы думаем, что за всем кроется сложный промысл. Но это лишь порождение нашего больного воображения.

— Да, мне казалось, за всем этим кроется какой-то промысл, — произнесла Диана. Она выпрямилась и пригладила волосы. Найджел разжал руки.

— Ну вот видите, боль уже и проходит.

Она откинулась на спинку дивана, взглянула на Найджела и только теперь заметила синяк у него на лице вокруг заплывшего глаза.

— Где это вас угораздило?

— Столкнулся с реальным миром. А он ранит.

— Бедный Найджел...

— И отдайте-ка мне таблетки. Они вам не понадобятся.

Рука Найджела скользнула в сумочку Дианы, где лежал пузырек со снотворным. Он извлек его оттуда и положил к себе в карман.

Диана потерла заплаканное лицо, разглаживая кожу.

— Да, наверное, не понадобятся. Хотя я и не знаю почему. Ведь это все бессмысленно, о чем вы мне говорили.

— Конечно, конечно, я и есть бессмысленный жрец бессмысленного Бога. Но если псевдоврач — не врач вовсе, то псевдобог — все же Бог, Диана. Разрешите проводить вас домой.

ГЛАВА XXVII

Денби включил свет. Большое холодное помещение в нижнем этаже типографии с рядом темных окон во всю стену, пропахшее краской, бумагой и многолетними залежами обрезков, казалось неприбранным, запущенным и в то же время притаившимся, настороженным, как бы застигнутым врасплох. Оно производило странное впечатление без однообразного стука машин, без людской суеты. Было около пяти часов утра.

Денби прошел от двери в глубь мастерской. Остановился у старинного пресса, который позавчера доставили из художественного училища. Литая сталь потускнела, была тронута ржавчиной. Тут требовалась окраска, смазка, любовь. Но даже в таком унизительном нерабочем состоянии пресс все же воплощал в себе силу и красоту. «Коуп, Лондон, 1827». Денби погладил большой железный цветок, который служил противовесом, нажал на рычаг, и пресс легко, плавно, величественно опустился. Денби отошел от него.

Дверь в дальнем конце мастерской выходила на каменную лестницу. По ней можно было пройти к небольшому причалу, ныне бездействующему, и оттуда, по железным ступенькам, спуститься прямо к воде, а во время отлива — на илистый берег Темзы. Денби отпер дверь и выглянул наружу. Начинало светать, небо над головой было блекло-серым, хотя все вокруг еще утопало в густой тьме. Он всмотрелся в даль, пытаясь различить силуэты труб электростанции, но их не было видно. Внимание его привлекли освещенные окна на противоположном берегу реки, и на секунду он вспомнил о Бруно, хоть и знал, что со стороны типографии Стэдиум-стрит не видна. Денби вроде как различал уже воду в реке. А может, это ему казалось. Может, он слышал ее плеск, а может, у него просто шумело в ушах. Он вдыхал свежий приятный запах воды и ила. До отлива еще оставалось время.

Отойдя от двери, Денби посмотрел на часы. Он снял плащ, поежился, надел его снова. От холода ныло ушибленное плечо. Он прошел через мастерскую в свой кабинетик — клетушку, огороженную покосившимися деревянными переборками, и включил там свет. В кабинетике, где сидели обычно Денби и Гэскин, было не прибрано, на столе лежала груда писем, некоторые из них были не распечатаны. В последнее время Денби работать не мог, а доверить полностью все дела было некому. Стены в клетушке пестрели старыми торговыми рекламами и театральными афишами шестидесятилетней давности. Денби открыл шкафчик и налил себе виски. Ему было как-то не по себе.

Денби согласился на абсурдную дуэль с Уиллом Боузом, исходя из каких-то вполне определенных соображений, но теперь он уже не понимал, зачем ему это понадобилось. Конечно, у близнецов театральные пистолеты с холостыми патронами, и они инсценируют этот фарс, чтобы напугать его и унизить. Тем не менее предстоящая дуэль казалась ему дикой, опасной затеей, исход которой предсказать было невозможно: участвуя в ней, он вынужден экспромтом играть какую-то неясную ему роль, и неизвестно, удастся ли ему действовать твердо и с достоинством. Словом, он ощущал, что отдал себя в руки врагов.

Однако поначалу именно этого ему и хотелось — отдать себя в их руки, сделаться жертвой этого случая. Из головы не выходило слово «наказание», употребленное Уиллом в письме, и чудилось, что близнецы, которые, как считал теперь Денби, действовали заодно, были орудием судьбы, именно его судьбы, ополчившейся против него. Денби смутно сознавал, что дуэль — это конец, разумеется, не в буквальном смысле слова, но вся эта инсценированная маленькая трагедия так или иначе могла знаменовать завершение целого этапа его жизни.

Он знал, что Лиза уехала. Он заходил на Кемсфорд-Гарденс и видел ее пустую комнату. Диана сказала, что она уехала за границу навсегда. Денби не расспрашивал о подробностях.

Конечно же, она уехала не одна. Они тихо постояли с Дианой в пустой комнате. Только потом он сообразил, что Диана, видимо, все знает о его любви к Лизе. Должно быть, Майлз рассказал. Денби каждый день ходил в типографию. Заботился о Бруно, прибегал в обед, чтобы покормить его. Найджела дня три не было дома. Потом он явился и снова стал исполнять свои обязанности. Только теперь он был врагом, саркастически усмехающимся демоном возмездия. Денби неловко, извиняющимся тоном разговаривал с ним, всякий раз поеживаясь от его улыбки. Аделаида уложила свои вещи и то и дело распаковывала чемоданы, когда ей что-нибудь требовалось. Она объявила, что уходит, но не уходила. Целыми днями пропадала где-то. Кухня была завалена грязной посудой, продукты портились. Денби мыл горячей водой только одну тарелку, которой пользовался Бруно. Сам же обедал в кафе.

Денби было очень жалко Аделаиду. То, что казалось таким естественным, простым и приятным, пока все шло хорошо, теперь стало представляться чуть ли не преступлением. Правда, он никак не мог понять, в чем оно состояло. Ведь вовсе не из-за того он не женился на Аделаиде, что она ему неровня, как она ему говорила. Он вообще не задумывался об их неравенстве. Просто такой обыденной, заурядной любви было недостаточно, чтобы жениться. Он бы и на Линде не женился. Может быть, преступление его в том, что он позволял любить себя больше, чем любил сам? А может, в том, что он проглядел, как его второсортная любовишка наложила на кого-то обязательства, связала по рукам и ногам? Но ведь, строго говоря, он по-своему любил Аделаиду. Это чувство существовало в действительности, оно неотъемлемо принадлежало дому на Стэдиум-стрит, вроде непритязательного духа, обитающего в комнатах, в кухне. Однако в конце концов оно оказалось жалконьким, слабым и мгновенно улетучилось, стоило только снова испытать настоящую любовь, которая, как казалось теперь Денби, вернулась в его жизнь и которую он, к стыду своему, забыл.

Так какая же любовь все-таки была реальной? Порой он говорил себе, что Лиза, должно быть, сон, видение и он все больше и больше будет убеждаться в этом, пока в конце концов ему не начнет казаться, что он и не встречал ее никогда, что ее вообще не было. Он вдруг потерял голову из-за женщины просто потому, что она была похожа на Гвен, серьезной, глубокой женщины с густыми темными волосами и хорошо очерченным, выразительным ртом, женщины, которую он и видел-то всего несколько раз. Он потерял голову, потому что благодаря Лизе неожиданно вспомнил далекие времена жизни с Гвен и себя самого в ту пору. Лиза была ангелом воспоминаний, она возвращала утраченное.

И все же он знал, что она не просто видение. Она не воскресшая Гвен. Она совсем другая. И он не тот Денби, которого столь необъяснимо любила Гвен. Он обрюзг, проспиртовался, постарел. Но в то же время он, видимо, стал мудрее, он чувствовал это всем своим изболевшимся сердцем.

За эти годы в нем исподволь накопилось что-то хорошее. Именно это неприметное, крохотное «хорошее» кричало и плакало в нем, когда ему смутно, но тем не менее лучезарно рисовалась совсем иная жизнь, какой она могла быть рядом с Лизой. И несмотря на то, что жил он как придется, и очень скверно поступил с Аделаидой, и любил разыгрывать из себя дурака, все же он нашел что-то в мире, какую-то крупицу смысла, ожившую и засиявшую от одного взгляда Лизы. Денби смутно осознавал свою двойственность и то, сколь велика в его жизни была одна часть — заурядная, и сколь мала другая — драгоценная. Но все эти мысли были совсем не столь отчетливы, и он проводил большую часть времени в горестном оцепенении, размышляя о Лизе и ее избраннике, разжигая до исступления свою страсть и ревность и даже не пытаясь взять себя в руки.

В том отчаянном состоянии духа, в каком он пребывал, Денби находил даже какое-то облегчение в мыслях о предстоящей «дуэли». Она представлялась ему чем-то безумным, разрушительным и в то же время соответствующим его настроению и даже необходимым. Его обездоленная душа жаждала испытания. Пусть его арестуют, посадят в тюрьму, судят, подвергнут наказанию — Денби был бы только рад. По ночам ему снилось, как в огромном пустом зале суда звучит женский голос, перечисляя все его проступки с самого раннего детства. Ему было бы легче, знай он, что положение его безвыходно. Здравый смысл подсказывал Денби, что вряд ли все закончится для него благополучно, но даже это ему хотелось знать наверняка — неопределенность терзала его. А пока тянулась все та же мучительная цепь случайных, нелепых событий. Если бы он встретил Лизу раньше, если бы у нее не было того, другого, ее возлюбленного, если бы она не видела, как он целовался с Дианой, если бы он сам был другим, лучше, — а этого, по его мнению, он вполне мог достичь! Он принимал, даже приветствовал мысль о дуэли, она отвлекала его от тяжелых дум, казалась закономерной, даже необходимой.

Но сейчас, дрожа от холода в тесной каморке, освещенной электрической лампочкой, в окружении знакомых предметов, ставших вдруг мрачными и чужими, Денби увидел эту идиотскую затею в другом, более зловещем свете. С того момента, как раздался стук в окно и он получил заносчивое послание Уилла, Денби был сосредоточен только на себе. Он размышлял: принимать или не принимать ему этот вызов? Об Уилле Боузе Денби не думал иначе как о слепой силе, направленной против него самой судьбой. Теперь же, налив еще стаканчик, он наконец призадумался об Уилле. Он мало что о нем знал. Ему было известно только одно — что Уилл его ненавидит. Но во что может вылиться эта ненависть? Уилл любил Аделаиду с детства. Она представлялась ему чистой, прелестной девушкой, его суженой. Вот и все, что уловил Денби из слезных причитаний Аделаиды, когда получил вызов. Какие же чувства мог питать Уилл к человеку, который походя, развлечения ради, совратил девушку его мечты? Чего, по его мнению, заслуживал такой человек? Теперь Денби стало окончательно ясно, что Уилл намерен его унизить. Может, в этот ранний час, в этом безлюдном месте, которое предложил сам Денби, произойдет нечто совсем иное, чем он ожидал? Может, Уилл с Найджелом приведут кого-то с собой, свяжут Денби и надругаются над ним? Он слышал, что такое бывает.

Денби поставил стакан на стол и вышел в мастерскую. Окна уже побледнели. Он выключил свет, увидел берег реки и переливающуюся блестящими желтовато-серыми чешуйками воду. Противоположный берег скрывался в тумане, колеблющемся и дрожащем, излучающем рассеянное янтарное сияние, в котором слабо, но по-утреннему необыкновенно четко вырисовывался захламленный берег под окнами типографии. Денби била дрожь.

Услышав за спиной какой-то звук, он быстро обернулся. Он оставил наружную дверь незапертой, как договорились. В дальнем конце мастерской стояли двое, один — высокий, тощий, другой — пониже и поплотнее.

— А, доброе утро, — сказал Денби.

Ему не хотелось снова включать свет. Посетителей он узнал и так. У него сильно забилось сердце.

Уилл с большим ящиком под мышкой остался стоять у двери. Найджел скользящей походкой, как бы на цыпочках, направился к Денби. Когда он подошел к окну, Денби ясно увидел его лицо.

— Вы один?

— Да. Я решил обойтись без секунданта.

— Это немножко не по правилам, — сказал Найджел.

Он остановился, внимательно глядя на Денби. Его осунувшееся лицо светилось счастливым возбуждением, под глазом все еще красовался лиловый синяк.

— По-моему, эта дуэль — нелепая затея, — громко произнес Денби. — Я думаю, нам надо помириться и разойтись по домам. Сам не знаю, почему я здесь.

Уилл прошел в глубь мастерской. Остановившись в нескольких шагах от Денби, он положил свой ящик на офсетный станок и взглянул на Денби с уничтожающей холодной ненавистью.

— Ну что ж, — сказал Денби. — Как хотите. Развлекайтесь. Только побыстрее. Мне нужно домой.

Он, конечно, ломает комедию, но уж больно всерьез, подумал Денби. Теперь мне уже не уйти. Сделай я только шаг к двери, он сразу кинется на меня. Во всяком случае, хорошо, что их всего двое.

— Что ж, пойдемте, — сказал Найджел. — Кажется, начался отлив. Удачное вы выбрали место.

Денби отворил дверь. Повеяло сырым, свежим воздухом, в котором улавливался запах моря. Денби глубоко вдохнул его и, нетвердо ступая, придерживаясь рукой за парапет, сошел по ступенькам. Он пересек причал и стал медленно спускаться по железной лесенке на берег. Встав на податливый, смешанный с песком ил, он увидел на верхней ступеньке огромные башмаки Уилла с резиновыми подошвами. Завеса тумана переместилась теперь к центру реки, а здесь, над берегом, он чуть рассеялся, отступил, нависнув над ними сияющим сводом, бледно высвечивающим полоску суши шириной метров в шесть между кромкой воды и парапетом причала. В тишине, тоже, казалось, исходившей от тумана, все словно парило в воздухе, и Денби пугал звук собственных шагов по вязкому песку. Он остановился, пристально глядя на кромку воды. Отлив еще не кончился, вода в реке продолжала убывать. Лоснящаяся полоска песка отливала желтизной. Дальше за нею простирался каменистый неровный берег с разбросанными повсюду полиэтиленовыми мешочками, старыми автопокрышками, разноцветными бутылками и гладкими, отмытыми за время долгого пребывания в реке древесными обломками. В ясном свете занимающегося дня весь этот беспорядок вокруг казался намеренно созданным, словно декорация.

Уилл стоял у лестницы и возился с замком ящика, который поставил на ступеньку. Найджел легкой, скользящей походкой приблизился к Денби. Денби ясно увидел его лицо, на нем блуждала какая-то затаенная улыбка, будто на старинной иконе.

— Какой вы предпочитаете порядок дуэли? У вас есть особые пожелания?

— Мне все равно, — сказал Денби.

— Есть несколько вариантов...

— Решайте сами. Только побыстрее.

— Уилл предлагает такие условия: отмерить двадцать шагов и обозначить это расстояние двумя чертами. Потом отойти от каждой черты еще на двадцать шагов. По моему сигналу вы оба сходитесь и стреляете, не доходя до черты или стоя перед нею. Команды стрелять не будет — когда хотите, тогда и стреляйте.

— Найджел, нельзя ли прекратить эту комедию? — тихо спросил Денби. — Может быть, мы с Уиллом просто поговорим? Я ведь понимаю, каково ему...

— Хотите принести ему извинения?

— Да нет! Ну просто поговорить, как цивилизованные люди...

— Это исключено. Вы не понимаете. Уилл не может разговаривать с вами, не может. — Найджел коснулся руки Денби. Зубы у Найджела стучали.

— Просто какое-то сумасшествие...

— Стойте здесь. Я переговорю с Уиллом.

Найджел отошел, увязая в скрипучем песке, и Денби услышал приглушенные голоса. У него кружилась голова, он себя чувствовал как после хорошей выпивки. Вся эта ясная, четкая картина словно плыла у него перед глазами. А Найджел уже стоял рядом и что-то вкладывал Денби в руку.

— Возьмите. Вы умеете обращаться с пистолетом?

Денби поднял руку, в которой оказался изящный дуэльный пистолет с тонким длинным стволом. Гладкая, согревшаяся у него в ладони рукоятка была из дорогого красного дерева с богатым древесным узором. Ствол и утолщение рукоятки были инкрустированы серебряным цветочным орнаментом. Денби с восхищением разглядывал эту странную увесистую игрушку.

— Прицеливайтесь по стволу. На вытянутой руке. У него небольшая отдача.

— Вот уж развлечение для вас с братцем, — сказал Денби.

— Пистолет заряжен. Если не хотите попасть в Уилла, стреляйте в сторону. Помните: вы не обязаны идти до самой черты.

— Прямо как в кино.

Денби, который хорошо умел обращаться с револьвером, а порой забавы ради и из пистолета стрелял, проверил оружие. Пистолет был заряжен. Конечно, холостыми патронами... но заряжен. Похоже, братья решили довести спектакль до конца.

— После того как я брошу платок, можете стрелять в любое время.

— Не хватает только врача, — сказал Денби.

Найджел поднял на него воспаленные, сияющие глаза, ухмыльнулся и заскользил прочь.

Становилось все светлее. Уилл отступил за железную лесенку. Денби видел, как Найджел измерил шагами расстояние, провел деревяшкой сначала одну черту, потом другую. Подул утренний ветерок, туман немного рассеялся, однако противоположный берег все еще оставался невидим. Денби поднял воротник плаща. А если все это взаправду, подумал он, и меня сейчас убьют? Лиза, где ты теперь?

— Идите, пожалуйста, туда, назад, — сказал Найджел.

Он указал Денби за черту, которая была проведена на берегу среди камней. Вдалеке виднелась неподвижная фигура Уилла, прямая, напрягшаяся, маленькая, точно грозно нацеленная пуля. Денби различал какое-то лиловое пятно — должно быть, воротник рубашки или шарф Уилла.

— Между вами шестьдесят шагов, — сказал Найджел. — Черта, за которую вы не должны заходить, помечена деревяшками. Но вы можете стрелять в любой момент. — Пальцы Найджела теребили рукав плаща Денби.

— Извини, что я стукнул тебя об столб, — сказал Денби. — Я не хотел.

Воздух насыщен был легкой дождевой пылью. Черные волосы Найджела покрылись налетом блестящих капелек.

— Пустяки, — сказал Найджел. — Желаю удачи. Если выстрелите первым, сразу повернитесь боком, так меньше риска. Еще не рассвело как следует, может, Уилл и промахнется.

Найджел отошел. Все это инсценировано, чтобы напугать меня, подумал Денби. Они хотят, чтобы я дрогнул, потерял самообладание, стал умолять их не стрелять, убежал. Смешно. Однако Денби била дрожь.

Найджел стал посередине, на одинаковом расстоянии от Уилла и Денби. Помахал над головой белым платком. На берегу ясно виднелись две черты, между которыми было двадцать шагов. Где-то на реке загудел теплоход. Платок упал на землю.

Уилл медленно пошел вперед, уверенным движением поднимая пистолет на вытянутой руке и наводя его на Денби. Денби пристально смотрел на него. Затем, словно под действием магнитного поля, тоже двинулся вперед. У него гулко, тяжело и неровно стучало сердце. Денби прижал к груди левую руку. Это спектакль, говорил он себе, всего лишь спектакль. Но законы сцены уже завладели им, заставили стать актером, и он, нащупывая курок, начал поднимать пистолет. Все это глупо, нелепо, просто жалкое кривляние. Нужно кончать со всем этим, подумал Денби. Он непроизвольно отвел пистолет от медленно приближающейся, но все еще далекой фигуры Уилла, опустил ствол, направил его в сторону реки и нажал на курок.

Пистолет дернулся, раздался оглушительный выстрел, одновременно с ним — дребезжащий звон на высокой ноте: разлетелась на осколки зеленая бутылка, лежащая на берегу у самой воды.

Денби застыл, глядя на разбитую бутылку, — звук выстрела еще отдавался у него в ушах. Значит, пистолет был заряжен по-настоящему.

Денби выронил пистолет, из которого вился белый дым, и он с глухим стуком упал на поблескивающий грязно-серый ил. Денби нагнулся, чтобы поднять пистолет, и увидел прямо перед собой в ореоле золотистого сияния медленно приближающегося Уилла. Денби попытался собраться с мыслями. Нужно срочно что-то сделать, подумал он, я должен остановить его, все это нелепая ошибка. Он хотел сдвинуться с места, но тело будто налилось свинцом. Он стоял как вкопанный, завороженно следя за все укрупняющейся фигурой с наведенным на него пистолетом. Да, Уилл был в лиловой рубашке. В лиловой рубашке.

А если этот человек убьет меня? — пронеслось в голове у Денби. Он хочет меня убить, он желает моей смерти. Мне следовало понимать, что это никакая не игра. Но он же должен был видеть, что я не стал причинять ему зла, что я не стрелял в него, нужно объяснить, что все это ошибка, я не могу умереть по ошибке. Кто это поймет? Денби поднял руку. Он попытался сдвинуться с места, но ноги его будто вросли в вязкий ил. Он так и стоял с поднятой рукой, словно подавая сигнал, словно защищая себя знамением. Начал усиливаться дождик.

Уилл подошел к черте и остановился, тщательно прицеливаясь. Между ним и Денби было метров тридцать.

Его нужно остановить, думал Денби, я должен крикнуть ему. Но он оцепенел от страха и ожидания пули. Душа его словно воспарила в иные сферы. Он видел себя бездыханным на берегу Темзы с пулей Уилла в сердце. Я умираю из-за женщины, которую не любил, думал он, я умираю потому, что не сумел любить, я умираю у порога любви. Я был недостоин любви. Денби пытался заставить себя сделать хоть шаг или хотя бы повернуться боком, как советовал Найджел. Но не мог отвести взгляда от Уилла, который продолжал целиться в него.

— Нет! Нет! Нет! — Что-то темное замелькало в поле зрения, что-то подвижное, подпрыгивающее, это был Найджел, который кричал и размахивал руками. Пританцовывая, он прыгал прямо перед Денби, камешки так и летели у него из-под ног.

— Убирайся, черт тебя побери!

Услыхав крик Уилла, Денби рванулся вперед и схватил Найджела за талию. Из-за его плеча

Денби видел нацеленный пистолет. Он сделал Найджелу подножку и повалил его на землю. Уилл снова что-то прокричал и выстрелил.

Денби услышал свист пули, пролетевшей мимо головы, и тут тело его обмякло, и он тяжело опустился на камни. Найджел лежал, вытянувшись во весь рост, и смотрел на Денби. Потом глаза его закрылись и на лице появилось выражение блаженства. Эхо выстрела замерло вдали, наступила странная глубокая тишина.

Денби хотел протянуть руку, чтобы потрясти Найджела за плечо, но у него не хватило сил, и он наклонился над Найджелом, глядя на его обескровленное блаженное лицо. Послышался скрип шагов.

— В кого я попал? — спросил Уилл, который подошел к ним с опущенным дымящимся пистолетом в руке.

Лицо его было бледным, губы дрожали.

— К счастью для вас, ни в кого, — сказал Денби и стал подниматься.

— Найджел, Найджел. — Уилл упал на колени рядом с братом.

Найджел открыл глаза.

— Привет, Уилл. Кажется, я побывал на небесах.

— Тебя не задело, кретин несчастный?

— Нет. Но вон там, по-моему, полиция.

У соседнего причала, принадлежавшего какой-то другой фабрике, появился человек в форме. Вдалеке кто-то закричал. Денби повернулся и пошел в противоположном направлении по скользкому берегу. Потом он решил, что идти глупо, и бросился бежать. Туман рассеивался; сквозь блестящую завесу дождя Денби видел караван барж, очертания моста и рябую от капель воду.

Дальше вода омывала основание каменного забора, ограждавшего церковный дворик. Берег кончился, и Денби шагал уже по воде. Сзади слышались крики. Денби зашел глубже, изо всех сил раздвигая воду, и, неожиданно испытав блаженное чувство избавления, отдал себя на волю Темзы, оторвался от земли и поплыл на середину реки, к баржам. Он проплыл под кормой последней баржи и скрылся за ней.

Тишина и покой снизошли на него. Денби плыл медленно, брассом, почти не возмущая глади воды. Было совсем не холодно. Его мягко уносило медленное течение. Он ощущал странную, блаженную просветленность, как будто все его грехи, даже давно забытые, были ему вдруг прощены. Туман рассеялся, и дождик стал утихать. За спиной у Денби показалось бледное солнце, и он увидел, как в небе над Лондоном нарождается радуга, мостом перекидываясь через Темзу с севера на юг. Денби плыл ей навстречу. Он плыл под Баттерсийским мостом.

ГЛАВА XXVIII

Дождь, дождь, дождь. Аделаида сидела у себя в комнате при зажженном свете. Ей было страшно. На улице давно уже стемнело, и трудно было понять, вечер сейчас или ночь. Темно стало после полудня, когда пошел дождь. Часы остановились, видимо, теперь уже ночь.

Опять предупредили о наводнении. Но о нем предупреждали уже много раз, а никакого наводнения не было. Темнота и непрерывный яростный стук дождя в окна угнетали ее. Каким-то жутким сделался этот дом. Словно в нем поселился злой дух. Даже заглянуть на кухню было выше ее сил. Она боялась Найджела, боялась Денби, боялась Бруно. Она опасалась, что Бруно умрет, когда в доме, кроме нее, никого не будет. Все появлялись и исчезали самым неожиданным образом. Вдруг однажды они уйдут и больше не вернутся. Аделаида и сама хотела уйти, она уже несколько дней назад собрала вещи, но уйти не хватало духу, да и некуда было.

Мне незачем оставаться здесь, размышляла Аделаида, нужно переехать в гостиницу. Однако ей не хотелось особенно тратиться. Она никогда не останавливалась в гостиницах и понятия не имела, какая из них могла быть ей по карману. Нужно искать другую работу, думала она. Но эта мысль наводила на нее ужас. Аделаида чувствовала, что не в состоянии вынести никакой работы, никаких новых людей. Не в состоянии вообще больше жить. Теперь она понимала, что всегда любила одного Уилла. Его вспыльчивость, которая так ее раздражала, теперь казалась ей соответствующей ее собственному характеру и даже притягательной. Она подчинилась ему, покорилась, но слишком поздно. Годы, которые она провела с Денби, стали казаться ей призрачным сном. Она должна была распознать своего господина еще в детстве и повиноваться ему во всем. Перед беспощадной реальностью любви Уилла очарование Денби развеялось как дым. Аделаида забыла о своей любви к нему, ей казалось, что ее обожание Денби объяснялось какими-то совершенно посторонними причинами, которых теперь она понять не могла. Она уже не питала к нему враждебности, хотя ей все еще очень не хотелось видеть его. Чувство, будто он был к ней несправедлив, исчезло. Теперь, когда Денби сделался ей так же безразличен, как и она ему, Аделаида горевала совсем по другому поводу. Она злилась на себя, на свое легкомыслие, на свою близорукость. Все эти годы суженый был у ее ног, и вот она его безвозвратно потеряла.

Аделаида сидела на кровати и плакала. Сотни раз рисовалась ей сцена примирения — она бросается перед Уиллом на колени, он обрушивает на нее свой гнев и наконец прощает ее. Но она понимала, что попытка увидеться с ним ни к чему не приведет, слишком хорошо она знала его. Он способен обойтись с ней круто, даже избить ее, от него не приходилось ожидать благородных проявлений гнева. Могло произойти что-то безобразное, унизительное, непоправимое. Она думала было попросить посодействовать ей Найджела, даже тетю. Однако она знала, что Уилл не выносит Найджела, а к тете она не отваживалась идти из страха встретить там Уилла. Наконец Аделаида написала Уиллу письмо: «Прости меня, пожалуйста. Теперь я поняла, что люблю тебя». Но оно казалось фальшивым, неубедительным, не имеющим ничего общего с тем, что творилось у нее в душе. Письмо она отправила, просто на всякий случай, подобно неверующему, который ставит в церкви свечку. Он никогда не простит ее, он возненавидел ее навечно!

— Аделаида!

Она и раньше слышала, что Бруно звал ее, но не обращала на это внимания. Она вяло поднялась и пошла наверх.

— Аделаида!

— Иду-иду, не кричите.

У Бруно в комнате было холодно. Горел и верхний свет, и настольная лампа. Дождь вовсю барабанил в поблескивающее черное, незашторенное окно. Постель Бруно была в беспорядке, подушка свалилась на пол. Сам он бочком лежал на кровати, неуклюже свесив голову, словно у него надломилась шея. Тяжеленная книга о пауках лежала на полу у кровати.

— Чего вам?

— Куда все подевались?

— Не знаю.

— Где Денби, Найджел?

— Не знаю.

— Какой страшный дождь.

— Может, хотите чаю?

— Нет. Я отвратительно себя чувствую. Поправь мне, пожалуйста, подушки, Аделаида! Все меня бросили. Я тут давно мог умереть, никто бы и не заметил.

Стараясь не дышать, чтобы не ощущать запаха, Аделаида, придерживая Бруно за костлявое плечо, положила ему под голову сваливщуюся подушку, поправила постель, покрывало.

311

С усилием выпростав руки, Бруно опустил рукава красно-белой полосатой пижамы.

— Подай мне, пожалуйста, книгу. И задерни шторы.

Аделаида задернула шторы и швырнула на кровать книгу.

— Еще чего-нибудь?

— Аделаида, включи электрокамин. Холодно, будто зима на улице.

— Не нужно постель разорять, тогда и холодно не будет.

— У меня все болит, Аделаида, сил моих больше нет. По радио сказали, что вода в Темзе поднимается.

— Они это все время говорят.

— С северо-запада дует штормовой ветер, в Теддингтоне прорвало плотину.

— Не берите в голову.

— Аделаида, дай мне «Ивнинг стандард», пожалуйста.

— Сегодня газет не приносили.

— Аделаида, будь добра, сделай мне грелку. Я замерз. Извини, что я тебя беспокою.

Аделаида пошла в ванную, набрала в грелку горячей воды из-под крана, торопливо отерла ее полотенцем, вернулась к Бруно и, снова стараясь не вдыхать воздух, сунула грелку в изножье кровати, под каркас.

— Достаете?

— Да. Только очень горячо.

— Сейчас я ее обмотаю чем-нибудь.

— Нет-нет, не беспокойся.

— Дать вам еще одеяло?

— Нет, это будет слишком тяжело. Аделаида, ты бы посмотрела: может, там действительно наводнение?

— Да что вы в самом-то деле! Нас бы предупредили в случае чего. Просто большой прилив. Они всегда из мухи слона делают.

— Аделаида, пожалуйста, выйди посмотри. Господи, хоть бы Денби пришел.

— Ничего себе — выйди посмотри! Там же дождь и темень. Я только промокну до нитки.

— Ну позвони куда-нибудь, позвони в полицию. Аделаида, ну пожалуйста...

— Да чего вы волнуетесь? Ну ладно, пойду позвоню.

Закрыв дверь в комнату Бруно, Аделаида спустилась по лестнице. В прихожей было темнее обычного. Она на ощупь отыскала телефонный справочник и пошла в гостиную — посмотреть при свете номер полиции. Гостиная имела заброшенный, нежилой вид. В большие черные эркерные окна барабанил дождь. Под одним из них натекло на ковер воды. Аделаида подошла к телефону, сняла трубку. Стала набирать номер. И вдруг сообразила, что гудка не было. Телефон не работал. Она положила трубку, снова сняла ее. Телефон молчал.

Аделаида больше не пыталась звонить. Она постояла в темной прихожей, прикусив пальцы. Потом подошла к двери на улицу, открыла ее, но тут же захлопнула, оглушенная неистовым ревом дождя. Он лил так, что не видно было уличных фонарей, все тонуло во мраке. Неужели никто не поможет, думала она, неужели никто не придет? Соседи были в основном люди пожилые, и она их почти не знала. Хоть бы Денби пришел. Одиночество, шум дождя, перепуганный Бруно — она не могла больше этого вынести. Дойду до Арсенала на Чейни-Уок, подумала Аделаида, наверное, там ярко горят фонари, как ни в чем не бывало гуляют люди, они посмеются над моими страхами.

— Нет наводнения! — крикнула она Бруно. — Полиция говорит, наводнения нет. Пойду погляжу, что там на улице. Я скоро вернусь.

Она надела плащ, повязала голову шарфом, отперла дверь. Выйдя на улицу, в темноту, она едва сумела закрыть за собой дверь — так неистовствовал ветер и хлестал дождь. Справившись с дверью, Аделаида спустилась по ступенькам и пошла по улице. Сточные канавы были переполнены, по тротуару бежала вода. Мостовая превратилась в сплошной поток. Вода хлюпала у Аделаиды в туфлях. Промокнув до нитки, она остановилась. Она стояла в темноте под беспросветным ливнем. Безумие идти куда-то в такой дождь. Но, вспомнив о фонарях и смеющихся людях на Чейни-Уок, она поспешила дальше.

Задыхаясь от усталости и страха, Аделаида добралась до Креморн-роуд. Одежда липла к телу, сковывала движения. Аделаида шла по щиколотку в воде. Дождь шпарил вовсю. Откуда-то из-за плотной завесы ливня доносился непонятный, жуткий рев. На углу она постояла, глядя в сторону Чейни-Уок, но из-за дождя ничего не увидела. Ей крикнули что-то с порога и, спасаясь от дождя, захлопнули дверь. Ступая по воде,

Аделаида чувствовала, что поток все прибывает. Какой-то человек вынырнул из мрака, он бежал, точнее, пытался бежать.

— Не ходите туда! — крикнул он.

— Что случилось? — громко спросила Аделаида. Шум воды почти заглушал ее голос.

— Река вышла из берегов. Не ходите туда. Назад! Полиция... — Прыжками преодолевая поток воды, человек исчез из виду.

Аделаида закричала от страха и побежала назад. Но это был не бег, это была переправа вброд. С каждым шагом она все с большим трудом вытаскивала ноги из воды. У нее соскочила туфля, тогда она сбросила и другую. Задыхаясь, она ухватилась за ограду. Высоко поднимая ноги, в ужасе причитая, она пробиралась вдоль ограды. Откуда-то с верхнего этажа слышались истерические вопли. Аделаида добралась до своего дома, поднялась по ступенькам, поспешно вставила ключ в замок, и тут произошло непонятное. Раньше хоть что-то было видно в мерцании дождя, в отсветах струящейся воды, в проблесках света. Теперь же ее окружал мрак, словно ей завязали глаза. Наконец она отперла дверь и, споткнувшись о порог, вошла в дом. И сразу поняла, что произошло. В доме погас свет. Должно быть, затопило электростанцию.

Все еще плача от страха, она всем своим телом навалилась на дверь, чтобы закрыть ее. Наверху пронзительно кричал Бруно. В доме был тяжелый, давящий мрак. Она ощупью пробралась к лестнице.

— Аделаида, Аделаида, быстрее, свет...

Вытянув руки, она отыскала дверь Бруно.

— Аделаида, что случилось? Там наводнение?

Она подошла к Бруно и в темноте взяла его за руку. Рука была тонкая, как хворостинка.

— Ничего особенного. Просто сильный дождь. Должно быть, электростанцию залило.

Только бы не напугать старика, думала она. Если он начнет паниковать, я этого не вынесу.

— Ты не звонила в полицию, я слышал...

— Звонила. Ничего страшного.

— Неправда. Это не просто шум дождя. Наверное, Темза вышла из берегов. Нас затопит. Пойди посмотри да принеси свечей, мне жутко в темноте.

Аделаида снова ощупью пробралась к двери, спустилась по лестнице, обеими руками держась за перила. Это всего лишь вода, внушала она себе, даже если она хлынет в дом, мы спасемся наверху. Если бы только не этот ужасный шум. Если б только пришел Денби. Но кто придет в такой ливень! Где-то в ящике стола в прихожей должен быть фонарик, вспомнила она. Аделаида с трудом ориентировалась. Она нашла стол, отыскала фонарик. Включила его, посветила на лестницу, ведущую в пристройку. Оттуда слышался непонятный новый звук, там что-то булькало и шипело. Слабенький луч растворился в темноте. Аделаида спустилась на несколько ступенек и увидела в кружке света струящуюся воду. Аделаида испуганно смотрела на нее как зачарованная. И вдруг подумала: вещи, мои вещи!

Она ступила в воду, которая была ей уже по щиколотку, и, шлепая по ней, пробралась к себе в комнату. Два чемодана стояли на полу, в воде, один лежал на кровати. Она схватила сумочку, подняла с пола чемоданы и потащила их вверх по ступенькам, локтем прижав к себе фонарик. Она с трудом выволокла их на площадку первого этажа. Наверху кричал Бруно. Не обращая на него внимания, она побежала вниз, за третьим чемоданом. Так, что же еще? Пальто. Она сняла его с вешалки и попыталась натянуть на себя поверх мокрого плаща. Ничего не вышло. Руки сделались как ватные, она дрожала от холода и плакала. Аделаида связала в узел халат и пальто, вытащила их вместе с чемоданом на площадку и снова бросилась вниз. Где-то на кухне были свечи, но где? Она стояла на ступеньках, освещая струящуюся у ног воду. Аделаида не могла определить, поднимается вода или нет. Бульканье, шипенье раздавались теперь совсем рядом, и она поняла, что вода с улицы, сбегая в осевший задний дворик, скапливается там и просачивается в дом под дверью черного хода.

Нужно спасать вещи, подумала Аделаида. Она ступила в воду и, с усилием передвигая ноги, прошла в комнату Денби. Посветила в окно, пытаясь рассмотреть дворик, но ничего не увидела. Она подняла оконную раму. В комнату ворвался беспорядочный рев, шипение воды. Везде была темень. Аделаида опустила руку с фонариком за окно, вниз. И ее точно ужалило. Она поняла, что коснулась воды. Уровень воды во дворе был гораздо выше, чем в доме. Двор превратился в озеро. Аделаида изо всех сил дернула раму, чтобы закрыть окно, но раму заело, и Аделаида не могла справиться с ней. Вода снаружи уже достигала подоконника. Заливаясь слезами, Аделаида продолжала тянуть раму вниз, потом повернула фонарик, осветив комнату. На туалетном столике лежала щетка для волос, ее мирный вид совершенно не вязался с тем, что творилось вокруг. Аделаида взяла щетку и стала снова дергать раму, при этом лучик фонарика, который она держала в левой руке, метался во все стороны. Раздался звон стекла, и на нее посыпались осколки.

Аделаида отшатнулась от окна и, почувствовав острую боль в ноге, быстро села на кровать Денби. Свет фонарика выхватил из темноты какой-то предмет, который покачивался на воде рядом с ножкой кровати. Это была черная деревянная шкатулка с марками.

— Аделаида, Аделаида! — сквозь рев воды донесся голос Бруно.

Аделаида попыталась одной рукой поднять шкатулку, потом взяла ее обеими руками, поставила на кровать и забралась туда с ногами. У нее было ощущение, что в ступне застрял осколок. Она внимательно осмотрела ногу, светя на нее фонариком, осторожно провела по ступне рукой. Мокрый чулок был в крови. Аделаида смотрела на ногу и стонала. Рука, которой она ощупывала ступню, одеревенела от холода.

— Аделаида, забери марки! — снова раздался голос Бруно.

Аделаида посветила на шкатулку. Шкатулка была опрокинута, ящики выдвинулись. В целлофановых кармашках виднелись знакомые разноцветные картинки. Что-то упало Аделаиде на глаза. Это был мокрый шарф, который она забыла снять. Аделаида торопливо поправила его. Она сидела в темноте среди шума булькающей воды и дождя, дрожа от холода, чувствуя пульсирующую боль в ступне, и стонала. Она не сводила глаз с марок. Может, взять несколько штук для Уилла, вдруг подумала она. Может, он простит меня тогда? Скажу: потерялись во время наводнения. Вполне правдоподобно. Если б меня здесь не было, они бы вообще погибли. Это потоп, конец света, уже не имеет значения, кто как поступает. Она положила фонарь на кровать и протянула к маркам мокрую, не гнущуюся от холода руку. Где же здесь «Треугольный Мыс»? Вот бы знать, какие марки самые ценные. Надо отнести их наверх, подумала она. Пойти наверх, в тепло, обсохнуть, решить, что делать. Она спустилась с кровати и снова почувствовала острую боль в ступне. Стоя на одной ноге и плача, она попыталась поднять шкатулку, но она оказалась слишком тяжелой.

— Аделаида, марки, марки! — крик Бруно сделался явственней.

Аделаида, став коленом на кровать, попыталась вытащить ящички из шкатулки, но они не вытаскивались. Они только выдвигались до конца, и все. Непослушными пальцами она потянула за кармашки. Они тоже были закреплены.

Вдруг раздался новый гулкий всплеск разливающейся воды, и Аделаиде будто кто-то сжал ногу. Она выпустила из рук шкатулку и ухватилась за спинку кровати. Должно быть, скопившаяся во дворике вода хлынула в комнату через открытое окно. Аделаида вскрикнула и бросилась к двери. В прибывающей воде уже невозможно было сделать ни шагу. Она дотянулась до двери, с трудом выбралась из комнаты и всем телом подалась к лестнице, хватаясь за перила. Ей удалось стать ногой на нижнюю ступеньку. Фонарик, который она сжимала в вытянутой руке, вдруг осветил безжизненно-белую ногу наверху, прямо перед нею.

— Марки, Аделаида, забери марки!

Поднявшись еще на одну ступеньку, она направила фонарик наверх. И пронзительно закричала. На верхней ступеньке лестницы, ведущей в кухню, прислонившись к балясине перил, стоял Бруно. На нем была только пижамная куртка, его тощие ноги подгибались, как лапки насекомого. Распухшая голова, казавшаяся огромной в луче фонарика, покачивалась, точно деревянная карнавальная маска. Бруно клонился вперед, уцепившись тонкими руками за перила. Еще мгновение — и он со всего маху упал на Аделаиду, уткнувшись головой ей в плечо. Она выронила фонарь и под тяжестью тела Бруно рухнула вместе с ним навзничь прямо в темный поток.

ГЛАВА XXIX

— Смотри-ка, — сказал Майлз, — слышно, как ласточки щелкают клювом, когда хватают жучков. Прислушайся!

— Рано они прилетели в этом году, — сказала Диана. — Оставались бы с нами, зачем куда-то улетать?

читает. К восьми часам Диана уже укладывалась в постель. Заставить себя делить с ней ложе Майлз не мог, он опускался на коврик перед камином и оцепенело, не смыкая глаз лежал так всю ночь. Ему стало казаться, что скоро он просто умрет от недосыпания.

Вначале он думал, что найдет Лизу, что должен найти ее. И как это он потерял ее из виду? Нужно было решиться жить на два дома. Можно было настоять на своем. Он спросил у Дианы, где Лиза, но Диана явно этого не знала. В Комитете защиты детей этого тоже не знали. Ему сказали там, что писать ей следует на адрес их Калькуттского отделения. Он представлял себе, как находит ее, встречает на улице или, быть может, застигает в аэропорту. Представлял себе, как однажды вечером на Кемсфорд-Гарденс он слышит тихий поворот ключа в замке. «Майлз, я вернулась, я не могла иначе. Я никогда больше не покину тебя». Он представлял себе их встречу в Индии, вокруг удивленные смуглые лица, а Лиза смеется и рыдает в его объятиях. Однако он не пошел ни в бюро путешествий, ни в аэропорт. Он даже не написал ей. В глубине души он понимал, что Лиза ушла навсегда, что он потерял ее, и он корчился от физической боли именно потому, что понимал это.

С Дианой они почти не разговаривали. Диана все больше и больше времени стала проводить в постели и, видимо, много плакала. Раз-другой при встрече на лестнице она было попыталась робко улыбнуться ему, но Майлз не мог ответить ей улыбкой, а однажды, когда она умоляюще тронула его за руку, он отпрянул, словно от удара током. Зарыдав, Диана ушла на кухню. Майлз понимал, что бессонница сводит его с ума, но ничего не мог поделать. Он терпеливо, покорно ждал, когда ему, обессилевшему, исстрадавшемуся, будет милосердно ниспослано безумие. Примерно на пятый день, к вечеру, его охватило оцепенение, он впал в прострацию. Он видел окружающие предметы с неестественной четкостью, но словно бы издалека, как бывает во сне.

Потом он вдруг очнулся от забытья, совсем не похожего на сон; была ночь, и в окно гостиной, где он лежал на полу, светила луна. Майлзу казалось, что он умер. Ему казалось, что он видит себя, распростертого там, на полу, а душа его, покинув тело, витает над ним, точно страж. Он лежал в лунном свете, силясь вспомнить, кто он и что с ним случилось. Потом вспомнил. Вчера в авиакатастрофе погибла Парвати. Совсем недавно он попрощался с нею в аэропорту. Она застенчиво помахала ему худенькой рукой и отбросила назад тяжелую косу. На ней было красное с золотом сари, которое он особенно любил. Помахав ему, она улыбнулась и пошла к самолету. И вот она умерла, разбилась, и прах ее развеян в горах, она исчезла с лица земли, их больше не существует — Парвати и его ребенка. Он лег ничком на ковер, отвернувшись от луны. Он лежал с открытыми глазами и все вдумывался и вдумывался в факт ее смерти. Парвати навсегда исчезла с лица земли. Ее больше нет.

Утром Диана нашла его там, в гостиной, он лежал все в той же позе, он был будто парализован и не мог двигаться. Диана вызвала врача, и Майлз кое-как доковылял до постели. Через некоторое время он пришел в себя, стал жаловаться, как обыкновенный больной, безропотно позволял кормить себя супом и согревать постель грелкой. Он сделался унизительно зависим от Дианы, ни минуты не мог вынести ее отсутствия, хотя почти с ней не разговаривал. Потом заговорил. Он проговорил с ней целый день, даже целых два дня, о Парвати, рассказал о ребенке, рассказал обо всем, что только мог припомнить. Он подробно описал Диане, как впервые встретился с Парвати. Она ехала на велосипеде, и он подумал: вот если бы ее чудесное сари запуталось в спицах, я бы подошел и заговорил с нею. Сари запуталось, и Майлз подбежал, помог освободить его и предложил Парвати пойти выпить с ним чаю. Она отказалась. Через два дня он встретил ее на митинге, и на этот раз она приняла его приглашение. Он рассказал Диане обо всем, даже о том, как в аэропорту Парвати помахала ему, как она отбросила назад косу. Он рассказал ей, как стоял в прихожей с газетой, в которой сообщалось о ее гибели. Диана слушала, и по лицу у нее текли слезы.

Потом они говорили о Лизе. Диана рассказывала об их детстве и о том, какой была тогда Лиза. Она разыскала старые фотографии и показала их Майлзу. Они вспоминали о том, как они встретились и как поженились. «Я уговорила тебя, Майлз. Это совсем не то, что у тебя было с Парвати и с Лизой». — «Ты уговорила меня вернуться к жизни. Может быть, одна только ты и могла это сделать». Они беседовали о любви в жизни Майлза — действительно ли он давно полюбил Лизу и женился ли бы он на ней, если бы встретил ее раньше, чем Диану. Они тихо разговаривали, как разговаривают старики о давно минувшем, далеком. Тогда-то Майлз и заметил, что все переменилось, что мир стал выглядеть иначе, будто вывернулся наизнанку.

Боль не уменьшилась. Может быть, она только чуточку притупилась, когда он вернулся к обычному образу жизни, снова начал есть и ходить на службу. Словно боль осталась там, на прежнем месте, а он разросся вокруг нее, стал сильнее и легче теперь ее переносил. Она больше не гнула и не сокрушала его. Он бережно, нежно нес ее в себе, точно драгоценность. В метро он очень прямо сидел на своем месте, неподвижно сидел за служебным столом, баюкая боль, стараясь, чтобы ей было удобнее и легче у него внутри. Он много думал о Парвати, о Лизе. Их тени всюду следовали за ним. Безутешно, не ища облегчения, переживал он невозместимую утрату; баюкая великую свою боль, он всматривался в то, что случилось, и мир представал перед ним в новом свете.

Диана твердила, что он должен оставить ее и уйти к Лизе. Он слушал ее, но ничего не отвечал, только улыбался и отрицательно качал головой. Ее слова теперь уже не имели никакого отношения к действительности, к его нынешней жизни. Он понимал, что Лиза — недостижима и должна остаться недостижимой. В этом и состояла ее роль, ее предназначение. Он никогда не перестанет любить ее. Однако он догадывался, что не встретится с нею больше. Она была помазанница судьбы, отлученная от него, недосягаемая. И он будет поклоняться ее холодной добродетели, поскольку никогда больше ее не увидит. Майлз вспомнил, с какой возвышенной категоричностью она сказала ему во время их последнего разговора: «Не нужно говорить об этом». — «Ты мне напишешь?» — «Нет». Она была уже совершенно другой в его представлении, не той молчаливой больной девушкой, которую он знал столько лет и жизнь которой была полна лишений. Этот образ уступил место другому: она была для него теперь холодным, высоко парящим ангелом, суровым и сильным, поразившим его навеки. Ангелом смерти, может быть, смерти Парвати.

Майлз, конечно, знал, что будет дальше. Он улыбался своей потаенной улыбкой, улыбался наедине с собой, улыбался Диане, глядя сквозь нее, когда она убеждала его, что еще не поздно уйти к Лизе. Он теперь не спешил, ибо был во власти иных сил. Теплые солнечные вечера он проводил в летнем домике, хотя Диана и беспокоилась, что там еще слишком сыро. Когда было холодно или дождливо, он сидел у окна в своем кабинете, глядя на серые облака, стремительно проносившиеся над крышей выставочного зала Эрлз-Корт. Когда темнело, он не зажигал света и смотрел на багровое зарево в лондонском небе. Мысли его делались смутными, расплывчатыми, на душе теплело. Смещалась, клубилась вокруг них тьма, и они начинали дробиться. Распадаться на образы.

Майлз начал писать. Он писал легко. Огромными кусками, сложными, уже совершенными. Образы витали вокруг, ослепляли его своим многообразием. Бывает некая красота законченности в любви. Бывает некая красота законченности в искусстве. Только крайне редко. Майлз чувствовал наконец, что у него в стихах впервые в жизни звучит его собственный голос, и ничей другой. И он понял, что наступил момент, когда он смиренно может назвать себя поэтом. Он ждал этого многие годы, преданно ждал. Теперь же ему казалось, что он просто не умел ждать и что все его попытки предуготовить себя к великому служению, к которому он приступил только сейчас, были ненужными. Он пыжился, надрывался, бессмысленно скребся у поверхности жизни, а кто-то огромный, усмехаясь, наблюдал за ним. Что помогло ему, что перенесло его через труднопреодолимый моральный барьер в истинную жизнь — об этом Майлз тоже знал, но теперь, приступив к делу всей своей жизни, он уже больше не сосредоточивался на этом. И в глубине души у него жила спокойная уверенность в том, что, когда страсти перестанут владеть им — а это рано или поздно случится, — с ним останется его мастерство.

Диана и Майлз поднялись со скамейки и пошли назад, обняв друг друга за талию. Они шли медленно, как старики. Вечернее солнце заливало молодую травку, в теплом воздухе терпко пахло сырой землей. Липовую аллею осеняла дымка молодой листвы.

— По-моему, в летнем домике нужен электро-камин, — сказала Диана. — Самый простой вы-ход из положения.

— Наступают теплые дни.

— Все равно там сыро. А если мы утеплим домик, ты сможешь работать в нем и зимой.

— Хорошо бы. Особенно когда идет снег.

— Да, особенно когда идет снег. Нужно бу-дет все щели законопатить. Как называется эта штука, ну, из которой делают прокладки на двери и окна?

— Что-то не помню.

— Завтра же спрошу в скобяной лавке.

ГЛАВА XXX

Аделаида роняла слезы прямо в выдвижной ящик платяного шкафа, и на груде ее розового и голубого нижнего белья расплывались мокрые пятна. Аделаида выпрямилась, и слезы капнули на рукав ее красивого нового костюма из черного шелковистого вельвета с дымчатым отливом. Что-бы на нем не осталось пятен, она стерла слезы рукой. Потом внимательно оглядела себя в зер-кале на туалетном столике. В номере не было большого зеркала. Белая блузка с кружевными оборочками, тоже новая, оказалась ей не впо-ру. Аделаида купила ее в спешке. Кружева ни за что не хотели элегантно выглядывать из-за отворотов жакета, а сбивались под ними комом; когда же она пыталась вытащить их наружу, блузка выскакивала из юбки. Но теперь слишком поздно, с этим ничего не поделаешь, да и голубые бусы из венецианского стекла совсем не подходили к блузке. Они были слишком длинные. Она сняла бусы и бросила их в чемодан. Потом наклонила зеркало, отошла от него и осторожно взобралась на стул. Таким образом она могла рассмотреть все остальное — черную вельветовую юбку, нейлоновые чулки, черные лакированные туфли с металлическими пряжками. Ну и вид у меня, подумала она, прямо-таки похоронный.

Аделаида осторожно слезла со стула. Она всегда боялась высоты, и на стуле у нее кружилась голова. Она достала маленькую бархатную шляпку и принялась ее чистить, немного наклонившись и держа ее подальше от себя, чтобы слезы капали на пол. Просто уму непостижимо, подумала Аделаида, все плачу и плачу. Откуда только слезы берутся? В ее воображении возник огромный резервуар слез, пролитых за всю ее жизнь, и, представив себе, сколько их, без сомнения, предстоит еще пролить, она зарыдала с новой силой. Я столько реву в последнее время, думала она, того и гляди, глаза испорчу, так и останусь уродиной. Нужно перестать плакать, но как? Она разглядывала в зеркале свое лицо. Мокрые глаза опухли, покраснели, веки покрылись морщинками. Да и все лицо сделалось красным, опухшим, воспаленная кожа лоснилась от слез. Господи, ну и вид у меня, подумала Аделаида. Где уж тут красоту наводить?

Она стала причесываться, бросая в мусорную корзинку скатанные комочки волос. Волосы лезли больше обычного. И цвет был не тот. Пришлось пойти к незнакомой парикмахерше, и та выкрасила ей волосы в гораздо более светлый каштановый цвет. Интересно, очень ли это заметно? Аделаида никак не могла привыкнуть к короткой стрижке и всякий раз, посмотрев утром на себя в зеркало, расстраивалась. Срезанные волосы она оставила себе. Парикмахерша хотела купить их у нее, но Аделаида отказалась, хотя от этого странного безжизненного пучка веяло жутью. Аделаида поправила новую прическу. Она надеялась, что короткая стрижка будет ее молодить. Но теперь уже считала, что короткие волосы придают ей неряшливый, неопрятный вид. Аделаида все не могла решить: то ли убирать их за уши, то ли, наоборот, закрывать ими уши. И так и так было плохо. Наверное, зря она остриглась.

Аделаида взглянула на часы. Она еще не кончила укладывать вещи. Большой чемодан можно оставить внизу, у портье. Она стала запихивать белье в сумку. Заглянула во все ящики, осмотрела гардероб. Обыскала незастланную постель и нашла два мокрых носовых платка. Надо купить еще платков. Она прожила в гостинице совсем недолго, но простыни уже были серые, грязные. Ну вот, все готово, оставалось привести в порядок лицо. Пудриться и красить ресницы она решила в последнюю очередь, в надежде, что перестанет наконец плакать. Теперь надежда была только на то, что, накрасившись, она уже побоится лить слезы, чтобы не размазать тушь на глазах. Склонившись над раковиной, Аделаида ополоснула лицо холодной водой. Потом вытерла его и принялась наносить крем. Прикосновение пальцев к горящим щекам было приятно. На секунду она закрыла глаза. Теперь надо попудриться. Затем она поднесла к опухшим губам светло-розовую перламутровую помаду, и тут по ее тщательно напудренным щекам побежали слезы, оставляя две глубокие бороздки.

— Вот проклятье, — пробормотала Аделаида.

Рука ее дрогнула, губная помада измазала подбородок. Хоть опять мой лицо и начинай все сначала. Ну нет уж, хватит с меня, решила она. Да не все ли равно, как я теперь выгляжу, не все ли равно, повторила она про себя и почувствовала, что в этом есть доля истины, потому что жизнь ее теперь совершенно изменится. Осознав всю важность этого открытия, она уронила еще две большие слезы. Попыталась вытереть платком помаду на подбородке. Помада до конца не стерлась, но бледное розовое пятнышко было совсем незаметно на ее пылающем лице. Аделаида слегка похлопала себя по щекам и надела шляпку. Зазвонил телефон. Ей сказали, что пришло такси.

Аделаида снесла поклажу вниз по узкой лестнице мимо пыльных цветов в латунных вазонах, оставила большой чемодан у портье. Села в такси. Боже, подумала она, сейчас снова заплачу. И заплакала. Пока такси медленно тащилось в плотном потоке транспорта по северной части Лондона, Аделаида безудержно рыдала, и на нее с любопытством смотрели из ближних машин. Наконец они приехали. Аделаида приложила к лицу мокрый, пропитанный слезами платок и попыталась снова напудриться, но пуховка и та промокла. Она достала деньги из новой черной лакированной сумочки и расплатилась с шофером. Затем прошла по многолюдному тротуару мимо газетного киоска, мимо корзин с овощами, которые только что привезли в зеленную лавку. Сочный ярко-красный помидор, покатившись по тротуару, лопнул прямо у ее ног. Она обошла его и, войдя в темный неприметный подъезд, поднялась по лестнице на второй этаж. Постучалась и вошла.

Тетушка и близнецы уже ждали ее. На тетушке был длинный черный костюм с отороченным мехом воротником, шляпа из павлиньих перьев, множество колец, наверное дешевых, и большая красно-зеленая брошь. Братья были в темных костюмах, в петлице у Найджела красовалась белая роза, а у Уилла — красная. Регистратор вышел вперед, чтобы приветствовать Аделаиду.

— Здравствуйте, — сказала она, глядя мимо него на братьев.

Найджел подошел к ней и неловко поцеловал в щеку. Он улыбался, Уилл был мрачнее тучи. Усы у него были подстрижены щеточкой, как у Гитлера. Он подошел к Аделаиде и тоже поцеловал ее в щеку.

— Господи, — сказал он, — у тебя лицо горит.

— Moya meelaya devooshka, — сказала тетушка.

— Помолчите, тетушка, — сказал Уилл.

Аделаида почувствовала, что вот-вот упадет в обморок, и опустилась на стул.

— Ну, — робко произнес регистратор, — смею напомнить, зачем мы здесь собрались. Позвольте узнать, который из джентльменов жених? А то еще выдадим леди не за того.

— Я жених, — сказал Уилл. — Ади, перестань плакать, не разводи сырость. Как тебе не стыдно? Можно подумать, тебя казнить собираются.

— Наверное, в день свадьбы у всех такое чувство, — со смехом сказал регистратор.

Найджел улыбнулся.

— Svadba, ssodba, slooshba, — сказала тетушка.

— Ба-ба, забодай тебя коза, тетушка, — сказал Уилл. — Ади, возьми себя в руки. Ты что, хочешь все испортить?

— Не-е-ет, — со слезами промямлила Аделаида.

— Ja toscha, — сказала тетушка и принялась шмыгать носом.

— Тетушка, и без тебя тошно. Ади, веди себя прилично, не зли меня. Садись сюда, рядом, перестань реветь, а то ты у меня заплачешь по-настоящему.

Аделаида подошла к нему. Шляпка у нее сбилась набок из-за того, что она все время прикладывала к глазам платок, губная помада снова размазалась. Губы у нее дрожали, она со свистом втягивала в себя воздух. Тетя тоже залилась слезами. Найджел улыбался.

— Ну, вы оба, конечно, прекрасно знаете, — сказал регистратор, — что эта простая маленькая церемония имеет силу закона и связывает вас теми же узами, как если бы вы венчались в церкви.

Аделаида издала стон и приложила мокрый платок к губам. Найджел, продолжая улыбаться, смахнул слезу.

— Назовите мне, пожалуйста, ваши имена, то есть свое полное имя и имя отца. Вы, Аделаида-Анна де Креси...

По лицу Найджела струились слезы. Он по-прежнему улыбался.

— И вы, Уиллфред Реджинальд Боуз...

— Боже мой! — сказал Уилл. Лицо его сделалось красным, глаза наполнились слезами. — Боже! Извини, Ади.

— И... ваш отец... имя вашего отца... О Господи... — Перо в руках у регистратора задрожало, и он полез в карман за носовым платком.

Предчувствия Аделаиды относительно того, что ее супружеская жизнь будет не из легких, полностью оправдались. Характер Уилла нисколько не улучшился с годами, да и хроническое расстройство пищеварения, которое он нажил, ведя беспорядочную жизнь актера, мало способствовало тому, чтобы у него прошли припадки раздражительности. Поначалу Аделаида покорно терпела их. Потом и сама научилась кричать на мужа. Однако после каждого скандала она чувствовала себя обессиленной и ей было стыдно. А Уилл тут же забывал о ссоре. Но если Аделаида и знала заранее со всей определенностью о своих будущих бедах, то, по правде сказать, она не сумела предвидеть все то хорошее, что ожидало ее впереди.

Она вышла замуж за Уилла с отчаяния, от безвыходности, ибо чувствовала, что он предназначен ей судьбой. Она и не помышляла о счастье. Но было и счастье. Она даже представить себе не могла, сколько радости принесет ей близость с Уиллом и как важно окажется это для нее. Так же как, подписываясь впервые своим новым именем — Аделаида Боуз — и глотая слезы, не мечтала она о том счастливом будущем, когда, несмотря на вздорный характер, Уилл прославится как один из самых замечательных актеров Англии, и их долговязые близнецы (не зеркальные) — Бенедикт и Меркуцио[1] — поступят в Оксфорд, а сама она, совершенно не похожая на ту, прежнюю Аделаиду, станет леди Боуз.

Вскоре после женитьбы молодой семье неожиданно повезло и в финансовом отношении: к их удивлению, когда скончалась тетушка, выяснилось, что ее драгоценности, которые она им завещала, стоят десять тысяч фунтов. К тому же тетушкины мемуары, переведенные на английский язык, имели колоссальный успех и послужили для историков неистощимым кладезем сведений о последних днях жизни царского двора. Аделаида и Уилл все поговаривали о том, что неплохо бы выучить русский язык и прочитать тетины мемуары в оригинале, но так и не собрались. Однако Бенедикт посвятил себя изучению языка и истории России, а Меркуцио избрал своей специальностью математику.

---

[1] У детей Уилла и Аделаиды имена шекспировских персонажей из «Много шума из ничего» и «Ромео и Джульетты».

ГЛАВА XXXI

Было десять часов вечера. Денби сидел на кровати. Стены у него в комнате все еще были сырые. Постель он решил просушить грелкой. В хорошую погоду он выносил матрас на солнце. Уже несколько недель они жили без электричества, потому что в доме нужно было менять проводку. К счастью, при соблюдении всех формальностей правительство брало на себя расходы, связанные с этими работами. К счастью, и погода выдалась на редкость теплая.

Комната Денби не очень пострадала от наводнения. Разве что ил трудно было соскрести с пола. Удивительно, сколько вода принесла с собой ила. Правда, ковер и раньше был грязного цвета, а вот по стенам метра на полтора от пола разбежались потеки. Бессмысленно начинать ремонт, пока не высохнут стены. Слава Богу, и ремонт оплачивало правительство. Денби, ночевавший на втором этаже, спустился вниз посмотреть, нельзя ли к вечеру перебраться назад, к себе в комнату. Ему не нравилось спать наверху, хотя, конечно, там он был ближе к Бруно, когда тот звал его по ночам. Но Бруно теперь вообще редко звал его. Он как будто стал лучше спать, да и днем почти все время дремал.

Денби не ходил в типографию, проводил целые дни дома. Кто-то же должен быть с Бруно. Найджел исчез куда-то, оставив свои вещи, и Денби понимал, что при нынешних обстоятельствах нанимать кого-то другого нет смысла.

Доктор удивлялся, что Бруно еще жив. Вечерами почти каждый день приходила Диана, и, пока она сидела с Бруно, Денби выходил подышать воздухом и заглядывал в бар. Мимоходом он слышал, как Диана о чем-то разговаривает с Бруно, но о чем, никогда не спрашивал. Сам Денби говорил с ним немного, только о самом насущном — о еде, о погоде, о его комнате. Старик вполне здраво рассуждал, но в глубине его сознания будто что-то сдвинулось, и Денби часто ловил на себе его недоуменный взгляд — Бруно словно бы не понимал, кто такой Денби, но не решался спросить. И на Диану Бруно часто смотрел с недоумением, хотя Денби повторял при каждом удобном случае: «Это Диана, ты же знаешь — жена Майлза». Но кто он сам такой, Денби не объяснял. Ему не хотелось напоминать Бруно о Гвен.

Между Дианой и Денби установились теплые отношения с оттенком грусти, словно у супругов, которые давно развелись. Они пожимали друг другу руки и подставляли щеку для поцелуя. Уход за Бруно связал их торжественно-печальными узами. «Ну как он сегодня?» — «Ничего. Поел супу». Денби знал — Диана боится, что Бруно может умереть, когда она с ним в доме одна. Она и не заикнулась ни о чем подобном, но Денби понимал, что она имеет в виду, тревожно спрашивая: «Ты ненадолго?» Что-то странное, чудовищное было в этом их ежеминутном ожидании смерти. Каждое утро Денби просыпался с мыслью, не умер ли Бруно ночью, но, увидев, как по-прежнему слегка приподнимается и опадает одеяло, испытывал облегчение и боль. Его любовь к Бруно в последнее время стала абстрактной, почти безличной, и теперь он с особенной ясностью ощущал, какая пропасть между тем, есть человек или его нет. Бруно, несомненно, пока присутствовал в доме, и это согревало Денби. Но жила лишь телесная оболочка Бруно. И Денби безрадостно предвкушал, как, вернувшись домой, где уже нет Бруно, он снимает пальто и достает бутылку виски. Но до этого предстояло еще пережить нечто невообразимо страшное.

После падения с лестницы Бруно и внешне изменился. Он перестал надевать вставные челюсти, и щеки у него ввалились. Голова как бы усохла, поскольку спала одутловатость, из-за которой его лицо выглядело странно опухшим. Остатки шелковистых седых волос выпали, вытерлись о подушки, и череп совершенно оголился. Только глаза оставались прежними — слезящиеся, полные тревожного замешательства и тайного раздумья узкие щелки. Враждебным, пугающим взором следил он с недоумением за людьми, которые ухаживали за ним. Только при виде Дианы Бруно порой щурился, выражая удовольствие, и морщины у него на лице растягивались в улыбке.

Два или три раза заглядывал Майлз, его беседы с Бруно скорее походили на монолог. Проходя однажды мимо двери, Денби слышал, как Майлз говорил что-то о крикете, а Бруно молчал. От Майлза веяло полной безмятежностью. Он был почти весел. Денби невыносимо раздражало то, как он бодро входил к Бруно, заинтересованно выспрашивал, что говорит доктор. Он вел себя как человек, который исполняет свой долг и очень собой доволен. Казалось, он оставался совершенно безучастен к их боли и к таинству, которое им предстояло пережить. Он уходил, отрешенно улыбаясь, бормоча что-то себе под нос. Майлз теперь вызывал у Денби отвращение. То странное чувство — едва ли не любовь, — которое Денби когда-то питал к нему, исчезло безвозвратно. Денби больше не находил в нем даже сходства с Гвен. Майлз представлялся ему огромной улыбающейся крысой. Денби ощущал, что неприязнь Майлза к нему тоже усилилась, и спрашивал себя, уж не рассказала ли ему обо всем Диана. Скорее всего, нет.

Известие о замужестве Аделаиды расстроило Денби и в то же время принесло ему облегчение. Теперь, когда он был избавлен от ее слез, Аделаида вспоминалась ему во всем своем очаровании. Она была хорошей подружкой эти годы, и он испытывал к ней смешанную со стыдом благодарность, которую ему хотелось как-то выразить. Он собрался уже было сделать ей свадебный подарок — пятьдесят фунтов и даже чек выписал, но потом засомневался, удобно ли посылать деньги. Все сложилось из рук вон плохо, и он не знал, как быть. В конце концов он не отправил чека. Уилл разорвал бы его на клочки и отослал обратно.

Денби подошел к окну задернуть занавески. Была темная безлунная ночь, накрапывал дождик. Он сходил проверить, не захлопнулась ли

дверь пристройки, которую он оставлял открытой на случай, если позовет Бруно. Когда Денби
заглядывал к нему недавно, старик крепко спал.
О Боже, пошли ему умереть во сне, с болью в
сердце подумал Денби, пошли ему умереть во
сне. Но только не сегодня. Бедный Бруно. Денби
откинул одеяло и простыню, проверил, высох ли
матрас. Кажется, высох. На Стэдиум-стрит Денби никогда не чувствовал себя как дома, однако
любил свою комнатку с окошком, выходившим в
унылый дворик. Дворик занесло илом, в ясную
погоду он высыхал, покрывался трещинами, а в
дождь земля превращалась в вязкое, клейкое ме-
сиво. Надо бы очистить дворик, но как, Денби
плохо себе представлял.

Он присел на кровать и посмотрел в зеркало
на туалетном столике. Дородный мужчина с силь-
ной проседью, с хорошо сохранившимися зубами.
Денби вздохнул. Если б он не встретил Лизу,
если б не открылось для него что-то совершенно
другое, настоящая жизнь, что ли! Он был вполне
счастлив в постели с Аделаидой, вполне счастлив,
флиртуя с Дианой. Конечно, это объяснялось его
ограниченностью, поверхностностью. Благодаря
Лизе среди ночи воссияло солнце, мир стал кра-
сочным, призрак обрел плоть. Он просто забыл,
что так бывает. Может, и снова забудет. Может, пройдя через все испытания, он успокоится
у каких-нибудь мирных берегов, где солнце не
столь беспощадно. Может, он будет безмятежно
жить, как удалившийся на покой старичок, найдет
тихое, уютное пристанище, где не будет ангелов.
И женщин. Мог ли бы он полюбить другую?

После встречи с Лизой ни о ком другом он и думать не хотел.

Где же она теперь, размышлял он, в каком невообразимом чертоге счастья со своим избранником? В его представлении она обитала совсем в ином мире, дышала иным воздухом. Она представлялась ему посланницей далекой галактики, возвратившейся теперь в светящейся капсуле назад, в другое, неведомое пространственно-временное измерение. Этот расплывчатый образ умерял его ревность и страсть. Что недосягаемо, того и желать не приходится. А Лиза была видение, призрак, она была недосягаема. Но как бы ни Денби ни обманывал себя, он знал, что видел живую женщину и — о Боже! — прикасался к ней, и она могла бы его полюбить.

Денби чувствовал, что еще немного — и он заплачет. Он давным-давно забыл, что такое слезы. Но в последнее время, по утрам и особенно ближе к ночи, Денби стал плакать. Это приносило ему облегчение, успокаивало, снимало внутреннее напряжение, в котором он постоянно находился. Только нужно было постараться, чтобы Бруно не заметил, что у него глаза на мокром месте. Денби встал, подошел к двери, прислушался. Наверху было тихо. Денби решил проверить для порядка, заперта ли парадная дверь, и на цыпочках поднялся по ступенькам. Слава Богу, что Бруно хорошо спит по ночам.

На половике лежало письмо, которое пришло с вечерней почтой. Денби увидел незнакомый почерк и сразу подумал, что письмо от Лизы. Торопливо, дрожащими руками он вскрыл конверт.

Письмо было очень длинным, оказалось, что оно от Найджела. Денби запер входную дверь, накинул цепочку и медленно пошел к себе. Некоторое время он сидел неподвижно, уставясь в пустоту, сжимая в руке письмо Найджела. Если б только не эти тщетные надежды, обманчивые мечты, неосуществимые желания! Денби закрыл глаза, и слезы покатились у него по щеке. Потом принялся читать письмо.

Дражайший Денби!

Надеюсь, Вы простите меня за то, что я нарушил свой долг — ушел, не предупредив, не согласовав этого с Вами, не испросив позволения. Жаль, что мне пришлось покинуть Бруно, я хотел быть рядом с ним до самого конца. Надеюсь, он не встревожен, и я бы просил Вас передать ему мой сердечный поклон, если бы полагал, что он еще помнит Найджела, но я уверен, что он уже забыл обо мне, к счастью. Поскольку Найджела в некотором смысле никогда не было, обо мне и помнить невозможно — я не отбрасываю тени. Я пишу Вам в первый и последний раз, ибо беседа с Вами — для меня истинная радость (почему — Вы узнаете из письма), к тому же мне необходимо объяснить свой уход. Это и еще кое-что.

Любовь — это странная вещь. Без сомнения, она правит миром, она, и только она. Любовь — самое главное в жизни. Все прочее — тлен, суета и томление духа. Но тем не менее она и великий смутьян, это уж точно. Она побуждает мечтать о несбыточном, поклоняться идеалу. Странно, любить дозволено кого угодно и как угодно. Природа этого не запрещает. Кошке не возбраняется смотреть на короля, негодяй может любить благородного человека, благородный человек — негодяя, хороший — хорошего, мерзавец — мерзавца. Ал-ле оп: вспыхивает свет, и мы то ли наяву, то ли во сне. Увы, дражайший Денби, любовь часто бывает одинокой, замкнутой, безысходной и тайно разъедает душу. Условности тут ни при чем. Любовь не знает условностей. Случается все что угодно, и в некотором смысле слова, в самом, самом широком смысле, нет ничего невозможного. Ах, я и об этом думал, мой дорогой, и от этого я тоже много страдал. Вы могли полюбить меня. Увы, теоретически это было вполне вероятно. И я ушел не потому, что воображаемое несбыточно, а потому, что знал, сколь разрушительна моя великая любовь. Если бы я был святым, а я вполне мог бы им быть, я любил бы Вас, и поведал бы Вам об этом, и остался бы рядом с Вами, не причинив Вам никакого вреда, и Вы бы привыкли ко мне, как к воздуху, который вдыхаете, и даже не замечали бы, как я Вас люблю. Но поскольку я все-таки не святой, стихийная небесная сила, вырвавшись однажды из своих темных недр, повлекла бы нас — куда? Не знаю, но только вниз. Вам пришлось бы играть ненавистную роль. А я...

Кто другая моя великая любовь, Вы легко догадаетесь сами. Я и представить себе не мог, что вы оба у меня на глазах будете наводить друг на друга заряженные пистолеты. Но когда это произошло, вы были точно глина в моих руках[1]. Оказалось, очень легко было заставить вас делать то, чего хотел я! Но мне не должно думать о моей богоподобной власти, этот путь пролегает через самые немыслимые мучения, которые я уже изведал до конца. Ведь наша дуэль была великим испытанием, не так ли? Со своим непредсказуемым исходом она обернулась горней мукой, русской рулеткой души. Простите меня.

Я решил, что мне в моем положении остается лишь уехать из Англии. Один друг помог мне получить работу в Индии в Комитете защиты детей, и я улетаю в Калькутту. Я не оставляю обратного адреса и не подписываюсь. Я Ваш добрый дух и останусь таковым, независимо от того, будете Вы помнить обо мне или нет. Припадаю к Вашим стопам.

Денби смотрел на письмо. Оно причинило ему сильную, неизведанную боль. Если бы он знал раньше, что Найджел любит его! Но что бы он сделал тогда? Стал бы играть «ненавистную роль»? Да, действительно, любовь — смутьян. Каждый человек жаждет любви, но сколь редко она взаимна. Найджел любит его, он любит Лизу, Лиза любит... Безумие, тоска. Господи, я так одинок, подумал Денби. Он безошибочно распознал голос любви, пусть не тот, что был ему нужен, но донесшийся из того же таинственного реального мира. Глаза его снова наполнились

---

[1] Евангельская аллюзия: «И было слово Господне ко мне: не могу ли я поступить с вами, дом Израилев, подобно горшечнику сему? — говорит Господь. — Вот, что глина в руке горшечника, то вы в моей руке, дом Израилев» (Книга пророка Иеремии, 18:5—6).

слезами. Он чертыхнулся, смахнул слезы, снял пиджак, развязал галстук. Лучше всего лечь в постель и постараться уснуть, а не травить себе душу. Во время душевных передряг он всегда крепко спал, как и после выпивки. Денби постоял немного, прислушиваясь к усиливающемуся дождю, к ветру, от которого дребезжали оконные стекла. Расстегнул рубашку.

Неожиданно он услышал рядом с собой отрывистый размеренный стук. Денби застыл как вкопанный, запахнул рубашку. Раздалось еще несколько громких ударов. Кто-то настойчиво стучал в окно. Уилл! Да, это Уилл. Пришел окончательно со мной разделаться. Денби не двигался. Снова стук в окно, упорный, требовательный, яростный. Он сейчас разобьет стекло, подумал Денби. Что же делать? Вызвать полицию? Притвориться, будто меня нет? Может, он видит меня через щелку в занавесках? Господи, зачем все это? Денби чувствовал себя старым и уставшим. Ему хотелось спать. Он вовсе не желал драться с каким-то бесноватым молодым человеком. Все это нелепо.

— Кто там? — спросил Денби.

Ему не ответили, только продолжали яростно стучать в окно. Денби постоял в нерешительности. Потом тихо прошел из комнаты в кухню, достал большой нож для разделки мяса. Положил его на место. Вернулся в комнату, подошел к окну.

— Кто там?

Снова стук, еще и еще. Денби отдернул занавески. Дождь, непроглядная тьма, ничего не

благородного человека. Кошке не возбраняется смотреть на короля, на королеву, на принцессу, на ангела. Я должен стиснуть зубы и перетерпеть. И я не нуждаюсь ни в вашем сочувствии, ни в ваших чертовых объяснениях!

Лиза смотрела на него с легким недоумением, недовольно надув губы и насупясь. Лицо ее раскраснелось оттого, что она крепко терла его полотенцем. Потемневшие от влаги волосы, зачесанные назад, кольцами спадали ей на шею. Она подобрала под себя ногу в мокром чулке и, положив под спину подушки, откинулась на них. Удобно устроившись, она сказала:

— Теперь выслушайте меня.

— Прямо хочется попросить вас уйти, — сказал Денби. Он чувствовал непонятную злость.

— По-моему, на это вы не способны...

Она права, подумал он. О Господи Боже мой, за какие грехи?

— Я хочу рассказать вам кое-что и кое о чем у вас спросить, — сказала Лиза. — Начну с вопроса. Когда вы приходили в ту ночь на Кемсфорд-Гарденс, Майлз сказал вам, что я кого-то люблю. Вы знаете, кто этот человек?

— Нет.

— Это Майлз.

Денби опустил глаза. Он медленно наклонился и, опершись локтями о колени, закрыл лицо руками. Только бы не заплакать, думал он. Если я заплачу, то не смогу остановиться. Майлз. Майлз! Денби молчал.

— Простите меня, — произнесла Лиза. — Я знаю, что причиняю вам боль, но сказать это было необходимо. Я любила и люблю Майлза. Я полюбила его с первого взгляда, в день свадьбы Дианы. Я любила его все эти годы и думала, что он никогда об этом не узнает.

Денби молчал, прижав пальцы к глазам.

— Только недавно он узнал об этом, вернее, я ему сказала. Я не должна была выдавать своей тайны, но так получилось... Трудно было поступить иначе, психологически трудно. Потому что он сказал мне, что любит меня.

Денби продолжал молчать.

— Я не знаю, давно ли он меня полюбил, — продолжала Лиза так же спокойно, отчетливо, ровным голосом, — ему кажется, что давно. Но подозреваю, что на самом деле это случилось совсем недавно.

Денби поднял голову. На глазах у него были слезы, и он уже не пытался их скрыть.

— Боже милостивый, ну что вы мучаете меня своей проклятой любовью!

— Нужно, чтобы все было ясно. Я люблю Майлза, и он любит меня.

— Пожалуйста, уходите отсюда! — сказал Денби.

— Но, — продолжала Лиза, не обращая на него внимания, — дело в том, что Майлз — муж Дианы.

— Просто кошмар какой-то, — сказал Денби. — Зачем вы все это мне говорите? Ох, Лиза, Лиза, то ли вы не понимаете, в каком я состоянии, то ли вы просто глупая и жестокая женщина. Лучше бы мне с вами никогда больше не встречаться. Я быстрее избавился бы от своей боли. А вы приходите сюда и говорите — Майлз, Майлз, Майлз, Майлз. Сумасшедшей нужно быть, чтобы так измываться над человеком.

— Простите меня, — сказала Лиза, — но потом вы сами поймете, что это было необходимо.

— Необходимо? Для чего? Если хотите видеть, какую власть имеете над человеком, тогда конечно. Если хотите видеть человека, доведенного до...

— Да перестаньте, слушайте.

— Я уж тут было успокоился, смотрю за Бруно. Ну не успокоился, во всяком случае, спустился с небес на землю. Стал думать, что вы были просто видением. И вот вы явились и все испортили. Вы даже не представляете себе, что вы наделали...

— Естественно, вы начали приходить в себя...

— Ничего я не начал! Мне никогда не прийти в себя! Будьте вы прокляты, будьте прокляты!

— Не кричите. Вы меня будете слушать? Мне нужно, чтобы вы мне помогли.

— Помог заполучить Майлза? Ах, вот оно что! Господи, Лиза, не хотите ли вы сказать... Нет, не может быть... — Денби поднял голову, взглянул на нее, его лицо исказилось от боли.

— Что-что?

— Впервые вы увидели меня, когда я, покарай меня Бог, обнимал Диану. И как я мог надеяться, что вы поверите в мою любовь, в то, что я полюбил вас глубоко, серьезно? Поймите, с Дианой было совсем другое. Вы думаете, я просто волокита какой-нибудь. Думаете, раз я был увлечен Дианой... Хотите, чтобы я взял ее на себя, устранил с вашего пути, а вы с Майлзом... Вы сущий дьявол! — Денби вскочил и угрожающе поднял руки — жест его был полон отчаяния.

— Сядьте и перестаньте на меня кричать.

— Дьяволом, дьяволом нужно быть. Вы меня с ума сводите. Хотите, чтобы я убил вас?

— До чего же вы глупый. Не смейте меня трогать!

— Трогать! Да я готов задушить вас! — Денби застонал, отвернулся и, прислонившись к комоду, закрыл лицо руками. — Лиза, Лиза...

— Я хочу, чтобы вы меня выслушали, и я хочу, чтобы вы подумали. Если бы вы рассуждали здраво, вы бы никогда не договорились до такого. Я вовсе не хочу, чтобы вы отобрали у Майлза Диану. Да вам это и не удастся.

Денби снова застонал.

— Мы с Майлзом понимали с самого начала, что не можем быть вместе. Мы ведь не такие люди, чтобы...

— Вы прежде всего влюбленные люди, — сказал Денби.

— Романтическая любовь — это еще не все.

— У влюбленных своя логика.

— Они все преувеличивают. Кроме того, они одумываются. Даже вы начали одумываться!

— Я не начал. Так же как и вы. Вы ведь сами говорите, что любите Майлза много лет.

— Разлука лечит от любви.

— Вы с Майлзом найдете выход. Вы же оба чертовски умные.

— Послушайте. Наша любовь безнадежна. Майлз не может бросить Диану. Она его жена, она отдала ему жизнь. А после того, как я признáлась ему, что люблю его, и узнала, что он тоже меня любит, мне нельзя было оставаться у них в доме.

— Но в Лондоне, слава Богу, домов хватает.

— Это не выход для нас с Майлзом.

— Откуда вы знаете? Вы были близки? — Денби продолжал стоять спиной к Лизе, пристально глядя на щетку для волос.

— Нет, конечно нет.

— Не понимаю, почему «конечно». Вы ведь не святые.

— Нет, мы разумные эгоисты. Мы не хотим идти путем безумств и разрушений.

— Хорошо, но все же я не понимаю, какие соображения разумного эгоизма привели вас ко мне с этой вашей невыносимой любовью!

— Как я уже говорила, мы решили, что должны расстаться, и я подумала, что будет легче для нас обоих, если я уеду сразу же, и я нашла себе работу в Индии, в Калькутте, при Комитете защиты детей.

— Так почему же вы не в Калькутте, почему вы на Стэдиум-стрит, в моей спальне, сидите с ногами у меня на постели?

Молчание. Денби наконец поднял глаза и встретил ее напряженный взгляд.

— Я решила не ехать в Индию. Это было очень трудное и ответственное решение, — помолчав, сказала Лиза.

— А, значит, вы решили вернуться к Майлзу, а по дороге заглянули ко мне, чтобы все это рассказать!

— Нет, я не собираюсь возвращаться к Майлзу.

— А что же вы тогда собираетесь?..

— Отчасти это зависит от вас, — ответила Лиза.

Денби медленно опустился на стул. Он пристально, свирепо посмотрел на нее.

— Лиза, что вы, собственно, мелете?

Она окинула его почти враждебным взглядом:

— Я хотела, чтобы все было кристально ясно, а это, оказывается, не так-то просто.

— Что верно, то верно!

— Я не хотела вводить вас в заблуждение.

— Вы меня убиваете, а не вводите в заблуждение.

— Я должна была внести полную ясность насчет Майлза...

— Вы внесли полную ясность! Но что вам нужно от меня, Лиза? Может быть, вы хотите вызвать у Майлза ревность?

— Странно, — сказала она, — но, по-моему, именно когда Майлз увидел нас на кладбище вдвоем, его вдруг осенило, что он любит меня, когда до него дошло, что кто-то другой может в меня влюбиться.

— Избавьте меня от ваших трогательных воспоминаний. Значит, вы хотите заставить Майлза ревновать?

глазами. — Я думала обо всем этом. Вы
[...]ы мне верить. Я не собираюсь возвращать-
[...]айлзу. Это исключается. Вы должны по-

[...] Не понимаю. Когда любят — не сущест-
[...]никаких преград. Вы сумасшедшая. Я вижу,
[...]м и невдомек, к чему может привести ваша
[...]игра. Это игра с огнем, Лиза, вы меня погубите!

— Я хочу порвать с Майлзом, — сказала
Лиза, — и я это сделаю. И я знаю как. Это
принесет страдания и мне, и другим, я знаю. Для
Майлза я словно бы ушла в монастырь или умерла. И он спокоен теперь: я ведь для него недо-
стижимый ангел. Но когда окажется, что в конце концов я только женщина, он сразу потеряет
покой.

— И тогда он придет и заберет вас.

— Нет. Тогда он перестанет меня любить.

— Значит, все это, чтобы исцелить Майлза!

— Да будет вам! Послушайте, Денби, неужели вы не понимаете, что вы вовсе не оставили
меня равнодушной, что в тот день на кладбище
и в ту ночь в саду вы разбудили во мне женщину?
Я вам благодарна за вашу любовь, но это еще
не все. Это очень много, но далеко не все. Я
любила Майлза, но ведь и вы были у меня перед
глазами. Я бы не пришла к кому попало за под-
держкой и утешением. Я думала о вас все это
время. Мне незачем ехать в Индию. Что же
странного в том, что мне захотелось дать кому-то
счастье и быть счастливой самой? Я все вспо-
минала, как вы тогда ночью упали в золу на
колени и как мне захотелось вас погладить. За

все эти годы на Кемсфорд-Гарденс у мен[я при]тупился инстинкт самосохранения. Я жила[, как] в темной келье. А теперь я вырвалась [из нее]. Это очень болезненно, и боль еще будет [длить]ся, конечно, но ее можно вынести, если зн[аешь], что выздоравливаешь. Я не сумасшедшая, Де[нби]. Никогда в жизни я не была более трезвой, х[о]лодно-трезвой, эгоистично-трезвой. Я женщина. И я нуждаюсь в тепле, в любви, в привязанности, в радости, в счастье, во всем том, чего у меня никогда не было. Я не хочу жить на дыбе.

— Но вы меня совсем не знаете...

— О, я прекрасно чувствую вашу душу. Это вы меня не знаете. Вы вообразили, что я добрая. Но все эти наполовину вычеркнутые из жизни годы ничего не доказывают. А вот вы думаете, что я... что я похожа на...

— Нет, — сказал Денби, — нет. Я вижу вас, я вижу именно *вас*.

— Тогда давайте верить друг другу.

— Подождите-ка, — сказал Денби, — а то я сейчас заплачу. Что же вы предлагаете?

— Ничего особенного. Давайте лучше познакомимся друг с другом. Пригласите, например, меня пообедать.

— Пригласить... вас... пообедать! Должно быть, я схожу с ума, — сказал Денби. Он то ли зарыдал, то ли засмеялся. — Зачем, Лиза? Это каприз. Вы бросите меня, и я умру от горя.

— Ну, если вы предпочитаете не рисковать... — Лиза вытянула длинную ногу и потерла лодыжку. Потом сунула ноги в полуботинки и взялась за плащ.

Денби опустился на пол и положил голову ей на колени. Она устало улыбнулась грустной победной улыбкой и погладила его седые волосы.

ГЛАВА XXXII

Бруно проснулся. Слава Богу, не ночь. Теперь возвращение к реальности приносило с собой боль, она медленно, постепенно обволакивала его, словно он погружался в теплую воду. Он страдал не физически, хотя тело у него тоже болело. Порой у него начинались какие-то спазмы, будто что-то сжималось и рвалось внутри. Но это бывало нечасто и быстро проходило. Мучил нестерпимый зуд, не отпускавший его теперь ни на минуту, и даже во сне, который словно окутывал его сознание трепещущей сумрачной дымкой, он ощущал его своими одеревенелыми конечностями. Но гораздо больше мучила его душевная боль, которую он чувствовал всем своим существом, словно обреченные плоть и душа, распадаясь, образовывали невидимую эктоплазму, неизвестно где помещающуюся, которая беспомощно пульсировала, пока угасало сознание. Возвращаться из сна к этому эктоплазменному бытию было мучительно. Я все еще здесь, думал он.

И дни он стал проводить по-другому: суп, ночной горшок, суп, горшок. День, ночь, дождь за окном и, что хуже всего, солнце, которое освещало скомканные грязные простыни, потеки на обоях, погнутую латунную ручку на двери, много лет не чищенную. Бруно понимал, что рассудок у него уже ослаб. Возможно, это от обезболивающего, которое прописал доктор. Это были новые таблетки, другого цвета. Он ощущал у себя в голове огромный черный ящик, занимавший почти все пространство, а для мозгов оставалась лишь узенькая щелка. Имена людей, названия предметов ускользали от него, парили где-то рядом, то справа, то слева, наподобие птиц, которые улетали, стоило ему повернуть голову. Он и на самом деле поворачивал ее, с усилием, недоуменно ища ясного смысла всего, что его окружало. Он знал, что смысл этот существует, потому что различал его отсвет, но только отсвет.

Люди приходили и уходили. Денби и Гвен часто сидели с ним, разговаривали друг с другом, иногда обращаясь к нему. Бруно это нравилось. Его навестил какой-то темноволосый молодой человек, только это было давно, Бруно хотел что-то спросить о нем, но не мог вспомнить его имени. Бруно слышал собственный голос: «Молодой человек, молодой человек...» Но кажется, никто не понял, что он хотел сказать. Приходил Майлз. Бруно знал Майлза, знал его имя и произносил его. Но не разговаривал с ним. Это было как в кино. Майлз двигался, что-то говорил, делал, а Бруно смотрел. Всякий раз, когда Майлз склонялся над ним и рассказывал о чем-то с необычным для него жаром, Бруно кивал и пытался улыбнуться. Улыбаться было трудно из-за болезненной эктоплазмы, но, сделав огромное усилие, он улыбался, хотя не был уверен, получается ли это у него. Еще одна светловолосая женщина с очень приятным лучистым лицом много времени проводила у его постели. Бруно не знал, кто она.

Время шло, и Бруно наблюдал за его ходом, его лицо морщилось в проницательной усмешке. Раньше он не замечал времени. К нему приходили, что-то приносили ему — суп, горшок, «Ивнинг стандард», оба тома «Пауков-охотников». Он рассматривал фотографии в газете и в книгах, но даже в очках не различал расплывающиеся буквы. Ночью, проснувшись, он стонал, подгоняя стоном время, капля за каплей роняя стоны в кулечек времени, который потом исчезал. Иногда он стонал оттого, что ему казалось, будто настал его последний час. Иногда приходили Денби и Гвен, разговаривали с ним, поправляли постель, взбивали подушки. Когда они уходили, Бруно снова принимался стонать.

Таково было его настоящее. И отдельно, где-то в другом измерении, но совсем рядом, простиралось прошлое — отчетливое, яркое. Он видел живые картинки. Не то чтобы это были воспоминания. Однажды он увидел могилу Самбо в парке у дома в Туикенеме. К ней медленно приближался Майлз. Они нашли небольшой плоский камень и установили его на могиле собаки. Хотели выгравировать на камне кличку, но так и не собрались. Часто он видел мать, расчесывающую длинные волосы при свете лампы; иногда, скрытая за ажурным плетением золотых листьев, освещенных солнцем, она звала его: «Топтыжка, где ты, дорогой?» Однажды он увидел Морин в короткой юбочке, спящую в гнезде из перьев. Это были не воспоминания. *Я вам* станцию за десять пенсов, ах, знали бы вы, чего это стоит. Он видел Гвен в гимнастическом костюме, с косичками, с латинским букварем Кеннеди в руках. Обычно он помогал Гвен готовить уроки. Он видел по-детски крупные буквы на листке бумаги и рядом — свой аккуратный мелкий почерк. Amo, amas, amat[1]. Латынь — начало начал. Но где же конец всему, думал Бруно, где?

Вот я умираю, размышлял он, но что же такое смерть? Только боль и страх? Конечно, он боялся, боялся чего-то. Предстоят ли ему невообразимые мучения, когда придет смерть, будет ли он чувствовать, что умирает, долго ли это продлится? Однако больше всего он страшился того, что происходило с ним сейчас, своей жалкой, немощной жизни, которая сопротивлялась смерти. Стоны по ночам — это было совсем другое, это было не так мучительно. Он понимал, что его могут ожидать еще большие страдания, пока организм борется за остатки жизни, и нужно отключить сознание, отвернуться, не вступать в единоборство с силой, одолеть которую невозможно. Присущая ему привычка смотреть правде в глаза должна сослужить здесь свою службу, привитый с детства навык владеть собой, управлять телом и духом — вот на что уповал он теперь. Еще были слезы. Они не тревожили Бруно. Это были созерцательные слезы. Он плакал, созерцая медленный ход времени, цветные картинки. Это не были слезы ужаса. Ужас притаился

---

[1] Люблю, любишь, любит *(лат.)*.

где-то в углу. Бруно обречен участвовать в этой игре — игре, называемой борьбой за выживание, — до самого конца. Вот единственное, что теперь ему осталось.

Нет, осталось что-то еще, думал Бруно, или это все одно и то же? Что же я должен еще сделать? Если бы существовал Бог, он бы сделал это за меня. Порой ему грезился Бог. Бог висел над ним в виде прекрасного паука eresus niger, слегка покачиваясь на чудесной, почти невидимой золотой нити. Другую нить Бог спускал к нему, и она колыхалась над его головой, а когда Бруно хватал ее, нить рвалась. Легкое, нежное касание нити вызывало мучительное и в то же время блаженное ощущение. Потом неожиданно eresus niger начинал увеличиваться в размерах и вдруг становился головой отца Бруно. Его лицо заслоняло все небо.

Бог сделал бы это за меня, но Бога нет, напряженно думал Бруно. И начинал размышлять о женщинах. Он видел Морин, которая сидела в кафе за шахматной доской, не сводя глаз с красных и белых фигур, время от времени двигая то одну, то другую. *У нее голубые глаза, я глаза не любил голубые, но они у нее такие, что теперь я люблю голубые.* Морин носила строгую красно-белую шляпку-котелок, низко надвинутую на глаза. Как же он раньше не догадался, что шляпка сочеталась с шахматными фигурами? Неужели она специально ее носила? Нужно спросить у нее при случае.

— Нужно спросить у нее, — сказал он вслух.

— Что, Бруно?

— Нужно спросить у нее.

Светловолосая женщина подошла к нему, села на кровать, взяла его за руку, как бывало и прежде. Ее крупное лицо цвета слоновой кости было усталым, грустным. Несколько раз он видел — она тихо плакала, думая, что он спит. Кто она? Сколько ей лет? На лице у нее ни морщинки, но она явно немолода.

— Что, Бруно, дорогой?

— Муха запуталась в паутине, — сказал Бруно.

Большой diadematus сплел изящную сферическую паутину в верхнем углу окна за стеклом. Обычно он висел вниз головой или сидел в трещине на раме, в маленьком жилище из паутинок, соединенном с центром сферы крепкой сигнальной нитью. Бруно целыми днями наблюдал за ним. У паука все не было добычи. Теперь же крупная муха барахталась в паутине, и паук спешил к ней.

— Вытащить муху?

Бруно не знал, хочет ли он, чтобы муху спасли, или нет. Паук, приблизившись к мухе, выпустил тончайшую нить, которая обвилась вокруг нее. Женщина отворила окно, тронула рукой паутину, разрушив ее изящную симметрию. Паук отступил, пленная муха повисла на паутинке.

— Слишком поздно. Принесите их сюда обоих. В кружке и в чашке.

Женщина опустила муху в кружку, с трудом поймала паука и посадила его в чашку. Подала их Бруно.

Муха слабо барахталась, двигая лапками и головой. Крылья у нее были повреждены обвившейся вокруг паутиной. Паук изо всех сил пытался выбраться, соскальзывая с гладкой поверхности чашки. Женщина слегка наклоняла чашку из стороны в сторону, и паук всякий раз падал на дно. Еще немного — и он утихомирился.

— Жирный паук.

— А вы не боитесь его? — спросил Бруно. — Женщины ведь боятся пауков.

— А я не боюсь. Я даже их люблю. И мух тоже.

— Грустно все это. Взгляните на крест, белый крест у него на спине. В средние века из-за этого креста пауков почитали священными.

— Может быть, муху лучше прикончить?

Бруно задумался. Вмешавшись в природу, они не знали теперь, как быть.

— Пожалуй, а паука посадите на место.

Женщина бросила муху на пол и придавила ногой. Паук был осторожно водворен в паутину, он тут же забрался в свое жилище, сжался и сделался почти невидим.

— Не закрывайте, пожалуйста, окно.

Теплый летний воздух лился в комнату. К запаху пыльных улиц, к особому запаху Темзы, гнилостному и в то же время свежему, примешивался едва ощутимый аромат цветов.

Что чувствуют эти твари? — думал Бруно. Страдала ли от боли муха, когда крепкая паутина опутала ее и поломала ей крылья? Испытывал ли страх паук, находясь в чашке? Загадка — эти ощущения в экстремальных ситуациях. А разве менее загадочна жизнь в промежутках между ними? Если бы существовал Бог, он бы озадаченно обратил свой взор к земным тварям и спросил, каково им.

Но Бога нет. Я средоточие огромной сферы собственной жизни, думал Бруно, пока кто-то равнодушной рукой не оборвет паутину. Я живу уже почти девяносто лет и ничего не знаю. Я видел вселяющие ужас ритуалы природы, сам движим был простейшими инстинктами и к концу жизни не накопил никакой мудрости. Велика ли разница между мною и этими крошечными жалкими существами? Паук плетет свою паутину, иначе он не может. Я же плету собственное сознание, и оно лишь назойливый болтун, пустослов, который вот-вот онемеет. И все это сон. Явь невыносима. Я прожил жизнь во сне, просыпаться слишком поздно.

— Что же мне осталось еще? — вслух произнес Бруно.

— Что еще, милый?

— Еще.

Если бы верить, что смерть — это пробуждение. Хорошо тем, кто верит. Бруно посмотрел на свой халат, висящий на двери. Он не надевал его с тех пор, как перестал подниматься с кровати, и складки застыли в неизменном положении. Он хорошо их знал. Казалось, халат стал больше, длиннее, мрачнее. Даже солнечному свету не под силу было скрасить его мрачность. Как жалко все это оставлять, подумал Бруно. Я прошел юдолью слез и ничего не увидел в истинном свете. Реальность. Вот что еще мне осталось.

Познать реальность. Но теперь слишком поздно, и я даже не знаю, что это такое. Он огляделся. Солнце освещало мрачную комнатенку, выцветшие грязные обои с рисунком из листьев плюща, тусклую ручку двери, тонкое индийское покрывало с едва заметной паучьей вязью орнамента, запыленные бутылки шампанского, которого он уже не пил. И халат.

Слезы выступили у него на глазах, потекли по лицу в бороду.

— Что такое, душа моя? Не нужно плакать.

— Не могу вспомнить, не могу вспомнить.

Что-то очень простое, думал он. Связанное с Морин, с Джейни, вообще со всем, что было в жизни. Теперь ясно, насколько бессмысленно все, чего добиваются. Если и существует что-нибудь, имеющее смысл теперь, в конце, — это должно быть что-то, ради чего действительно стоило жить и умереть. Хотелось бы знать, что же это. И, только поняв, что все остальное бессмысленно, легко стать добрым и хорошим. Конечно же, все это был сон.

— Можно ли что-нибудь вернуть? — спросил Бруно. — Ведь нельзя же.

— О чем вы, милый?

Женщина все держала его за руку, сидя возле него на кровати. Но влечения он больше не испытывал. Страх убил все другие чувства.

— Если б можно было все вернуть, но ведь нельзя же.

Некоторые верят, что обретут жизнь заново. Но ничего такого быть не может, в том-то весь и ужас. Он любил всего нескольких человек, любил дурно, эгоистично. Он все запутал. Неужели только в преддверии смерти становится ясно, какой должна быть любовь? Если бы только это знание, пришедшее теперь, это абсолютное знание того, что ничто другое не важно, могло бы перенестись назад, в прошлое, и очистить его от эгоистичных мелких страстей, распутать все, что он запутал. Но этого не дано.

Знала ли об этом перед смертью Джейни? Только сейчас Бруно отчетливо понял, что да. Джейни знала. Невозможно не знать этого перед лицом смерти. Джейни не проклясть его хотела, она хотела простить. А он отнял у нее эту возможность.

— Джейни, прости меня, — бормотал Бруно. Слезы текли у него по щекам, однако он был рад, что узнал это наконец.

Халат придвинулся к нему и застыл в ногах кровати.

Он умирает, думала Диана. За что мне послано пережить такое?

Бруно все время говорил что-то непонятное и не переставая плакал. Он едва мог есть, у него совершенно не было сил двигаться. Немощное, съежившееся тело неподвижно лежало под покрывалом. Только в мозгу у него или, может быть, в одних глазах с неистощимой силой полыхало пламя, которое вскоре должно было угаснуть.

Диана взяла Бруно за руку, и он ответил ей едва ощутимым пожатием. И сморгнул слезы. Диана вытерла ему щеку. У него не было сил поднять руку. Странно, организм по воле природы перестает функционировать и разрушается, а слезы все вырабатываются и вырабатываются.

На глаза у Дианы тоже навернулись слезы, и она вытерла их свободной рукой, тою же, что вытирала слезы Бруно, и ее слезы смешались с его слезами. За это время она очень его полюбила.

Если Бруно сейчас умрет, Денби замучает совесть. Они с Лизой ушли вечером. Диана уговорила их уйти. И вдруг Бруно стало заметно хуже.

У Дианы создалось впечатление, будто ее сестра и Денби слегка помешались. Они точно опьянели от счастья. Внешне Лиза настолько изменилась, что Диана с трудом узнавала ее. Она помолодела лет на двадцать и была очаровательна как никогда. Она все время смеялась каким-то новым смехом, которого Диана никогда раньше не слышала. Или, может быть, за все эти годы она просто забыла Лизин смех? Спит ли она с Денби? Судя по ее виду, наверняка. Их попытки скрыть счастье в доме, где витала смерть, были трогательны, но безуспешны. Они ничего не могли с собой поделать — они были до неприличия здоровы, полны надежд, жизнерадостны. Все в них ликовало.

Майлз бурно негодовал, это было очень смешно и отчасти даже снимало с души у Дианы тяжесть. Майлз долго ей не верил. Он считал, что Лиза не могла уйти к Денби, что это противоестественно. Он смотрел на Диану безумными, широко раскрытыми глазами. Тут какая-то ошибка. Диана, наверное, ошиблась, что-то перепутала. Природа не может допустить такой нелепости. Когда же наконец Диане удалось убедить Майлза, что она говорит правду, что Лиза не живет самоотреченной жизнью в Индии, что ее видели в Лондоне, в новом спортивном автомобиле Денби, что она обедала с Денби в ресторане в новом, чрезвычайно модном платье, Майлз весь день был вне себя и сыпал проклятьями. Проклинал Денби, проклинал Лизу. Сказал, что их связь не может продлиться долго. Она пожалеет, о Боже! Как она пожалеет! Заявил, что Лиза его грязно предала. День-другой он сосредоточенно молчал, хмурился, не отвечал на вопросы. Потом загадочно сказал Диане: «Все, с этим покончено» — и засел за работу в летнем домике. Неделю спустя, гуляя по саду, Диана снова видела ту странную ангельскую улыбку, которая блуждала у него на лице, когда он писал.

Лиза не виделась с Майлзом и ничего не объясняла Диане. Просто однажды утром Диана застала Денби и Лизу на Стэдиум-стрит. Они приняли как само собой разумеющееся, что она сразу все поняла. И смотрели на нее виновато, заискивающе, лучистыми глазами, точно дети. И, как показалось Диане, сразу же стали обращаться с ней будто с матерью. Диана тоже долго глазам своим не верила. Для нее это тоже было весьма горькое открытие. С самого начала, регулярно навещая Бруно, Диана обнаружила, что в ее новых отношениях с Денби есть определенная прелесть. Она чувствовала в нем доброго друга, и у нее не было опасений, что она может его потерять. Теперь она ощущала его привлекательность более отвлеченно и спокойно, от него исходило уютное тепло, его присутствие утешало. То, что они вместе ухаживают за Бруно, целительно действовало на нее. Было очевидно, что Денби несчастлив. Она уважала его горе и, заглянув в будущее, готовилась как-нибудь его обласкать. Каким образом, она не задумывалась. Все обойдется без крайностей. Но горю можно будет помочь. Когда умрет бедняжка Бруно, думала Диана, я позабочусь о Денби, найду способ. Она много думала о Денби, особенно по вечерам, сидя в одиночестве в гостиной на Кемсфорд-Гарденс, и думать о нем было приятно.

А что же теперь? Лиза отняла у нее Майлза, а затем и Денби. Выслушивая оскорбленного до глубины души Майлза, Диана старалась пересилить собственную боль. Ей трудно было вынести обиду. Только теперь она поняла, сколь сильно уповала на Денби. Но лишь когда Майлз сказал, что по крайней мере она может быть довольна устранением соперницы, — только тогда она подумала о другой стороне вопроса. Денби в некотором смысле был куда надежнее, чем Индия. Если бы Лиза уехала в Индию, она стала бы для Майлза божеством. Но Лиза, разъезжающая в автомобиле Денби, откинув руку на спинку сиденья, — эта картинка так и стояла у Дианы перед глазами, — с точки зрения Майлза, ниже пасть было некуда. «Она поддалась искушениям мирским и плотским, — ядовито сказал Майлз. — Будем надеяться, что до сатанинских дело не дошло!» Он, естественно, считал, что

Диана довольна и что иначе быть не может. Его не интересовали ее чувства, он был поглощен своими. Он это переживет, думала Диана, он это переживет. В конце концов, мы все нашли себе пару. У Майлза — его муза, у Лизы — Денби. А у меня — Бруно. Кто бы мог подумать, что все так сложится?

Диана чувствовала, что в итоге оказалась в полном одиночестве. Денби и Лиза, с их заботливым отношением к ней, с их смиренной вежливостью, были потеряны для нее, точно умерли. Она начинала понимать, что Майлз почти не думал о ней, что ей, живой, почти не оставалось места в его сердце. Оно было занято более экзотическими предметами. Когда он рассказывал о Парвати, Диане казалось, что она ему очень близка, теперь же она считала, что ею просто воспользовались. Майлзу требовалось пережить кризис в его отношениях с прошлым, пройти через тяжкое испытание, и Диана помогла ему в этом. Теперь, придя в себя, он стал еще более самодовольным, чем прежде. Она подумывала, не сказать ли ему, что у нее тоже был роман с Денби, может быть, тогда он обратил бы на нее внимание. Но это принесло бы только лишние бессмысленные переживания.

А теперь, думала она, я сделала самую большую на свете глупость — привязалась к умирающему. Разве это не самая бессмысленная любовь? Все равно что полюбить смерть. На первых порах она присматривала за Бруно просто потому, что больше некому было. Уход за ним приносил ей успокоение, у нее появилось дело, долг, а также возможность уйти из дому, от потаенной завороженной улыбки Майлза. И наконец, там она была рядом с Денби. Потом присутствие Денби стало мучительным. Но к тому времени она уже полюбила Бруно чистой, тихой, безнадежной любовью. Он не мог дать ей ничего, кроме боли. По мере того как шли дни, Бруно слабел и все меньше сознавал окружающее, ей стало казаться, что она — соучастница его смерти, что она тоже умирает.

Диана чувствовала, что стареет, и однажды, посмотрев в зеркало, обнаружила, что сделалась на кого-то похожа. Она стала похожа на Лизу, какой та была прежде. А потом Диана начала замечать, что все изменилось. Острая горечь прошла. Осталось сильное, возвышающее душу страдание, не изведанное ею никогда ранее. Целыми днями, сидя с Бруно, держа его изможденную, покрытую пятнами руку, она думала об этом страдании — что бы это могло быть и откуда оно взялось, ее ли это собственное страдание или страдание Бруно? И плющ на обоях, и погнутый шарик дверной ручки, и прореха в кармане старого халата Бруно — все это стало необыкновенно родным, необыкновенно трогательным. Когда она добиралась теперь привычной дорогой с Кемсфорд-Гарденс на Стэдиум-стрит, ей казалось, что она в незнакомом городе — так много нового она видела: цветы на окнах, потеки на стенах, зеленый влажный мох между булыжниками мостовой. Даже уличный сор и тот удостаивался ее внимания. И лица прохожих открывались ей с необычайной ясностью, будто она в одно мгновение проникала в души этих людей из своего призрачного настоящего. Что бы это могло значить? — думала Диана. Неужели и Бруно воспринимает все так же? Ей хотелось спросить его об этом, только, наверное, сейчас он уже далеко и целиком поглощен собою. Она сидела возле Бруно, держа его за руку, и каждый думал о своем.

Ее боль была до того невыносима, что Диана уже давно не знала, боль ли это, и она задумывалась над тем, сделается ли она совершенно иной или останется прежним заурядным существом и забудет эти последние дни с Бруно. Она чувствовала, что, если бы она смогла сохранить их в памяти, она бы стала совсем другою. Но какой? И что именно она будет вспоминать? Что же казалось ей столь важным, чего она не могла понять и в то же время боялась утратить? Не хотела же она продлить нынешние свои страдания на всю оставшуюся жизнь?

Она пыталась думать о себе, но получалось, что думать было не о чем. Сам по себе человек ничто, размышляла она. Только его любовь к кому-то имеет смысл. Может быть, вся ее неизбывная боль — лишь выражение безнадежной любви к Бруно? Сам по себе человек ничто, и все дело только в том, что он способен любить. Наверное, так оно и есть. Она больше не чувствовала обиды на Майлза, на Денби, на Лизу. Пусть себе благоденствуют, она будет ласково опекать их, как детей. Кто научил ее этому? Скорее всего, никто, это вытекало само собой из всего хода ее размышлений. Смягчись. Отдай им всю себя. Люби их. Пусть необозримый свод твоей любви простирается над ними. Диана всем своим существом чувствовала, насколько беспомощен человек перед лицом смерти. Она воистину переживала смерть, ощущая, как сама обращается в ничто, как угасает в ней желание. Но любовь в ее душе оставалась — и это единственное, что важно на свете.

Дряхлая рука в пятнах тихо разжалась.

1969

О жизни и творчестве
АЙРИС МЁРДОК

Леди Джейн Айрис Мёрдок родилась в 1909 г. в Дублине, в англо-ирландской семье: ее родители, будучи ирландцами по крови, говорили по-английски и исповедовали протестантизм. Хотя Мёрдок переехала в Лондон еще девочкой, Ирландия на всю жизнь осталась для нее «романтической землей, которую хочется постигать и исследовать». Действие большинства книг писательницы происходит в Англии, однако в двух ранних романах Мёрдок обращается к ландшафтам родной Ирландии: в готическом «Единороге» (1963) это пустынное скалистое побережье в северной части острова, а в «Алом и зеленом» (1965) — Дублин в дни Пасхального восстания 1916 г.

Начало Второй мировой войны застает А. Мёрдок студенткой Оксфордского университета — первой ее специальностью стала античная философия и древние языки. В 1942—1944 гг. писательница служит в Британском казначействе, а два следующих года проводит в Австрии и Бельгии, сотрудничая в службе ООН по устройству «ди-пи» — перемещенных войной лиц. В Брюсселе Мёрдок увлекается новейшими течениями европейской мысли, прежде всего французским экзистенциализмом, и по возвращении в Англию деятельно изучает философию в Кембридже. В 1948 г. начинается многолетняя преподавательская деятельность А. Мёрдок в Оксфордском колледже Св. Анны (любопытная деталь: по воспоминаниям одной из современниц, в замкнутом университетском сообществе, традиционно порождающем конфликты и взаимные обиды, у Мёрдок никогда не было не только врагов, но и недоброжелателей). Первой значительной работой будущей писательницы стало исследование «Жан-Поль Сартр, романтический рационалист» (1953) — книга, показательная как выбором героя, так и подзаголовком, который вполне можно применить к беллетристике самой Мёрдок.

Спустя год после монографии о Сартре появился дебютный роман «Под сетью», сразу же поставивший имя Мёрдок в ряд ведущих представителей послевоенной британской прозы. Формально примыкая к литературе «рассерженных молодых людей» (Кингсли Эмиса, Джона Уэйна, Джона Осборна и других), первая книга Мёрдок открывала куда более широкую литературную перспективу, заставляя вспомнить о философских повестях эпохи классицизма, плутовском романе и нравоописательной прозе Джейн Остин.

При всей последующей эволюции писательницы уже в романе «Под сетью» четко очерчены те антиномии, диалектическое единство которых стало своеобразной маркой Мёрдок: скрупулезный психологический анализ сочетается в ее книгах с романтически-приподнятым восприятием действительности, а нешуточный нравственный пафос уравновешен спасительным британским остроумием. Философским романам Мёрдок — в отличие, к примеру, от книг ее знаменитого соотечественника Уильяма Голдинга, дебютировавшего в том же 1954 г., — чужды аллегория и аскетические сюжетные конструкции; неслучайно в одном из радиоинтервью пятидесятых годов писательница упрекала Камю и Сартра, кумиров ее литературной молодости, за «ясность и простоту», то есть за схематизацию действительности, не оставляющей места тайне и чуду. Мёрдок неизменно привлекает сложность человеческих симпатий и антипатий, «бытие как всеобъемлющая густая сеть мельчайших переплетений» («Черный принц», 1973), и многоступенчатую интригу любого из ее романов не так-то просто пересказать в нескольких фразах. Здесь уместно вспомнить, что своими литературными учителями писательница неоднократно называла Шекспира и Толстого. Умение понимать и принимать жизнь в ее неисчерпаемом многообразии, не замыкаясь в мире самообольщения и умозрительных схем, — таковы краеугольные камни этики Мёрдок. «Сюжет всякой хорошей пьесы и романа, — утверждает писательница в книге философских эссе «Огонь и солнце» (1977), — это паломничество от иллюзии к реальности».

За сорок пять лет интенсивной творческой работы (Айрис Мёрдок умерла в 1999 г.) писательница выпустила двадцать шесть романов, две оригинальные пьесы, сборник стихов «Год птиц», книгу о Платоне, философский трактат «Суверенность добра», книгу лекций «Метафизика как путеводитель по этике», множество статей и эссе. Следуя «подсказкам» самой писательницы, критики условно делят ее творчество на три периода — в соответствии с основными философскими влияниями, испытанными Мёрдок в разные годы. Первый период — «экзистенциалистский», второй отмечен воздействием метафизики Платона, а в поздних книгах писательница обращает свой интерес к христианству и нетрадиционным религиям.

«Сон Бруно» (1969), представленный в этом издании, — первый и, пожалуй, наиболее характерный из «платоновских» романов Мёрдок. Исследователь творчества писательницы Петер Конради называет эту книгу «двуликим Янусом», поясняя: «С одной стороны, это вполне законченный роман, с другой — наиболее откровенное размышление Мёрдок над теорией платоновского Эроса».

СОДЕРЖАНИЕ

Литературно-художественное издание

АЙРИС МЁРДОК

СОН БРУНО

Редактор Антонина Балакина
Художественный редактор Илья Кучма
Технический редактор Татьяна Раткевич
Корректоры Елена Байер, Татьяна Бородулина
Верстка Андрея Грибанова

Директор издательства Максим Крютченко

ЛП № 000116 от 25.03.99

Подписано в печать с готовых диапозитивов 20.10.99.
Формат издания 80х100^1/$_{32}$. Печать офсетная.
Гарнитура «Академическая». Тираж 10 000 экз.
Усл. печ. л. 17,8. Изд. № 50. Заказ № 50.

Издательство «Азбука».
196105, Санкт-Петербург, а/я 192

Отпечатано с готовых диапозитивов
в ГИПК «Лениздат» (типография им. Володарского)
Министерства Российской Федерации по делам печати,
телерадиовещания и средств массовых коммуникаций.
191023, Санкт-Петербург, наб. р. Фонтанки, 59.

ИЗДАТЕЛЬСТВО «АЗБУКА» ПРЕДСТАВЛЯЕТ

СЕРИЯ «АЗБУКА – КЛАССИКА»

новые книги серии:

Х. Л. Борхес
Книга вымышленных существ

Дж. Вазари
Жизнеописания знаменитых живописцев

М. Варгас Льоса
Тетушка Хулия и писака

М. Павич
Внутренняя сторона ветра

М. Павич. **Пейзаж, нарисованный чаем**

Ясунари Кавабата. **Тысячекрылый журавль**

Э. Хемингуэй. **Прощай, оружие!**

Т. С. Элиот. **Убийство в соборе**

Д. Хармс
О явлениях и существованиях

Ж.-П. Сартр. **Слова**

Аврелий Августин
Исповедь

По вопросам приобретения книг

СЕРИИ

«АЗБУКА – КЛАССИКА»

обращайтесь

в Санкт-Петербурге:
издательство "Азбука"
тел. (812) 327-04-55, факс 327-01-60

в Москве:
представительство издательства
"Азбука", тел. (095) 276-63-05

в Челябинске:
ЗАО "Корвет", тел. (3512) 36-75-10

в Новосибирске:
ООО "Топ-книга", тел. (3832) 36-10-28

в Ростове-на-Дону:
ООО "Фаэтон-Пресс", тел. (8632) 65-61-64

в Екатеринбурге:
ООО "Валио Плюс", тел. (3432) 42-07-75

в Иркутске:
издательство "Востсибкнига", тел. (3952) 34-42-95

в Волгограде:
ИЧП "Эзоп", тел. (8442) 37-25-19